VERBINDING VERBROKEN

Abigail Carter

Verbinding verbroken

MISTRAL
uitgevers

Oorspronkelijke titel: *The Alchemy of Loss*
Oorspronkelijke uitgave: McClelland & Stewart Ltd., Toronto
Vertaling door: Tota / Erica van Rijsewijk

Omslagontwerp: Wil Immink
Omslagillustratie: Arcangel Images / Jane Fulton Alt
Auteursfoto: © Peter Waweru
Typografie en zetwerk: ZetProducties

Copyright © 2008 Abigail Carter

Copyright © 2008 Nederlandstalige uitgave:
Foreign Media Books bv, Postbus 3626, 1001 AK Amsterdam

www.abigailcarter.com
www.mistraluitgevers.nl
www.fmbuitgevers.nl

Mistral uitgevers is een imprint van Foreign Media Books bv,
onderdeel van Foreign Media Group.

ISBN 978 90 499 5087 3
NUR 320

Voor Arron

Voorwoord

De instorting van het World Trade Center en de dood van mijn man Arron, op 11 september 2001, vormden het begin van een proces van persoonlijke groei dat ik nooit had kunnen voorzien. Ik kwam tegenover de donkere demon van verdriet te staan, moest zijn verlammende lichamelijke effecten ondergaan, en werd af en toe verrast door momenten van helderheid en optimisme. Ik vergeleek mezelf met een mythische held die uit wanhoop op reis gaat en via talloze uitdagingen uiteindelijk uitkomt bij de ultieme beproeving, waarvan ik nu besef dat ik die zelf was.

Ik wilde graag mijn verhaal op schrift stellen, ook al had ik nog nooit iets geschreven, en ging kort na de tweede gedenkdag van Arrons dood achter mijn computer zitten en tikte simpelweg in: '11 september 2001'. Ik hield mezelf voor dat ik de gebeurtenissen wilde optekenen voor mijn kinderen, die op een goede dag naar details zouden vragen, maar stiekem hoopte ik ook dat mijn verhaal meer zou zijn dan dat: iets wat anderen zou kunnen helpen met hún verlies om te gaan. Ik wilde het boek schrijven dat ikzelf niet had kunnen vinden, het boek dat me de hoop bood dat mijn verdriet niet altijd zou duren en dat er uit de as van het verlies een heel nieuw leven zou kunnen ontstaan.

In die tijd stuitte ik op een boek van Kathleen Brehony met de titel *After the Darkest Hour*, dat me enig inzicht gaf in de omgang met verlies. Zij stelt dat verlies een vorm van 'spirituele alchemie' is en ons kansen biedt om te veranderen en te groeien. Alchemie is een aloude wetenschap en een vorm van spiritualiteit waarbij scheikunde, metallurgie, natuurkunde en geneeskunde zijn gecombineerd. De aanhangers ervan streefden ernaar lood om te zetten in goud.

Dit proces van omzetting bestaat uit drie stappen. Eerst is er het 'zwartprocedé', waarbij het lood wordt ontdaan van zijn oorspronkelijke toevoegingen en wordt herleid tot zijn kaalste basiselementen om het op de transformatie voor te bereiden. De oorspronkelijke vorm bestaat dan niet langer. In spirituele termen is dit het verlies van het bekende, vaak gekenmerkt door een toestand van verwarring, waarin we ons gedesoriënteerd en angstig voelen.

De volgende fase is het 'witprocedé', waarbij het metaal (of de menselijke geest) wordt gereinigd en gezuiverd, zodat de oorspronkelijke chemische samenstelling een transformatie ondergaat. De verwarring en chaos worden gereguleerd, ze worden voorspelbaarder, en we beginnen in onze transformatie kansen te ontdekken om ons meer bewust te worden van onszelf en onze spiritualiteit. Kathleen Brehony beschrijft deze etappe van de reis als een 'doop, [...] een spiritueel en psychologisch ontwaken'.

Een rood poeder dat is vervaardigd uit de mythische steen der wijzen, maakt de laatste fase mogelijk, het 'roodprocedé', dat resulteert in een zuivere vorm van goud. Het individu stijgt uit boven zijn oude, aan de aarde gebonden overtuigingen en ideeën, en bereikt een hoger niveau van verlichting. Hij of zij wordt getransformeerd tot zijn of haar gouden, pure of ontwaakte staat.

Hier volgt het verhaal van mijn reis, van de eenzaamheid en het isolement van de eerste dagen na 11 september tot en met mijn inzicht in wat lijden en tragedies ons kunnen opleveren. Het is mijn eigen transformatie van lood in goud.

Deel een

Het zwart

Wees hulpeloos, volkomen verstomd,
Niet in staat ja of nee te zeggen.
Dan zendt de genade ons een draagbaar
om ons op te komen halen.

Rumi, 'Nulcirkel'

1

11 september 2001

Ik had Carter, mijn zoontje van twee, in mijn armen en stopte in de keuken net het lunchtrommeltje van mijn dochter Olivia in haar rugzak toen de telefoon ging. Ik twijfelde nog of ik wel of niet zou opnemen, want we hadden nog maar een paar minuten voor de schoolbus zou komen. 'Hier, doe jij dit eens even.' Ik gaf Olivia de rugzak aan, zodat zij die kon dichtritsen, en pakte de telefoon. 'Hallo?'

'Ab, Ab! Ik zit in een noodsituatie. Ik ben in het World Trade Center en er is hier een bom. Ab, ben je daar?' Het was mijn man, Arron, en hij praatte langzaam en articuleerde de woorden duidelijk. Ik dacht bij mezelf dat het waarschijnlijk om een voetzoeker ergens in een van de toiletten ging. Arron deed vast alleen maar dramatisch.

Ik probeerde hem antwoord te geven, maar hij kon me niet verstaan en hing op. Meteen daarop ging de telefoon weer. Ik nam al op nog voordat hij goed en wel was overgegaan. Ik voelde dat het ding me dringend iets wilde vertellen, maar wilde het telefoontje ook gewoon snel afhandelen, want straks miste Olivia de bus nog.

'Ab, Ab, ik zit bij Windows on the World in het World Trade Center,' zei hij langzaam. Ik wist dat hij die dag ergens in het centrum van Manhattan naar een bedrijfsbeurs moest, maar wist niet waar precies. 'Er is hier een bom. Je moet de politie bellen! Ab?' Ik had nog steeds Olivia's lunchtrommeltje in mijn handen en probeerde terwijl hij tegen me praatte het in de rugzak te krijgen.

'Ja, ja,' zei ik. 'Ik hoor je wel. Oké. Okeee... Ik ga ze nu bellen.' We hingen op. Mijn hoofd liep om. Het was Olivia's tweede dag in de eerste klas. Ons kindermeisje, Martha, had die dag vrij genomen en ik moest de ochtendspits zonder haar hulp zien te doorstaan. Waarom kon hij zelf het alarmnummer niet bellen, vroeg ik me af. Waarom maakte hij er zo'n heisa van?

Bij het plaatselijke politiebureau van Montclair, New Jersey, kreeg ik de meldkamer aan de lijn. Ik voelde me een beetje dwaas toen ik uitlegde dat mijn man dacht dat er een bom in het World Trade Center lag.

'Ik heb niets gehoord over een bom, maar we zullen de NYPD waarschuwen en u terugbellen,' zei de medewerker van de meldkamer bedaard. Onze stad, een voorstad van New York, lag maar een kleine twintig kilometer ten westen van Manhattan.

Ik stond op de oprit en wist niet helemaal zeker hoe ver het signaal van de draadloze telefoon zou reiken. 'Liv, kun je vanaf hier zelf naar de bushalte lopen?'

'Nee, mama! Jij moet mee.'

'Oké, oké,' zei ik geërgerd. Haastig liep ik met Olivia naar de weg, nog net op tijd voor de bus.

Ze stapte in en draaide zich op de treetjes naar me om. 'Met wie praatte je?'

'Papa belde net en zei dat er een bom is in New York! Dag-dag, lieverd.' Ze keek verward toen ik luchtig naar haar zwaaide. Ik hield Carter op mijn heup en keek hoe Olivia in de bus plaatsnam.

Toen ik terugliep naar het huis, belde de politie terug. 'We hebben de NYPD gesproken. Er is een vliegtuig tegen het gebouw aan gevlogen. U kunt maar beter de tv aanzetten.'

'Goed,' zei ik zwakjes. Terwijl ik weer naar binnen ging, stelde ik me een klein toestel voor, een Cessna of zo, en ik zette de tv aan.

Dichte rook wolkte als water omlaag van de bovenkant van het onmogelijk hoge gebouw en steeg in dikke watten op in de indigoblauwe lucht. Het beeld maakte plaats voor een shot van een ander gebouw, een maagdelijke tweeling van het andere. Ik stapte met knipperende ogen achteruit toen een plotselinge oranje vlam de hele tv leek te omhullen. Carter zat nog steeds op mijn heup en ik voelde dat hij me angstig aankeek. Ik drukte hem dichter tegen me aan, omdat ik mijn ogen niet van het scherm wilde losmaken.

Opeens viel het beeld weg. Ik verstrakte even en reikte toen haastig omlaag om aan de knoppen van de tv te draaien. 'O nee, hè! Nee!' mompelde ik. Er schoten diverse zenders voorbij – allemaal zwart. Ten slotte kreeg ik weer beeld en keerde de nachtmerrie terug: een gebouw dat helemaal schuilging in griezelige zwarte rook, een tweede waarbij nu een oranje vlam aan de randen van de wond in de bovenste verdiepingen vrat. 'Het ziet ernaar uit dat er ook een vliegtuig in de Zuidtoren is gevlogen,' zei de verslaggever. Een andere camerahoek bewees in een herhaling dat hij gelijk had. Het enorme vliegtuig helde krankzinnig naar rechts en ramde zich toen in het gebouw. Diep vanuit mijn buik steeg nogmaals een kreun op, en ik begon te bibberen.

'O, Fabbo...' Kreunend noemde ik Arrons koosnaam, terwijl ik de tv wel in wilde springen.

'Alsjeblieft, nee. Nee, nee, nee, nee, nee,' kreunde ik onwillekeurig; het geluid leek ergens diep vanuit mijn borstkas te komen. Ik liet me op de grond zakken en streek met mijn vingers over het scherm, alsof ik zo op de een of andere manier Arron zou kunnen bereiken. Ik wilde Carter neerzetten, maar hij klemde zich vast aan mijn middel. Zorgvuldig toetste ik de cijfers in die ik uit mijn hoofd wist.

'Dit is Voicestream. Wegens technische problemen zijn we momenteel niet in staat uw telefoontje door te verbinden.' De boodschap leek een voorteken. Keer op keer toetste ik hetzelfde nummer in.

Uiteindelijk kwam ik erdoorheen. 'U bent verbonden met de voicemail van Arron Dack...' Zijn stem klonk geruststellend. Hij zou vast en zeker zijn boodschappen afluisteren.

'Fabbo, bel me alsjeblieft. Ik maak me zo'n zorgen om je. Ik hou van je...'

Ik zou andere mensen moeten bellen. Ze moeten waarschuwen... maar waarvoor? Het leek allemaal onmogelijk. Voor Arrons moeder, Selena, liet ik bij haar thuis in Port Hope, Ontario, een boodschap achter.

'Bel me meteen!' Ik hoopte maar dat mijn stem kalm klonk. Verder belde ik niemand, want ik wilde niet in gesprek zijn voor het geval

Arron me zou bellen. Ik wilde dat ik een abonnement had genomen op wisselgesprekken. Ik wilde niets liever dan dat de telefoon zou overgaan.

Op de tv sloeg de rook nog steeds uit de bovenste gedeelten van de torens. Binnen moest het verschrikkelijk zijn. Wat zou er door hem heen gaan? Zou hij bang zijn? Wist hij dat er vliegtuigen tegen het gebouw waren gevlogen, dat het geen bommen waren? Rende hij de trappen af of probeerde hij me een afscheidsbrief te schrijven? 'Lieve Ab,' zou daarin staan. 'Zorg goed voor de kinderen. Ik hou dolveel van jullie allemaal...' Mijn keel werd dichtgeknepen. Waarom dacht ik dat soort dingen? Hij draafde nu vast lange trappen af, waarbij zich op elke verdieping honderden anderen bij hem voegden. Het zou even duren, maar hij zou naar beneden komen. Tegen de tijd dat hij thuiskwam, zou hij moe en uitgeput zijn. Had ik bier in huis? Misschien moest ik wat steaks uit de vriezer halen om die avond te grillen, bedacht ik, maar ik stond niet op.

Harley, onze golden retriever, begon hard te blaffen toen twee Braziliaanse kindermeisjes, vriendinnen van Martha, met hun twee kleine pupillen in de deuropening verschenen. De zon achter hen was verblindend. Ze hadden me horen praten bij de bushalte van Olivia en wisten dat er iets niet in de haak was. Ze hadden al gehoord over de vliegtuigen, de torens, en kwamen kijken of alles goed met me was. Maar ze vielen stil toen ze mijn gezicht zagen. Carter en de twee andere jongetjes waren opgetogen omdat ze onverwacht met elkaar konden spelen en doken onmiddellijk in een bak met lawaaierige autootjes en brandweerwagens. Er begonnen sirenes te loeien.

'Mijn oom, hij misschien daar. Soms hij werkt in gebouw,' zei Maria met een vet accent.

'O, nee!' antwoordde ik. 'Wat verschrikkelijk.'

In gepeins verzonken bleven we voor de tv zitten kijken hoe de tragedie zich ontvouwde.

Toen werd het beeld wit, van het stof of de rook. 'Het ziet ernaar uit dat er een bom is ontploft!' verklaarde de verslaggever. Ik stopte met ademhalen. Het wit was als een dikke wolk, die bijna mooi was zoals hij zich langzaam door de lucht verspreidde en die leek te strelen. 'Nee, het is een van de torens, die dreigt in te storten!' De verslaggever klonk alsof hij het zelf niet kon geloven.

Mijn verstarring werd doorbroken doordat er een luid belsignaal klonk in mijn hand. 'Hallo?' zei ik met overslaande stem. 'Arron?' 'Nee, met mij, Selena. Wat is er aan de hand?'

'Zet de tv aan!' riep ik haar toe.

'Goed,' zei ze, ergerniswekkend kalm. Zij was zich er in het kleine stadje in Ontario waar ze woonde niet van bewust wat zich allemaal in New York afspeelde. Zij kon niets weten van de verschrikking waar ik getuige van was tijdens het gesprek dat ik met haar voerde. 'Staat hij al aan?' vroeg ik, toekijkend hoe het stof de lucht vulde.

'Welke zender?' vroeg ze, nog steeds veel te kalm.

'Maakt niet uit! Zet nou verdomme gewoon de tv aan!' Mijn geduld was op. 'Dat klotegebouw stort nú in! Straks mis je het nog! Vlug nou!'

Ik weet niet meer wat we tegen elkaar zeiden toen Selena eenmaal haar tv had aangezet. Haar reactie drong niet tot me door. Ik kapte het gesprek in elk geval snel af, voor het geval Arron wilde bellen. Verdwaasd liep ik naar buiten, nog steeds met de telefoon in mijn hand. De kindermeisjes maakten zich uit de voeten en namen Carter met zich mee.

Een paar minuten later zat ik op het trapje van onze brede veranda, ongemakkelijk in de veel te strak zittende sportkleding die ik die ochtend had aangetrokken om te gaan kickboksen. Sinds Arrons telefoontje was er nog maar een uur verstreken, en toch voelde het alsof het gisteren of verleden jaar was. Het nieuws had snel de ronde gedaan door de straat en er kwamen een paar buren mijn gazon op, die stilletjes met elkaar praatten. Niemand van ons wist waar in het gebouw Windows on the World precies was, hoewel iemand dacht dat het een restaurant was helemaal bovenin, en we wisten niet of dat deel uitmaakte van de toren die nog overeind stond of van die die net was neergestort. Er werd iets gezegd over dat Arron zo handig is… was? Dat zeker hij altijd uit elke situatie wist weg te komen, net als MacGyver. Er ging gelach op bij het idee dat hij zichzelf met *duct tape* in veiligheid zou brengen.

Ik klemde nog steeds de telefoon in mijn hand alsof mijn leven ervan afhing. Kathleen, van de afdeling Human Resources van Arrons werkgever Encompys, belde me om te vertellen dat ze contact had weten te leggen met Jeff, een van de twee mensen met wie Arron naar die bedrijfsbeurs zou gaan. Van Jeff kwamen we te weten dat alle bezoekers van de beurs naar een hoekkantoor waren gegaan en op de 105e verdieping van een van de gebouwen wachtten op evacuatie. Onvoorstelbaar hoog. 'Wachten' leek een verkeerd woord; ze moesten zo snel mogelijk naar buiten zien te komen.

Ik kreeg nog een telefoontje van de meldkamer van de politie van Montclair – agent Wyatt, die ik ook aan de lijn had toen ik het alarmnummer had gebeld.

'Ik wilde alleen even checken of u al iets van uw man had gehoord,' zei agent Wyatt.

'Nee, niets.'

'Wat vervelend. Kan ik iets voor u doen?'

'Nou, ik weet dat hij in Windows on the World is, maar ik weet nog steeds niet in welke toren dat zit. Is het in de toren die is ingestort of in degene die nog overeind staat? Dat zou ik dolgraag willen weten.'

'Dat snap ik. Ik weet het niet zeker,' zei hij, 'maar ik zal proberen erachter te komen. Volgens mij was er in beide gebouwen een restaurant.'

'O. Nou, als u dat voor me kunt uitzoeken, zou ik daar heel blij mee zijn.' Ik deed mijn best om opgewekt te klinken, maar vermoedelijk klonk mijn stem vlak. Uiteindelijk deed het er natuurlijk niet echt toe.

Ik keek op toen een van mijn buren de straat overstak en naar me toe kwam. Nog voordat hij me vertelde dat ook de tweede toren was ingestort, had ik aan zijn gezicht al gezien dat hij slecht nieuws kwam brengen. 'Ik weet het,' wist ik alleen maar uit te brengen, waarna mijn wereld kantelde en alles mistig werd.

De zon zakte omlaag aan de hemel. Rond een uur of vier zag ik weer een van mijn buren thuiskomen. Toen hij me zag, stak hij de straat over. Brian werkte op Wall Street, dus verbaasde het me dat hij er zo smetteloos uitzag, heel anders dan de spookachtige figuren die ik op tv had gezien en die onder het stof zaten. Maar zijn ogen stonden droevig, vermoeid. Ik moest er niet aan denken hoeveel mensen hij wel niet moest hebben gekend die in de torens werkten.

'Ik heb het gehoord van Arron. Wat verschrikkelijk. Maar verlies de hoop niet. In de stad is het een gekkenhuis. Ik was mijn kantoor al uit voordat de Zuidtoren neerstortte en liep naar de pont. Ik moest uren wachten voor ik erop kon en ben toen naar Montclair gelift. Er staan lange rijen bij elke telefooncel, de metro is gesloten, de straten zitten verstopt met voetgangers. Ik weet zeker dat Arron naar huis komt. Het kan alleen wel even duren.' Hij praatte snel en een tikje nerveus, omdat hij ons er allebei van probeerde te overtuigen dat Arron in veiligheid was.

Maar Brian gaf me wel enige hoop. Ik stelde me Arron voor: smerig, stinkend, niet in staat of te ongeduldig om te wachten tot er een telefoon vrij was, met een mobieltje dat niet meer werkte. Net als Brian zou hij kalm, ontdaan en berustend zijn als hij thuiskwam. Of misschien hij zou hij opgewonden zijn, aan één stuk door praten, me alle verhalen vertellen, zijn avontuur om thuis te komen, alle mensen die hij onderweg had geholpen of die hem hadden geholpen. Hij zou een biertje nemen, fris onder de douche vandaan komen en we zouden er buiten ons gemak van nemen en de steaks grillen die ik nog steeds niet uit de vriezer had gehaald. Hij zou zich zorgen maken over een paar mensen van wie hij wist dat ze vermist werden.

Mijn fantasieën over de steaks die we die avond zouden eten, werden onderbroken door gepraat over ziekenhuizen bellen. Een andere buurman zou naar de stad gaan om te zoeken naar een vriend, waarbij hij zich erop zou beroepen dat hij arts was om ziekenhuizen in te komen. Moest hij ook naar Arron uitkijken? Maar Arron werd niet vermist, dacht ik. Die wist hoe hij thuis moest komen en zou wel bellen. Zo meteen. Of misschien was er niets van dit alles gebeurd en was hij gewoon weg voor andere zaken. Hij was helemaal niet in de stad. Met hem was alles prima. Hij kon alleen nergens een telefoon vinden. Ja, kijk maar uit naar Arron, als je wilt, maar je vindt hem toch niet.

Toen Olivia thuiskwam uit school, trof ze een huis vol mensen aan. 'Mama, een jongen in de bus zei dat er twee boeven met een vliegtuig tegen een paar gebouwen in New York aan zijn gevlogen!' zei ze ademloos.

'Ja, dat weet ik,' antwoordde ik. Ik was opgelucht dat ze geen verband had gelegd met Arrons telefoontje van die ochtend.

In de loop van de avond werd Carter teruggebracht door de kindermeisjes; hij had al gegeten en kon meteen naar bed. Op de een of andere manier wist ik hem een flesje te geven, en godzijdank viel hij zonder strubbelingen in slaap. Toen ik Olivia naar bed bracht, vroeg ze: 'Waar is papa?' Het enige dat ik wist te zeggen was: 'Ik weet het niet, liefje. Hij kan zeker New York niet uit komen.' Gelukkig leek ze tevreden met dat antwoord.

Buren waren eten komen brengen, dat niemand opat. Iemand zette koffie. Nu de kinderen lagen te slapen, zette iemand anders de tv weer aan, waarop herhalingen werden vertoond van de afschuwelijke beelden van die dag. Ik ging dicht bij het toestel zitten, zodat ik bij overzichtsbeelden van de mensenmassa's naar tekenen van Arron kon zoeken. Maar er viel niets te zien. De nieuwslezer herhaalde steeds maar de frases 'eerstehulpafdelingen leeg', 'hulp is onderweg', 'velen nog steeds vermist', terwijl er taferelen werden getoond van dokters die niets te doen hadden en voor de ingangen van ziekenhuizen liepen te ijsberen. Er zouden honderden of misschien wel duizenden mensen dood zijn of vermist worden. Er kwamen een paar vrienden langs en ik nam ze mee naar de keuken, zodat we degenen die tv wilden kijken niet zouden storen.

'Wat kunnen we doen?' zeiden mijn vrienden terwijl ze tegen het aanrecht leunden.

Er kwam een kalmte over me en ik werd nuchter en praktisch. Ik moest voor mijn kinderen zorgen en een manier zien te vinden om mijn man te helpen. 'De realiteit is dat Arron misschien niet meer terugkomt. Wat moet ik tegen de kinderen zeggen? Morgen moet ik hun hoe dan ook iets vertellen. Ik zou wel een handboek kunnen gebruiken dat me zou zeggen hoe dat moet.'

Een uur later kreeg ik drie boeken in mijn handen gedrukt over rouwverwerking bij kinderen, kersvers uit een boekwinkel. Het was vast nog te vroeg om al over rouw na te denken. Toch trok ik me terug in mijn slaapkamer en bladerde het eerste boek door: *When Children Grieve* van John W. James, Russell Friedman en dr. Leslie Landon Matthews. Volgens deze schrijvers hing het van mij af hoe mijn kinderen met rouw zouden omgaan. Mijn daden zouden voor hen een voorbeeld zijn en zij zouden dat navolgen. Ik moest eerst zelf een zuurstofmasker opzetten voordat ik mijn kinderen kon helpen.

Mijn buren zaten om twee uur 's nachts nog steeds bij me en smeekten me naar bed te gaan. Maar ik wilde op Arron blijven wachten. Ik wilde wakker zijn als hij terugkwam. Ik zette mijn computer aan en stuurde mailtjes naar iedereen van wie ik een adres had. 'Bid alsjeblieft voor hem,' typte ik. Is dat niet wat je zegt in zo'n situatie? Ik had nog nooit van mijn leven gebeden, maar op dat moment zou ik graag hebben geweten hoe het moest. 'Alsjeblieft, God, laat hem naar huis komen.' Terwijl ik mijn inadequate gebeden opschreef, drong het dieper tot me door. Stel nou dat hij nooit meer thuiskwam? Stel nou dat hij echt weg was? Wat als...? Ik kneep mijn ogen stijf dicht en zette mijn gedachten van me af.

Om vier uur zat ik nog steeds achter mijn computer geplakt. De vaste telefoonlijn was onbetrouwbaar en ik was er al uren geleden mee opgehouden om Arrons mobieltje te bellen. Het was te pijnlijk om zijn zakelijke stem te horen zeggen dat ik een boodschap kon achterlaten of om een ingespektoon te horen, alsof hij op datzelfde moment een poging deed mij te bellen. Ik verweet het mezelf dat ik er niet eerder aan had gedacht om hem te mailen:

> *Fab,*
> *Ik hou van je. Mail me alsjeblieft als je dit leest.*
> *Liefs, lb*

Zoals altijd had ik ondertekend met 'lb', de afkorting van *lemonbird*, citroenkwikstaart, wat Arrons koosnaam voor mij was.

Ik probeerde niet op de klok van mijn computer te kijken, maar kon toch niet voorkomen dat mijn blik ernaar afdwaalde. Elke minuut die verstreek, werd de kans dat Arron terug zou komen kleiner. Het gebouw was te groot. Hij had te hoog gezeten. Ik rekende het uit: 1 minuut per verdieping, dat is dus 105 minuten om naar beneden te komen, áls hij tenminste meteen was vertrokken. Het gebouw was binnen 90 minuten ingestort. Hij had het niet gehaald. Hij kon het niet gehaald hebben. Ik wist de waarheid, maar ik was er nog niet klaar voor die onder ogen te zien. Ik haatte mijn pragmatisme.

Ik vond websites met honderden meldingen van 'vermiste personen'. Een heleboel berichten waren van hetzelfde slag. 'Hij bevond zich op de 105e verdieping van toren 1...' Ik zocht naar de woorden 'Windows on the World', maar vond ze niet.

Ik verzond een foto van ons allemaal die mijn buurvrouw Diane me net had gemaild, ook al was het al laat. Die was afgelopen kerst genomen. Het was een echt gezinsportret. Carter zat op mijn schoot aan zijn flesje te lurken en Arron hield zijn kleine voetje vast. Arron had zijn andere arm stevig om Olivia heen geslagen, die een rood jurkje droeg en vlechtjes in haar haar had; ze zat in haar eigen wangen te knijpen en zijn hand rustte op haar knie.

Ik voegde er een beschrijving van Arron aan toe: 'Hij draagt een rode das... Hij heeft een groot litteken op de linkerkant van zijn voorhoofd... Hij draagt een plaatje in zijn mond...' Ik wilde er belangrijker details aan toevoegen: 'Hij heeft een aanstekelijke giechellach... Hij heeft prachtige handen... Hij heeft een foto van zijn kinderen als screensaver op zijn computer... Zijn grote teen is zijn gevoeligste lichaamsdeel...'

Het was niets voor mij dat ik nog wist wat Arron die dag voor kleren droeg toen hij het huis uit was gegaan, maar toen wist ik het. Hij was 's ochtends vertrokken voor de beurs, maar was teruggekomen en had zich omgekleed, omdat hij niet tevreden over zijn outfit was. Hij had mij zelfs zijn das laten uitkiezen. Ik dacht aan zijn hand in de mijne toen we uiteen waren gegaan en wenste dat ik die niet had losgelaten.

Ik moest steeds maar denken aan het telefoongesprekje dat we die ochtend hadden gevoerd. Ik liet het in gedachten keer op keer de revue passeren. Had ik me maar wat bezorgder getoond, tegen hem gezegd dat ik van hem hield. In plaats daarvan had ik me ervan af willen maken om Olivia op tijd de bus in te krijgen, had het me verbaasd dat hij wilde dat ik het alarmnummer voor hem belde en had ik gevonden dat hij te dramatisch deed. Ik had hem niet eens gevraagd of het wel goed met hem was. Ik wist dat hij erge hoogtevrees had. Ooit had hij me verteld over een vergadering boven in het World Trade Center; net die middag waaide het hard en de gordijnen hadden alarmerend voor de ramen heen en weer gezwaaid.

'De gordijnen bleken stil te hangen!' had hij uitgeroepen. 'Het was het gebouw dat heen en weer zwaaide! Ik moest daar weg. Ik snap niet hoe mensen daarboven de hele tijd kunnen werken.'

Ik had er spijt van dat ik aan de telefoon niet een geruststellender toon had aangeslagen.

De klok bleef Arron verraden. Straks zouden de kinderen wakker worden. Met een zucht vanuit mijn tenen, de diepste die ik ooit had geslaakt, gaf ik me gewonnen en ging uitgeput liggen, maar de slaap wilde niet komen. Ik wilde niets liever dan dat Arron naast me in bed zou liggen. Misschien dat hij, als ik me dat maar intens genoeg voorstelde, gewoon naast me zou kruipen. Dan kon ik me omrollen, me in zijn armen vlijen en deze dag vergeten.

Zoals tijdens de vele nachten dat hij op reis was, probeerde ik me voor te stellen wat hij zou zien of denken, en vroeg ik me af of er door hem hetzelfde heen zou gaan als door mij. Ik klemde een kussen in mijn armen toen de slaap me heel even met zich mee voerde.

2

Niemandsland

Ik werd om zeven uur wakker, toen de kinderen op mijn bed sprongen. Heel even zag ik vreugde op hun gezichtjes en vergat ik onze nachtmerrie, totdat Olivia me met haar blauwe hertenogen aankeek en vroeg: 'Waar is papa?' Ik begon te huilen, herinnerde het me weer, en toen moest ook zij huilen. Carter kroop naast me en nestelde zich in mijn armen. Ik besefte dat ik hun de waarheid moest vertellen.

'Schat, weet je nog dat je me vertelde over de vliegtuigen die tegen dat gebouw waren gevlogen?'

'Ja,' zei ze met een huivering.

'Nou,' zei ik, 'papa was in een van die gebouwen. En allebei zijn ze ingestort.'

'Is alles goed met papa? Is hij gewond?' Ik haalde diep adem. Ik kon haar de valse hoop geven waar ik mezelf zo aan vastklampte, of ik kon haar zeggen wat ik echt dacht. Ik koos voor de waarheid, zoals het boek over rouwverwerking had aangeraden.

'Nee, lieverd, ik geloof niet dat het goed met hem is.'

'Is hij dood?' Ze huilde nu harder.

'Ik weet het niet zeker, liefje, maar dat zou best eens kunnen. Het waren echt heel grote gebouwen en hij zat helemaal bovenin.' Stil biggelden de tranen over haar wangen en we hielden elkaar een poosje vast.

Carter hield zich ongewoon kalm. Maar toen vroeg hij: 'Papa dom?'

'Ja, liefje. Papa is heel dom geweest,' antwoordde ik door mijn tranen heen.

'Mama?' zei Olivia na een lange stilte. 'Waren daarom al die mensen gisteren hier bij ons thuis?'

'Ja. Ze wilden ons allemaal helpen.'

'Mammie, waaróm zijn de vliegtuigen tegen de gebouwen aan gevlogen?'

'Nou, er zijn slechte mensen die niet van Amerika houden en die zijn in die vliegtuigen gestapt en hebben de piloten van hun stoel geduwd, en zij zijn ermee de torens in gevlogen.' Ze bleef een poosje zwijgen en ik zag aan haar dat ze dit allemaal probeerde te verwerken.

Toen vroeg ze: 'Mama, zijn die slechte mannen ook dood?' Ik stond ervan te kijken dat ze het zo snel doorhad.

'Ja, dat denk ik wel.'

'Net goed!' zei ze tevreden.

Opeens hoorden we geschuifel bij de voordeur en begon Harley druk te blaffen. We schrokken allemaal van het plotselinge geluid en Carter begon paniekerig te huilen nu zijn knusse nestje werd verstoord. Kon het zijn dat Arron thuiskwam? Was het een van de buren? Ik wist dat de kans op het laatste groter was, maar hield mijn adem in in de hoop Arrons groet te horen. Olivia sprong voor ons uit de trap af. Tegen de tijd dat Carter en ik beneden waren aanbeland, was degene die voor de deur had gestaan al weer weg.

Olivia kwam in de deuropening staan met een grote bruine zak. 'Mama, moet je kijken! Bagels! En cream cheese!' Doordat haar lievelingskostje als bij toverslag was verschenen, sloeg haar stemming meteen om.

Om mijn teleurstelling te verbergen stapte ik naar buiten, waar ik een grote kan koffie aantrof. In de daaropvolgende weken zou er elke ochtend een zak met bagels op de stoep liggen, alles bij elkaar bijna tweehonderd stuks, dus de vriezer zat er maandenlang vol mee.

Carter en Olivia verdiepten zich bij *Sesamstraat* in een verhaal over Elmo. Ik wilde dolgraag naar het nieuws kijken, naar het verslag van onder het stof zittende mensen die over straat liepen, om te kjken of ik Arron ergens in de menigte kon ontwaren. Ik stond op het punt hem weer te bellen op zijn mobieltje, alsof het daglicht mijn verbinding met hem kon hebben hersteld. Ik wilde naar de plek gaan waar de torens hadden gestaan en toekijken hoe de brandweer naar overlevenden zocht; ik wilde Arron, onder het vuil maar ongedeerd, naar buiten zien kruipen. Ik wilde de ziekenhuizen af gaan om te zoeken naar een verdwaasde en gedesoriënteerde echtgenoot, die zijn portefeuille en zijn spullen was kwijtgeraakt, en me zodra hij me zag stralend zou aankijken.

Ik wilde de hoop levend houden dat mijn nachtmerrie niet echt was. Ik wilde wakker worden en nog steeds Arrons hand vasthouden.

In plaats daarvan zette ik een kop thee voor mezelf en maakte mijn gebruikelijke kom muesli klaar. Ik nam een hap en mijn maag kwam in opstand. De muesli bleef in mijn keel steken en ik schoof de kom opzij.

Ik vroeg me weer af hoe Arron naar huis zou komen, áls hij nog leefde. 'De pick-up, o god, de pick-up,' zei ik tegen mijn onaangeroerde, papperige ontbijt. Arron had er gisteren in gereden; hij moest ergens op een parkeerplaats voor forenzen hebben geparkeerd en nu had de wagen daar de hele nacht gestaan. Misschien was hij wel weggesleept. Ik wilde dat de pick-up veilig thuis op de oprijlaan zou staan, want als Arron belde, zou hij opgelucht zijn als hij wist dat alles dáármee in orde was. Hoewel ik hem, bedacht ik, toch misschien op de parkeerplaats moest laten staan, voor het geval hij hem nodig had om naar huis te rijden.

Martha nam de kinderen mee naar vriendjes, zodat ze van de chaos in huis niets hoefden te merken, en verzekerde me dat ik me geen zorgen over hen hoefde te maken. Toen ze weg waren, ging mijn hele ochtend op aan zorgen om de pick-up. Ik kon mijn sleutels niet vinden, dus stelde een buurman voor de dealer te bellen. 'Dan kunnen zij hem wegslepen en een nieuwe sleutel maken,' zei hij.

Tegen de middag stond de appelrode pick-up weer op onze oprit, waar hij hoorde. Er daalde een kalmte over me neer toen de nieuwe sleutels me werden overhandigd. Op de een of andere manier leek de auto te bevestigen dat Arron echt vermist werd, maar hij leek ook te bewijzen dat hij had bestaan, en ik was dankbaar dat ik een deel van hem had teruggevonden.

Later die dag stapte mijn vader uit zijn groene Le Baron en kwam mijn brede gazon over gelopen. De latemiddagzon stond achter hem en zijn gezicht ging schuil in de schaduw van zijn strohoed. Ik kwam hem halverwege tegemoet en hij drukte me agressief tegen zich aan; best een beetje eng. De tranen stroomden over mijn wangen. Mijn vaders ogen waren vochtig. Woorden hadden we niet.

'Hoe was het bij de grens?' vroeg ik, om de spanning te doorbreken. 'Een makkie.' Mijn vader leek blij met de afleiding. 'Er stond niet eens een rij.' Ik was blij dat hij de grens in Kingston zonder problemen was gepasseerd. Vanochtend was niemand er zeker van geweest of dat zou lukken.

Selena was de volgende die me omhelsde. Ze was met mijn vader en stiefmoeder meegereden, die ook in Port Hope woonden. Van vliegen kon geen sprake zijn en ze was, zei ze, te zeer van slag om zelf te rijden. Ook haar omhelzing kwam agressief op me over. Misschien kon ik er gewoon niet goed tegen omhelsd te worden. Selena vermeed mijn tranen, en zeker haar eigen tranen, door de kinderen door de lucht te zwieren, die kraaiden van vreugde – een bijna normale aankomst van hun oma.

Selena was tweemaal weduwe geworden: Arrons vader was in 1978 gestorven, en in 1991 was haar tweede man, Brian, overleden aan kanker. Ook haar ouders leefden niet meer. Nu ook Arron er niet meer was, waren de kinderen en ik alles wat ze had. Op de een of andere manier had ik op dat moment meer met haar te doen dan met mezelf, misschien vanwege haar andere verliezen, of omdat het verlies van een enig kind me heel verschrikkelijk voorkwam nu ikzelf moeder was. Ik had het idee dat ik haar op de een of andere manier moest troosten, maar wist niet wat ik moest zeggen.

Sheilagh, mijn stiefmoeder, hield zich op de achtergrond, niet in staat me aan te kijken. Ik liep naar haar toe en sloeg mijn armen om haar heen. Nog steeds waren er geen woorden. Ik kon wel merken dat ze niets liever wilde dan een sigaret opsteken en zich op de achtergrond houden. Ik wilde haar ook troosten, tegen haar zeggen dat alles in orde was. In plaats daarvan bleef ik zwijgend en hulpeloos bij haar staan.

'Hebben jullie trek in een glaasje wijn?' bood ik ten slotte aan. Ze keek me dankbaar aan en we gingen naar binnen.

Nog weer later kwam mijn moeder, die met de auto uit Montréal gekomen was. Ze had de zomer doorgebracht in de cottage van mijn opa in Ste. Lucie en dat was goed aan haar te ruiken toen ik haar tegen me aan drukte: er hing een geur van kamfer en zelfgebakken koekjes om haar heen. Ze leek ouder dan de laatste keer dat ik haar had gezien, twee weken geleden, toen ze ons op de stoffige grindweg had uitgezwaaid. Wij – Arron, de kinderen en ik – waren weggereden zonder te beseffen hoe weinig tijd samen we nog hadden.

Iedereen zat nu in mijn keuken wijn te drinken. Mijn vader en moeder praatten met elkaar als oude vrienden, en Selena deed met hen mee. Sheilagh was heel stil en zag eruit alsof ze het liefst wilde wegvluchten. Het was erg ongewoon om deze groep mensen bij elkaar te hebben. Een van de weinige keren dat ze in één ruimte samen waren geweest sinds mijn ouders waren gescheiden, was op onze bruiloft, elf jaar geleden, en twee jaar geleden nog een keer, bij de bruiloft van mijn zus Jill. Door de wijn ontspanden ze zich en begonnen ze te hard te praten. Alle geluiden in huis kwamen me te hard voor. Een video van Thomas de Stoomlocomotief, die telkens opnieuw leek te beginnen, zorgde voor een constant achtergrondgeluid. De hond blafte en ik kromp in elkaar. Er arriveerden meer mensen: Brent en Marie, onze vrienden uit Atlanta, met hun chocoladebruine labrador Bo. Ik was verrast en geroerd dat ze dat hele eind hadden gereden. Arron was op Brents bruiloft geweest en we hadden zes jaar geleden hun huwelijksreis samen met hen doorgebracht in Key West, maar sindsdien hadden we elkaar niet veel meer gezien. Met hulp van Marie manoeuvreerde Brent zijn rolstoel door de smalle gangen van ons oude huis, en ze voegden zich bij de geïmproviseerde wake in de keuken.

In de twee daaropvolgende dagen ging telkens de telefoon, en bij elk schril belsignaal kromp ik in elkaar. In plaats van op te nemen legde ik bij de telefoon een groen notitieboek dat voor de helft met kindertekeningen was gevuld, waarin mijn gasten in verschillende handschriften boodschappen en belangrijke nummers noteerden. 'Vermiste personen, 1e politiedistrict, rechercheur Smith, Lifenet Support Line.' 'Oom Ted belde. 3 min. stilte in Engeland.' Werk in Adrians mijn stilgelegd.' 'Rond halfzes langs geweest. Sorry dat ik er niet was (was ziek). Heb je extra slaapplekken nodig, bel me dan.' 'Jeff belde vanuit Nieuw-Zeeland.' 'Beverley (Londen) denkt aan je en bidt voor je.'

De hele tijd werd er veel gesproken over 'luchtzakken'. Een van de buren vertelde me het verhaal van een man die van een van de bovenste verdiepingen van het World Trade Center naar beneden was gesprongen; hij was in een opwaartse luchtstroom terechtgekomen, was kalmpjes naar de grond gedwarreld en had alleen maar een been gebroken. Ik wist dat het een fabeltje was, maar wilde het graag geloven. Als er een gebouw van 110 verdiepingen op je neerstort, heb je nul komma nul kans om dat te overleven. 'Zo plat als een pannenkoek' waren de woorden die ik tegenover anderen niet durfde uit te spreken. Arron was net zo'n figuur uit een Road Runnercartoon: volkomen platgedrukt. Maar misschien dat hij toch weer van het ene op het andere moment zijn oude vorm terug zou krijgen. Het was afschuwelijk om dat soort dingen over mijn man te denken, maar telkens deed ik mijn best de dingen op ongepaste manieren van de zonnige kant te zien.

Mijn zorgen kregen meer realiteitsgehalte toen het Canadese consulaat ons in contact bracht met Jim Young, een lijkschouwer uit Toronto die naar New York was gekomen om Canadese families terzijde te staan bij de vergaring van DNA en het 'verzamelen van stoffelijke resten'. Selena en ik spraken om de beurt met hem aan de telefoon. Hij was eerlijk en direct toen we hem bestookten met vragen over hoe het er op die dag aan toe kon zijn gegaan. 'Hoogstwaarschijnlijk is Arron buiten bewustzijn geraakt doordat hij rook had ingeademd. Hij zal niet hebben geweten dat de gebouwen instortten,' vertelde Jim ons. Hij zei niet: *Hij is gestorven voordat ze neerstortten*, maar wat hij zei was wel wat we wilden horen.

Het was donderdag, twee dagen nadat de torens waren ingestort, toen ik me eindelijk herinnerde dat ik ook het huis uit kon gaan. Er ging een heel gezelschap met me mee naar het park, om me te helpen de buggy te duwen en de hond uit te laten. Ik voelde me net een invalide. Toen Harley, in haar eigen vorm van hondenverdriet, op de hoek van het park ging zitten en geen poot meer wilde verzetten, boog Marie, die eraan gewend was om met Brents rolstoel rond te zeulen, zich opgewekt naar hem over, nam de dertig kilo zware hond in haar armen en droeg haar het park in. Ik geloof dat ik bij de aanblik van deze slanke, frêle vrouw met die enorme berg vernederde gele vacht in haar armen voor het eerst in drie dagen moest glimlachen.

Die avond was ons huis nog steeds vol mensen. Ik deed Carter in bad – eindelijk alleen voor het eerst sinds die afschuwelijke dinsdagochtend, leek het wel. Terwijl ik op de wc-pot zat toe te kijken hoe Carter in het bad speelde, besefte ik dat Arron al drie hele dagen van het leven van zijn zoon had gemist. Bij het idee dat dit prachtige jongetje zou opgroeien zonder te weten wie Arron was, brak ik voor het eerst in snikken uit. Arron zou niet meemaken dat Carter zijn eerste tandje wisselde. Zijn eerste voetbalwedstrijd speelde. Hij zou niet meemaken dat Carter ging trouwen, zou geen kleinkind van hem krijgen. Carter zou niet leren luidkeels om de malle grappen van zijn vader te lachen, niet van hem leren hoe hij met een slaghout moest zwaaien, hij zou vanavond geen nachtzoen van hem krijgen. De tranen stroomden over mijn wangen terwijl de ene golf verdriet na de andere over me heen spoelde.

Na een poosje merkte ik dat Carter niet langer rondspetterde en rechtop in het bad naar me stond te kijken. Door mijn natte vingers heen tuurde ik naar hem, bezorgd dat mijn vertoon hem van slag zou maken.

'Mama verdriet?' vroeg Carter.

'Ja, mama is heel verdrietig,' zei ik.

Carter kwam met uitgestoken armen dichter naar de rand van het bad. Er ontsnapte me een hikkende snik toen ik op de grond knielde om zijn druipend natte knuffel in ontvangst te nemen. Krachtig en doelgericht omhelsde hij me. Terwijl hij me vasthield leek het of Arron me vasthield, alsof Arron Carters naakte lichaampje binnen was gegaan om mij voor een laatste keer te omhelzen. Mijn tranen drupten in de badkuip. En toen liet hij me weer los.

Nadat ik Carter naar bed had gebracht, ging ik naast Olivia op haar bed zitten, weer in tranen terwijl zij met grote ogen toekeek. De kinderen naar bed brengen was voor mij het droevigste ogenblik van de dag. Het waren de enige momenten die ik met hen alleen had, en in de stilte van hun kamers leken er allerlei herinneringen naar boven te komen. Ik kon er niets aan doen dat ik moest denken aan de dingen die hun onthouden zouden blijven: geen kusjes meer van papa, nooit meer Arrons speciale Minnie Mousepannenkoeken, geen lacrosselessen meer in papastijl, nooit meer in het zwembad gegooid worden. Ik zou het missen om de kinderen op Arrons rug door de tuin te zien rijden alsof hij hun paard was. Olivia zou haar 'trainingen' in het souterrain missen, terwijl ze zich in haar roodfluwelen schaatspakje, dat ze maar niet uit wilde trekken, staande probeerde te houden op het enorme steptoestel. Of Arron gebruikte haar kleine lichaam als halter en tilde haar omhoog en omlaag op de muziek van Aerosmith of Phish die stond te schetteren op de cd-speler, terwijl zij het uitkraaide van plezier.

Laat ze maar zien dat je huilt. Toon hun je verdriet. Ik dacht weer aan *When Children Grieve* toen ik ten overstaan van Olivia huilde, overspoeld door herinneringen, maar niet in staat die met haar te delen. Ze staken me dwars in de keel, geblokkeerd door mijn tranen.

'Wanneer krijgen we een nieuwe papa?' vroeg Olivia opeens.

'Een nieuwe papa?' vroeg ik verbijsterd.

'Ja. Als we een nieuwe papa zouden hebben, zouden we niet meer verdrietig hoeven zijn,' legde ze uit.

Ontzet probeerde ik de juiste woorden te vinden, zonder dat ik wilde laten blijken hoezeer haar vraag me schokte. Ik hoopte maar dat mijn stem gewoon klonk toen ik antwoordde: 'Nou, schat, dat kan wel een poosje duren. Dan moet ik eerst iemand anders leren kennen en weer met diegene trouwen. Maar ik heb eerst tijd nodig om om papa te huilen. Het is niet erg dat we ons verdrietig voelen, weet je,' zei ik behoedzaam.

'Ik wil me niet verdrietig meer voelen. Ik wil blij zijn.'

'Als je je verdrietig voelt, betekent dat nog niet dat je niet meer blij kunt zijn.'

'Ik wil me niet meer verdrietig voelen!' jengelde ze, en ze begon te huilen.

'Dat weet ik, liefje, dat weet ik. Ik wil me ook niet meer verdrietig voelen. Ik zou ook wel willen dat het even ophield.' Ik wist weerstand te bieden aan de neiging om voor Olivia alles weer in orde te maken en haar een beter gevoel te geven, zoals het boek over rouwverwerking me had geleerd.

Een bescheiden prestatie.

Op vrijdag 14 september ging ik naar de Armory met Selena, Brent, mijn broer Matt, die zijn colleges aan Concordia University had gelaten voor wat ze waren en uit Montréal was gekomen met onze achtentachtigjarige grootvader, en Bruce, een vriend van Arron sinds de vierde klas, die met zijn vrouw Jacquie per auto uit Toronto was gearriveerd. Arron had Bruce en Jacquie met elkaar in contact gebracht en ze waren met elkaar getrouwd tijdens een bezoekje aan ons in Londen, waar we jaren geleden korte tijd hadden gewoond. Kathleen, van Encompys, had me aangeraden bij de New Yorkse politie een formulier in te vullen om Arron als vermist op te geven.

De Armory was een oude legerbarak in het centrum van New York die de afgelopen drie dagen dienst had gedaan als 'familieopvang', een plek waar de familie van de slachtoffers werd gevraagd naartoe te komen om hun dierbaren als vermist op te geven. Het hele gebouw was in een groezelige olijfgroene camouflagekleur geschilderd, maar vaasjes met daarin steeds een enkele rode of witte roos doorbraken de grauwheid. Ze deden zowel hoopvol als spottend aan te midden van de gespannen gezichten die de zaal vulden. De ene familie na de andere nam plaats voor niet-geüniformeerde politiemedewerkers, geestelijken of vrijwilligers van het Rode Kruis. Aan de muren hingen posters van vermiste personen, dus een heleboel blije, zelfverzekerde, levende mensen keken glimlachend het vertrek in. Ik kon vanaf mijn plekje op een harde houten stoel wat flarden lezen:

'drakentatoeage op linkerbiceps', 'voor het laatst gezien op de 104e verdieping', 'vader van vier kinderen'.

Ik bracht ruim een uur door in dat onmogelijk grote vertrek en werd ondervraagd door een politiemedewerker. Ik zag niet in hoe die vragen eraan zouden kunnen bijdragen dat Arron werd gevonden. Selena zat ook tegenover een politieman, alsof hij sneller gevonden zou worden wanneer we hem met z'n tweeën beschreven. Selena had er een handje van om te doen alsof de mensen die ons hielpen, zoals deze politieman, Jim Young, de lijkschouwer, en Kathleen van Arrons kantoor, haar nieuwe beste vrienden waren, wat mij op mijn zenuwen werkte. Ik wist wel dat het gewoon haar manier was, en dat ze er heel goed in was zo gunsten te verkrijgen, maar toen ik opkeek en de politieman zag lachen om iets wat Selena had gezegd, ergerde het me.

'Grijze flanel?' De politieman keek me niet-begrijpend aan terwijl ik de broek probeerde te beschrijven die Arron die ochtend had gedragen. Ik zocht naar een manier om het anders te omschrijven. 'Een soort grijze wol,' zei ik mat. Ik was uitgeput en mismoedig.

De politieman, die er verfomfaaid uitzag en oogde alsof hij in geen dagen geslapen had, nam er onredelijk veel tijd voor om elk woord dat ik zei in een petieterig handschrift pijnlijk nauwkeurig op te tekenen. Ik sloeg het gefascineerd maar als van een afstand gade.

'Nationaliteit?'

'Britse. Maar hij is opgegroeid in Canada.' Doordat ik in Amerika geboren was, hadden we daar kunnen wonen en werken, maar nu kreeg ik opeens het irrationele gevoel dat het mijn schuld was dat Arron zich op de verkeerde dag in het World Trade Center had bevonden. Selena was met Arron naar Canada gegaan om hem een beter leven te geven dan hij zou hebben gehad in het noorden van Engeland, waar ze hadden gewoond. Ik was degene die hem naar de Verenigde Staten had gebracht, en nu werd hij vermist en was hij mogelijk dood. Ik vroeg me af of zij mij zijn tegenspoed kwalijk nam, en de hare.

'Wat deed, eh... doet uw man voor de kost?' Deze vraag was een grap bij ons in de familie, omdat niemand goed begreep wat Arron deed. Hoe moest ik dat uitleggen aan een man die niet eens wist wat grijze flanel was?

'Hij was adjunct-directeur van een internationaal bedrijf voor financiële software, Encompys geheten.' Ziezo. Ik hoefde nu niets meer uit te leggen over al die ingewikkelde zaken van *middleware* en banknetwerken die ikzelf amper begreep.

'Hebt u iets bij u met behulp waarvan we zijn DNA kunnen nemen?' vroeg de politieman. Ik overhandigde hem Arrons tandenborstel, die ik eerder op de dag uit zijn bureaula op kantoor had opgehaald, en de lange, dunne envelop met röntgenfoto's van zijn tandarts. 'Mijn deelname met uw verlies. Dit is het allermoeilijkste onderdeel van mijn werk,' had onze tandarts op wanhopige toon gezegd. Die triviale voorwerpen, een tandenborstel en röntgenfoto's van zijn gebit, waren de enige fysieke bewijzen dat Arron had bestaan.

De vorige dag was Selena naar boven gekomen toen ik daar de prullenbakken doorspitte. 'Wat ben je aan het doen?'

'Ik zoek naar het condoom dat Arron en ik afgelopen weekend hebben gebruikt. Het leek me een goed idee om het mee te nemen naar het Family Assistance Center als we daar morgen heen gaan, zodat ze zijn DNA hebben.'

Zonder een woord te zeggen begon Selena met me mee te zoeken.

'Ik kan je niet zeggen hoe blij ik ben dat we in het weekend voor zijn overlijden nog hebben gevreeën. Dat was een hele tijd geleden.' Ik wist niet waarom ik dit tegen Arrons moeder zei.

'Fijn voor je,' had Selena met een glimlach geantwoord.

We bleven zoeken, maar vonden niets. Nu was ik daar blij om; ik zag mezelf nog niet een gebruikt condoom aan een politieman overhandigen.

De formulieren die hij invulde telden bij elkaar acht pagina's. Vier dagen waren te krap geweest om computers te installeren, die het proces ongetwijfeld zouden hebben bespoedigd. Bewijzen van de inefficiëntie van dit systeem zouden een paar maanden later naar voren komen, toen de politie me belde om te verifiëren of Arron van het Afrikaans-Amerikaanse ras was. En dan te bedenken dat ik me er druk over had gemaakt of ik wel goed had beschreven wat grijze flanel was! Pas toen begon het me te dagen hoe vreemd het was dat ze helemaal niet om een foto van Arron hadden gevraagd. Gingen ze er al van uit dat hij dood was?

Uiteindelijk sloeg de politieman vermoeid zijn ogen op, krabbelde een nummer op een geeltje en reikte me dat aan. 'Dit nummer hebt u nodig wanneer u contact hebt met het bureau voor medisch onderzoek,' zei hij. 'Voor het geval ze, eh... bewijzen van hem vinden.' Ik prentte me Arrons 'P-nummer' snel in het hoofd, en zou het in de daaropvolgende weken vaak moeten noemen als bewijs van onze status van 9/11-familieleden. Arron was vervangen door een nummer. Ik vroeg me af waar de P voor stond – was het de P van *perdition* (vernietiging)?

Stijfjes liep ik naar een tafel met een bordje SLACHTOFFERS VAN MISDAAD erop. Het duurde even voordat ik besefte dat Arron het slachtoffer was waar dat bordje naar verwees, of misschien was ik het wel. Ik was doodmoe en wilde niets liever dan op de grond gaan liggen om de rest van mijn leven te slapen.

Een vrouw vroeg me iets.

'Hoeveel bedraagt uw hypotheektermijn?' Ze wilde weten hoeveel ik elke maand moest betalen. Had ik een betalingsregeling voor de auto? Moesten er andere betalingen worden gedaan? Ik pijnigde mijn hersens en probeerde me de bedragen te herinneren. Arron had een poosje geleden de administratie op zich genomen. Hij was kwaad op me geworden toen hij op een Visa-afschrift had gezien dat ik te laat was geweest met een betaling. Ik was ook kwaad geworden en had geklaagd dat hij niet van me kon verwachten dat ik alles deed: de kinderen, werken, koken, administratie. Dus nam hij de administratie over. Hij gebruikte aparte mapjes voor verschillende soorten afschrijvingen, schreef cheques uit, bakkeleide met bedrijven over bedragen. Ik was tevreden. Nu begreep hij tenminste hoeveel tijd het me gekost had en hoe saai het was. Misschien zou hij me nu iets meer gaan waarderen. In plaats daarvan stortte hij zich er helemaal op, genietend van zijn nauwgezette controle over alle financiën.

Ik deed mijn uiterste best om uit mijn dagdroom wakker te worden. Ik zat nog steeds op een harde stoel aan alweer een volgend tafeltje, met alweer een rode roos erop, nu met een cheque in mijn hand geklemd. Ik was in de war. 'Waar is dit voor?'

'Om je hypotheek te betalen, schat,' zei de vriendelijke vrijwilligster. Ik was verbaasd en voelde me opgelaten. Je hoort niet over je financiën te praten. Ik was tenslotte van oorsprong een Canadese. Wat moesten deze mensen wel niet van me denken? Ik was niet arm, en toch gaven de mensen van de slachtofferhulp me geld. Dit verdiende ik niet. Ik voelde me zowel vernederd als dankbaar.

Opeens drukte de verantwoordelijkheid voor mezelf en voor mijn kinderen zwaar op me. Het besef kwam als een stomp in mijn maag, gezien het feit dat ik nog maar een maand geleden mijn baan was kwijtgeraakt vanwege een reorganisatie. Wat moest er van ons terechtkomen? Ik stond op, bedankte de vrijwilligers van de slachtofferhulp en ging verwoed op zoek naar de deur – naar buiten, weg hier. Ik moest het daglicht zien. Ik was de Armory binnengegaan in de hoop dat Arron zou worden gevonden, maar ik kwam eruit met een onheilspellend gevoel: ik was evenzeer een slachtoffer als hij.

3

Halleluja

Het leek een goed idee om die eerste zondag na 9/11 naar de kerk te gaan. Hoewel ik niet met kerkbezoek was opgevoed, waren dit bijzondere omstandigheden. Ik hunkerde naar spirituele leiding. Ik moest weten waar Arron naartoe was gegaan. Het was onvoorstelbaar dat hij zomaar in een zwart gat was verdwenen, in het niets was opgegaan. Hij was nog maar kortgeleden bij mij geweest, levend, denkend, ademhalend. We hadden op maandagavond samen gegrilde kip gegeten. Er moest meer zijn. Het kwam me voor dat het doel van het geloof en van kerken eruit bestond mensen hoop te geven dat na de dood het leven in een of andere vorm doorging, dat er íéts was. Die week wilde ik dat iemand me zou vertellen dat Arron niet dood was, dat hij als door een wonder was gevonden te midden van de brokstukken beton. Als dat niet kon en hij écht dood was, dan wilde ik de verzekering dat hij ergens veilig was, dat een deel van hem nog steeds leefde en van ons hield, net zoals wij nog steeds van hem hielden. Ik wilde mensen om me heen hebben die me konden helpen, die me zouden laten zien hoe ik moest omgaan met de mogelijkheid van zijn dood. Als iemand wist hoe je met de dood om moest gaan, redeneerde ik, dan waren dat de kerkgangers wel.

Maar de waarheid was dat ik doodsbang was om naar de kerk te gaan. Eigenlijk was het idee afkomstig van mijn moeder. Zij ging graag naar de anglicaanse kerk bij haar in de buurt vanwege de muziek, die schonk haar rust. Ik wist van niets, want in mijn jeugd was het geen gewoonte van haar geweest. 'Misschien dat het ons allemaal goeddoet, lieverd,' zei ze.

Mijn moeder gaf te kennen dat ze in Montclair graag op zoek wilde naar een anglicaanse kerk, dus belde onze altijd behulpzame buurman Tom zijn katholieke priester en kreeg van hem de naam door van een dominee van een lokale episcopale kerk, de Amerikaanse versie van de anglicaanse kerk. Ik stelde me zo voor dat het een club was waar de geestelijken allemaal samenkwamen om te netwerken en referenties uit te wisselen.

Ik belde de dominee op en was verbaasd dat ik het antwoordapparaat van de kerk trof. Hadden kerken dan voicemail? 'Eh... hallo. Met Abigail Carter. Ik heb uw naam doorgekregen van de geestelijk leidsman van een vriend. Eh... mijn man was in het World Trade Center... We zouden zondag graag met een groepje de dienst van tien uur komen bijwonen. Ik wilde u bij dezen even laten weten dat we komen.'

Het was net een blind date met God.

Op de dag van de dienst leverde ik strijd met de kinderen om nette kleren aan te trekken en vervolgens het huis uit te gaan. Zij wilden niet naar de kerk. Ze wilden naar Thomas de Stoomlocomotief kijken. Alweer. Ik had ook niet echt zin om te gaan, maar om een duistere reden besloot ik toch door te zetten: misschien moest ik een begrafenis regelen, en dan leek een kerk een goed begin. Ik stelde me zo voor dat de dominee me welkom zou heten; hij was vast een aardige man die me met zijn vriendelijke ogen zou opnemen en me mee zou nemen naar zijn kantoortje, waar hij me tissues zou aanbieden, terwijl hij me hielp een dienst voor Arron te organiseren. 'Ik regel alles wel voor u, mevrouwtje,' zou hij zeggen. 'U hoeft u nergens zorgen om te maken.'

Mijn benen voelden rubberachtig aan toen we het bordes van de kerk op liepen, en aan het feit dat de kinderen plotseling stilvielen, merkte ik hoe ze 'm knepen. De kerk was een imposant gebouw: groot, van steen, met zware houten dubbele deuren, die openstonden en wachtten om ons op te slokken. Ikzelf vond kerken net zo eng als de kinderen. Toen ik vijf was had ik een keer tegen mijn grootmoeder gezegd, na een bezoek aan de Notre Dame in Montréal: 'Oma, ik vind al dat gedoe met God helemaal niet leuk.'

Toen we naar binnen liepen, voelden mijn handpalmen klam aan en hamerde mijn hart als een razende. Mijn zenuwen hadden ook veel te maken met de angst voor het onbekende: dit was de eerste keer dat ik als weduwe naar buiten trad. Ik wist zeker dat ik er anders uitzag. Misschien kon je wel aan mijn ogen zien dat ik niet alleen weduwe was, maar ook dat ik een 9/11-weduwe was. Ik had het idee dat ik me op een speciale manier moest gedragen, dat ik ingetogen moest doen, of dat mijn ogen roodomrand hoorden te zijn, of dat ik een zwarte band om mijn arm zou moeten hebben, of een opgevouwen vlag in mijn handen moest dragen. Ik had inderdaad graag íéts willen vasthouden wat een verklaring kon vormen voor mijn merkwaardig trage tred en mijn volgens mij lege blik.

Toen we alle elf naar binnen waren gegaan, bleven we schutterig staan, in de verwachting dat we zouden worden opgevangen door een welkomstcomité. Een paar mensen bij de deur glimlachten ons toe, maar we waren duidelijk op onszelf aangewezen. Ik voelde me verantwoordelijk voor iedereen van ons groepje: mijn moeder, mijn opa, Selena, mijn jongere zus Jill (die weer zwanger was) en haar man Dan, die waren overgevlogen uit Vancouver, mijn broer Matt, Bruce en Jacquie. Ik voelde me onwel.

We namen plaats op de harde banken en onmiddellijk klauterde Carter op mijn schoot. Olivia stak haar arm door de mijne en kroop tegen me aan. Ik hoopte maar dat de dominee een vriendelijk type was dat rust uitstraalde, niet zo'n hellevuurfiguur van wie de kinderen – en ikzelf – nog zenuwachtiger zouden worden. Het orgel begon te spelen en bij dat plotselinge geluid schoten we allemaal rechtop. Toen kwam de vriendelijk uitziende dominee naar het altaar gelopen en begon aan zijn preek.

'Het is een tijd van grote zonde...' verklaarde hij met zijn luide, doordringende, onvaste stem, als een blauwogige, witharige Martin Luther King. Inwendig kreunde ik.

De dominee ging druk gebarend en fulminerend verder; zijn stem werd steeds harder naarmate hij de 'terroristen' meer en meer veroordeelde en zijn afkeuring over hen uitsprak. Hij dankte God dat 'niemand in onze congregatie direct was getroffen'. Ongelovig staarde ik hem aan, in de hoop hem met mijn blik te doorboren. Wist hij dan niet wie wij waren? Had hij zijn voicemail niet afgeluisterd? Waren wij indringers, iets waarvoor ik zo bang was geweest? De kinderen begonnen te zeuren of we naar huis konden. Ik suste ze en bleef strak op mijn bank zitten, waarbij ik mezelf geweld moest aandoen om hen niet op te pakken en de benen te nemen.

Uiteindelijk kreeg de stem van de dominee een zachtere klank. Ik luisterde niet langer naar hem, maar was ineens weer bij de les toen hij de woorden 'dit gelukkige moment vieren, ondanks de tragische gebeurtenissen die zich in de wereld voltrekken' in de mond nam. Een vrouw voegde zich bij hem en terwijl ze 'Take Me to the River' zongen, liepen ze in een langzame, ritmische pas naar de achterkant van de kerk, waarbij hun gewaden een krasserig geluid maakten toen ze langs ons kwamen. Deze Ierse dominee probeerde een gospel te zingen! Gelukkig had de vrouw dat vaker gedaan; ze zong uit volle borst en wist zijn gebrek aan muzikaal talent goed te maskeren. Ze waren een raar stel: zijn lange, slanke gestalte naast haar kleine, bolle postuur en zwarte huid. Ik moest een hysterische giechel onderdrukken.

Achter in de kerk aangekomen, waar zich een menigte had verzameld rondom twee kleine kinderen, ging de dominee aan de slag om de huilende wichten met water te besprenkelen, waarna hij zijn publiek verzocht op te staan en halleluja te zingen. Gehoorzaam stond ik op, zonder te weten of ik moest lachen of huilen. Ik vond het verschrikkelijk dat onze gevoelens zo harteloos werden genegeerd. Ik vroeg me af hoe deze gezinnen zich voelden. Blij om een nieuw leven te vieren in droeve tijden, of waren zij net zo verbijsterd als ik door de ongepastheid van het hele gebeuren? Het was toch niet te veel gevraagd om te verwachten dat iemand ons even had teruggebeld om te waarschuwen dat er een doop op het programma stond? Ik sloeg mijn ogen ten hemel en dacht: is dit jouw manier om mij te vertellen dat je geen begrafenisdienst in de kerk wilt? Ik moest een grijns onderdrukken toen ik me voorstelde hoe Arrons kleurrijke antwoord op die vraag zou luiden.

Ik keek even naar Selena, van wie ik wist dat ze helemaal niets van wat voor geloof dan ook moest hebben, ook al was ze zelf korte tijd in Engeland dominee geweest, en ze zag eruit alsof ze op het punt van ontploffen stond. Na een blik op mij te hebben geworpen stond ze op en beende naar buiten. Mijn moeder keek me niet-begrijpend aan, alsof ze wilde zeggen: *Lieverd, weet je zeker dat dit een anglicáánse kerk is?*

Tegen de tijd dat de dominee weer naar de voorkant van de kerk was teruggekeerd, hadden de kinderen en ik ons buiten bij Selena gevoegd. We gingen allemaal verslagen op de betonnen bordestreetjes zitten, terwijl de deur achter ons stevig gesloten was.

'Geloof je dat nou?' foeterde Selena. 'Wat een malloot! Je had nota bene gebeld en ingesproken dat wij allemaal zouden komen!'

'Je zou toch verwachten dat hij ons wel had gebeld om te zeggen dat er een doop was,' jammerde ik. 'Je zou toch zeggen dat hij ons wel even had kunnen waarschuwen?'

'Mama, ik wil naar huis!' drensde Olivia op haar beurt.

'Huis!' praatte Carter haar na.

'Hoe kan hij nu al zeggen dat niemand in zijn congregatie direct getroffen is?' wilde Selena weten. 'Er moet in zijn congregatie toch wel iemand zijn die een vriend of familielid heeft verloren? Wat een gek! Een flapdrol!'

Er verstreek een kwartier en de rest van ons gezelschap was nog niet naar buiten gekomen; kennelijk wachtten zij beleefd tot de dienst was afgelopen. De kinderen begonnen aan me te trekken en maakten te veel lawaai. Opeens zwaaide de grote houten deur open en kwam er een vrouw tevoorschijn. Ze glimlachte terwijl ze de kinderen ieder een teddybeertje gaf, en ik wist een deemoedig 'Dank u wel' uit te brengen voordat ze de deur weer dichtdeed. Het was duidelijk dat ik zelf een manier moest zoeken om een begrafenis te regelen. Op de plek waar ik verwacht had een toevluchtsoord te vinden, trof ik alleen maar onverschilligheid.

Een nieuwe week brak aan en ik deed mijn best om het dagelijks leven net zo te laten verlopen als anders. Om zeven uur werd ik wakker. Nam een douche. Deed de deur van het slot. Pakte de bagels op. Gaf de kinderen te eten. Maar dan ging de telefoon en kwamen er vrienden en buren binnen, en vaak hadden zij etenswaren en gulle omhelzingen te bieden. De eerste moeilijke week was voorbij en de mensen voelden zich niet meer zo opgelaten als ze op bezoek kwamen. Niemand leek zijn werk al weer te hebben opgepakt. Sommigen kwamen uit nieuwsgierigheid, anderen keken naar me alsof ik een of andere beroemdheid was, en ik stelde me voor dat ze tegen hun vrienden zouden zeggen: 'Ik ken iemand die dírect getroffen is.' Een van mijn buurvrouwen stond voor de deur, de tranen biggelden over haar wangen. 'Ik kon eerder niet komen, het spijt me zo.'

Ik voelde me op een breekbare manier speciaal en was me er voor het eerst van mijn leven van bewust dat ik zorg nodig had. Ik was onzeker over elke stap die ik zette. Anderen keken me aan op een manier die zei: 'Ach, arme ziel.' Die blikken gaven me het idee dat het me vergeven zou worden als ik in het openbaar huilde of een gezwollen gezicht had of er ontredderd bij liep, en dat er dan voor me gezorgd zou worden. De zwakte die ik tentoon zou spreiden zou me niet worden aangerekend. Maar het was heel akelig om iemand te zijn met wie anderen medelijden hadden. Die blikken herinnerden me voortdurend aan de nachtmerrie die mijn leven geworden was. Veel mensen waren tevoren niet meer dan kennissen geweest en ik verstrakte toen ze me onhandig in hun armen probeerden te sluiten en tegen mijn schouder snikten. Afwezig klopte ik op ruggen, zonder ook maar iets te zeggen. Ze leken niet alleen om mij te huilen, maar ook om zichzelf en om het land. Misschien wilden ze me laten weten dat ze het een eng idee vonden dat hun net zo gemakkelijk hetzelfde had kunnen overkomen.

Ik zat op de bank om hen te ontvangen: collega's van Arrons werk en het mijne, of de ouders van vriendjes en vriendinnetjes van de kinderen. Op een dag zag ik door het raam van de woonkamer een van de buren mijn tuin wieden. Een andere buur kwam ons als een bediende thee en koffie brengen. Ik was net een openbare rouwinstelling waar mensen naartoe kwamen om steun te bieden. Of misschien was ik een soort Grieks orakel, waar mensen offers kwamen brengen. Ze brachten eten en leken van mij een of andere profetische wijsheid te verwachten die ik niet te bieden had. Het leek of ze van mij een verklaring verwachtten hoe zoiets verschrikkelijks had kunnen gebeuren, en waarom. Ik voelde me het tegenovergestelde van een orakel. Profeet en icoon waren onbekende rollen voor me. Ik kreeg er een hulpeloos gevoel van. Normaal gesproken was ík degene die troost en steun bood, die luisterde, die meeleefde. Ik wilde de treurende mensen om me heen steunen, wilde wijsheid bieden aan diegenen die mijn leiding zochten. In plaats daarvan stond ik er houterig bij, met een glazige blik in mijn ogen, terwijl ik op ruggen klopte. Ik wilde graag soelaas vinden in al die goedbedoelde pogingen om mij te troosten, maar ik voelde niets. Er volgden nog meer onhandige omhelzingen bij de deur als ik mijn bezoek uitgeleide deed.

Inmiddels waren de gerechten die werden gebracht even talrijk als de omhelzingen, dus plakte een met organisatietalent behepte buurman een heldergroen vel papier op mijn keukenkastje waarop met verschillende kleuren inkt in verschillende handschriften namen werden geschreven: ontbijt, lunch, avondeten. Elke dag belde er iemand om te vragen voor hoeveel personen er eten moest worden klaargemaakt. Ik wist het zelden of nooit. Dat aantal verschilde elke dag, want vrienden van buiten de stad en familieleden kwamen en gingen. Mijn tafel was meestal goed bezet en een grote rieten speelgoedkist was permanent in gebruik als bank. De maaltijden drongen een soort routine op. Af en toe at ik iets, omdat het moest en om mijn trillen te laten stoppen. Meestal at ik soep. De soepen waren pittig, warm en voedzaam, het enige soort eten dat niet naar karton smaakte. Wortelsoep was mijn favoriet, en dat had ik zeker tegen iemand gezegd, want we kregen er pannen en pannen vol van. De soep werd altijd helemaal opgegeten en er bleef zelden iets van over. Misschien dat de oranje kleur ons opvrolijkte. Mijn overbuurvrouw Fran kwam aanzetten met enorme schalen fruitsalade, nog iets waar ik veel van hield.

'Wat word je mager!' kreeg ik steeds vaker te horen, ook al was er amper een week verstreken sinds mijn eetgewoonten zo dramatisch waren veranderd. Ik wist wel dat mijn kleren niet meer zo goed zaten als voorheen, maar was verbaasd dat ik zo veel was afgevallen dat anderen het konden zien. Ik was niet bepaald anorectisch en begon met zwarte humor op die opmerkingen te reageren: 'Jazeker! Dat komt door dat fantastische nieuwe dieet dat ik volg! Het verlies-je-mandieet! Het werkt geweldig!' Verbijsterde blikken waren mijn deel.

Wijn werd een pleister op mijn wonde. Die werd voor me ingeschonken, vaak rond een uur of vijf, het moment waarop bij ons in de familie een borreluurtje werd gehouden. Mijn glas was altijd vol. In het begin kwamen de paniekerige rillingen die door mijn lichaam trokken, alsof mijn hartslag te snel ging, ervan tot rust. Even viel er dan iets van mijn verstarring van me af en voelde ik me bijna normaal. De wijn kalmeerde me, haalde me uit mijn verdoving, stelde me in staat mijn avondeten te proeven. Maar de uitwerking ervan was altijd weer snel voorbij, waarna ik me suf en moe voelde.

Rond bedtijd begonnen de rillingen opnieuw, weer tot leven gewekt door de wijn die door mijn onbeweeglijke, uitgestrekte lichaam stroomde. Ik speelde met het bruine flesje met witte pilletjes op mijn nachtkastje: een middel tegen het een of ander dat me door een vriendin was gegeven die arts was. Gehoorzaam had ik op de passagiersstoel naast haar gezeten, als een patiënt op leeftijd, toen we naar de apotheek waren gereden.

'Ik weet niet zeker of ik ze ga innemen,' had ik gezegd toen ze me de zak overhandigde. Ik wist zeker dat ik er verslaafd aan zou raken.

'Ze zullen je helpen 's avonds tot rust te komen en in te slapen.'

Op een avond waren de rillingen sterker dan anders. Mijn hart begon te hameren. Ik slikte mijn eerste pil en voelde me net Alice die dronk van het drankje met DRINK ME erop. Eerst leek het of ik te klein was voor mijn lichaam, en vervolgens te groot. Maar mijn woelige gedachten kwamen tot rust. De rillingen namen af. Ik kon het aan. Voor het eerst sinds een week viel ik bijna meteen in slaap. Elke avond nam ik een pilletje, en slapen werd gemakkelijker. Toch maakte ik me nog steeds zorgen dat als het flesje leeg zou zijn, ik zonder de pillen niet zou kunnen slapen, dus besloot ik ze alleen te nemen op avonden dat ik echt enorme last van rillingen had. Als de voorraad op was, zou ik geen nieuwe nemen; dan zou ik met die rillingen leren leven.

Op een ochtend had ik een dappere bui en wilde ik graag iets doen wat fysiek inspannend was. Ik miste het kickboksen, dus haalde ik mijn sportkleren tevoorschijn en ging vergezeld van mijn moeder, die per se mee wilde, op weg naar de dojo van Meester Cho, de sportschool waar ik al een jaar les nam. Mijn moeder ging in het lokaal achter me staan om zo nodig assistentie te verlenen, terwijl ik mijn best deed te negeren dat alle ogen op mij gevestigd waren. Het voelde goed om naar mezelf in de spiegel uit te halen. Ik stelde me gezichtloze terroristen voor en gaf ze er flink van langs. Naderhand overhandigden mijn klasgenoten me trots twee enorme cadeaumanden vol speelgoed voor de kinderen. Er kwamen vrouwen om mijn moeder en mij heen staan, en een voor een pakten ze mijn hand en fluisterden: 'Wat erg van je verlies,' of: 'Als ik iets kan doen...' Ik wilde het liefst wegrennen. Ik had gedacht dat ik hier anoniem zou zijn, zoals ik altijd was geweest. Meester Ricky bood Olivia, die op taekwondo zat, een volledige beurs voor de school aan. 'Helemaal tot en met de zwarte band!' Ricky's dikke, zwarte haar zwaaide heen en weer terwijl met een Koreaans accent zijn genereuze aanbod beschreef: 'En een beurs! Voor universiteit! Van Meester Cho!' Ik wist niet wat ik hoorde. Ik deed mijn best de tranen terug te dringen.

We gingen naar huis en ik parkeerde achter Arrons pick-up. Toen ik over de oprit liep, raakte ik hem aan. 'Kom naar huis,' zei ik. 'Kom naar huis.'

Toen ik op een nacht om vier uur halfwakker in bed lag, drong het tot me door dat Arron nu al bijna tien dagen weg was. Ik wilde dolgraag dat hij naast me in bed zou liggen. Ik stelde me voor dat ik met mijn handen over zijn lichaam zou strijken en herinnerde me elke sproet, elk bultje en elke ronding alsof hij nog steeds in leven was. Ik probeerde me weer voor te stellen wat hij die dag had moeten doorstaan: zijn angst, zijn woede, zijn spijt, die allemaal in niet meer dan een paar angstwekkende minuten werden samengebald, zoals dat waarschijnlijk ook gaat bij een passagier die in een neerstortend vliegtuig zit. Ik dacht aan de dingen waar hij spijt van zou kunnen hebben: dat we nog steeds niet samen een weekendje weg waren gegaan, zonder de kinderen, waar ik hem steeds over aan zijn hoofd had gezeurd; dat hij niet meer tijd met de kinderen had doorgebracht; dat we niet vaker hadden gevreeën.

Opeens ging het licht in de gang aan. Ik had 's nachts mijn slaapkamerdeur altijd openstaan, zodat ik de kinderen kon horen, dus werd mijn slaapkamer overspoeld met licht. Ik schoot overeind en spitste mijn oren; misschien was Olivia wakker geworden en ging ze even plassen; het lichtknopje zat om de hoek van haar kamer, hoewel ze dat nooit zomaar aanknipte. Maar er klonken geen geluiden van iemand die midden in de nacht naar de wc gaat. Ik stond op om een kijkje te nemen, maar toen ik bij Olivia naar binnen keek, zag ze eruit als een kind dat al uren ligt te slapen.

Zoals ik daar stond, badend in het gelige schijnsel van de gang, had ik het overweldigende gevoel dat het licht deel uitmaakte van iets wat Arron me als geest wilde zeggen. Zijn boodschap was duidelijk: 'Ik ben weg, Bird. Ik ben gestorven.'

Mijn fantasieën over luchtzakken, ziekenhuizen en geheugenverlies leken opeens dwaas. Het moment had een helderheid waardoor zijn dood definitief leek. Heel even dacht ik dat ik zijn aanwezigheid om me heen kon voelen bewegen. De lucht leek zwaarder te worden en rook een tikje zoet, als honing. Met mijn volle hand drukte ik gedecideerd het lichtknopje in; bij de harde klik die dat gaf kromp ik in elkaar.

Ik stond alleen in het donker.

4

Niet helemaal normaal

September was ooit een maand vol feestelijkheden: mijn verjaardag en onze trouwdag vielen in dezelfde week. Dit jaar zag ik mijn verjaardag, het eerste van de twee evenementen, met angst en beven tegemoet, omdat ik helemaal zat ingesponnen in een cocon van verdriet.

Op vorige verjaardagen had Arron me altijd mee uit genomen om sushi te gaan eten, mijn favoriete gerecht. Al twee weken van tevoren waarschuwde ik hem elke dag dat ons uitje eraan zat te komen. Hij maakte speciale plannen om die dag vroeg thuis te zijn. Ik bestelde een oppas. We knepen er samen voor een paar uur tussenuit, hielden elkaars hand vast, dronken sake en bespraken onze voorbije dag. We keken elkaar in de ogen en glimlachten. Hij gaf me altijd één enkele rode roos. Het was een simpele viering.

Nu vroeg ik me af of het me wel zou lukken te doen alsof deze dag nooit had bestaan – alsof ikzelf niet bestond. Onverwacht hielp een uitgebreide viering van mijn verjaardag, die was georganiseerd door mijn familie, me om voor het eerst in elf dagen enige vreugde te voelen. Mijn moeder en Olivia waren de hele dag met z'n tweeën stiekem in de weer. Ze deden de deuren van de eetkamer die ochtend dicht, en Olivia hing met plakband een vel papier op met daarop in kinderhandschrift de tekst: MAMMIE, NIET BINNENKOMEN!!! Ik hoorde de hele ochtend geluiden van schrapende stoelpoten, gegiechel en gerammel van servies.

Vervolgens kreeg ik enig respijt van alle mensen in mijn huis toen mijn moeder iedereen meenam op een geheime missie en mij voor de eerste keer alleen achterliet in huis. Ik dwaalde door de lege, eenzame kamers (waarbij ik op bevel van Olivia de eetkamer meed) en deed geen moeite mijn tranen tegen te houden toen mijn blik naar de foto's van mijn ooit volledige gezin gleed. Ik stapte om de vele boeketten van bleekgele bloemen heen die elk oppervlak domineerden en die zelfs op de grond en langs de wanden stonden. Mijn gesnik duurde frustrerend kort. Ik wilde me gelouterd voelen, zoals je je soms voelt na een hevige huilbui, maar deze tranen waren ingehouden en maakten me alleen maar wazig. Uiteindelijk, uitgeput door mijn vruchteloze poging om te huilen, vluchtte ik weg voor mijn eenzaamheid door een dutje te gaan doen.

Later kwam het huis weer tot leven. Op aandringen van mijn zus trok ik een bizar sexy rood mouwloos shirtje en een zwarte rok aan. Olivia en Carter zeiden dat ik op de bank moest gaan zitten terwijl de laatste voorbereidingen werden getroffen. Carter had zijn pyjamaatje al aan, en Olivia had zich mooi aangekleed in haar favoriete spijkerrok. Achter de eetkamerdeuren hoorde ik beweging en gefluister. De kinderen staken hun hoofd naar buiten en Olivia zei: 'Mama, je moet je ogen stijf dichtdoen!' Ze pakten allebei een van mijn handen en brachten me naar de deur, en toen Olivia zei: 'Oké, klaar!' gingen de deuren open en kreeg ik te zien wat ze die dag hadden gedaan.

Ik wist niet wat ik zag. Ze hadden alle witte rozen uit de rouwboeketten gehaald en ze ondersteboven vastgebonden aan linten die tussen de kroonluchter en de muren van de eetkamer waren opgehangen. De kamer, waarin door al die rouwboeketten een drukkende sfeer had gehangen, zag er nu prachtig uit. Midden op de tafel stond een enorme schaal met sushi. Mijn moeder, Selena, Jill en Dan, Matt, Olivia en Carter keken me opgewonden aan; ze wachtten allemaal vol spanning op mijn verraste blik, omdat ze me zo graag voor een poosje gelukkig wilden maken.

Heel even werd ik licht in het hoofd, alsof ik weg dreigde te drijven. Ik schrok ervan dat ik een emotie voelde, dat ik überhaupt iets voelde. Elf dagen lang was ik een soort robot geweest, en zojuist was er een bres geslagen in het pantser dat me ertegen behoedde iets te voelen. Mijn emoties voelden zwak aan, als een verslapte spier, doordat ze zo'n tijd niet gebruikt waren. Ze maakten me snel moe. Ik voelde me schuldig om vreugdevolle gedachten te hebben, alsof die mijn herinneringen aan Arron zouden kunnen uitwissen. Tijdens het eten keek ik naar iedereen in de kamer. Het stemde me dankbaar dat ze stuk voor stuk allemaal zoveel van me hielden.

Olivia en Carter gaven me als verjaarscadeau een veelkleurige plastic kralenketting, die ik onmiddellijk omdeed. De glimmende fuchsiaroze, blauwe en gele kralen vloekten bij mijn bloedrode shirtje en gaven de sexy uitstraling ervan iets clownesks. In een ander leven zou ik die ketting niet om hebben gedaan; ik zou naar behoren o en ah hebben geroepen en hem hebben weggeborgen, zodat mijn ijdelheid niet zou worden aangetast. Maar nu wilde ik hen behagen, hen gelukkig maken, hun verdriet wegnemen.

Van Olivia's gezichtje was even die voortdurend bezorgde blik verdwenen, een blik waardoor ze veel ouder leek dan haar zes jaar. Ik vond het heerlijk haar ogen te zien glinsteren en haar gegiechel te horen, dat zo leek op dat van haar vader. Carter had een kring van chocoladeijs om zijn mond en een toefje op zijn neus doordat hij zijn bord had afgelikt. Over zijn witte zomerpyjama liepen lange chocoladesporen. Mijn hart ging uit naar deze twee prachtige kinderen. Ze waren helemaal opgetogen door het feest, dat de treurnis die over dit huis hing voor even doorbrak. Ze waren kleine, warme stukjes van Arron. Ik nam hen in mijn armen en drukte hen dicht tegen me aan. De tranen prikten in mijn ogen, maar ik slikte ze weg.

De rest van mijn familie had ook cadeautjes voor me. Mijn moeder gaf me een zilveren ketting – een cadeau vol hoop. Van mijn zus kreeg ik een paar prachtige oorbellen met parels, net kleine eitjes; die beloofden een nieuw begin. Elk cadeautje had een betekenis en was met zorg uitgezocht. Maar het mooiste cadeau van allemaal was de zelfgemaakte plastic ketting en hoe die me een glimlach had ontlokt. Die ketting stond voor alles wat ik had.

Een paar dagen voor mijn verjaardag had ik een telefoontje gekregen van Janet, een kinderpsycholoog. Ik ging ervan uit dat Olivia's school haar mijn nummer had gegeven, maar later vertelde ze me dat ze mijn naam in de plaatselijke krant had zien staan, mijn nummer had opgezocht en me had gebeld. 'Ik dacht dat je misschien wel met iemand wilde praten. Ik ben op mijn gevoel afgegaan, ook al is dat strikt genomen tegen de "regels", zei ze.

Ik belde haar meteen terug, wilde inderdaad heel graag met een objectief iemand praten. Ik had hulp nodig met de kinderen, en iemand met wie ik over rouw kon praten. Mijn vrienden en familie waren ook in de rouw en stonden emotioneel te dicht bij Arron, de kinderen en mij om echt iets aan ze te hebben. Janet sprak met me af kort na mijn verjaardag bij me thuis te komen en om dan ook de kinderen te zien. Toen ze op de stoep stond, bleek ze een kleine, donkerharige vrouw van in de zestig te zijn, met zachte bruine ogen waaromheen plooitjes verschenen toen ze vol medeleven mijn hand pakte.

'Ik ben Janet,' zei ze eenvoudig.

Ik ging haar voor naar de woonkamer. De kinderen hadden zich beneden in de speelkamer teruggetrokken met Martha en Selena.

'En, red je het een beetje?' vroeg ze.

'Jawel hoor.' Ik begon te huilen. Ik was ontzettend opgelucht dat er iemand was bij wie ik veilig kon huilen. Ik stelde onmiddellijk vertrouwen in haar en wist dat ze mijn tranen zou begrijpen en zou meeleven met wat me was overkomen, terwijl ze zich daarbij tegelijkertijd neutraal zou opstellen. Zij was een professional en zou wel weten wat ik aan moest met de emoties die me overweldigden en maakten dat ik me terugtrok in mezelf en alleen maar huilde als er niemand om me heen was.

'Het gaat best,' herhaalde ik, terwijl dikke tranen over mijn wangen biggelden. Ik werd zo bestormd door emoties dat ik niet wist waar ik met vertellen moest beginnen.

'Ik ben verdoofd. Ik weet niet goed hoe ik me voel. Toen ik vandaag de hond uitliet, kwam ik een paar oude dames tegen in het park. Ze deden moeilijk over Harley en ik zei ineens dat Harley net haar baasje had verloren in het World Trade Center. Daarmee choqueerde ik ze, en vervolgens voelde ik me vreselijk omdat ik het afschuwelijk vond om medelijden in hun blik te zien. Toch vind ik het kennelijk nodig iedere vreemde die ik tegenkom over mijn tragedie te vertellen.'

'Dat is heel normaal voor iemand die iets traumatisch heeft meegemaakt. Het kost tijd. Hoe gaat het volgens jou met de kinderen?' vroeg ze.

'Ik weet niet. Olivia heeft niet veel gehuild. Ze wil niet beschouwd worden als iemand die verdrietig is. Carter praat nog niet zoveel, maar hij lijkt het wel te begrijpen.' Hij zegt dingen als: "Geen papa meer", "Nu alleen nog mama", "Papa engel".' Janets ogen werden een beetje vochtig en ik begon zenuwachtig een tissue te verfrommelen, terwijl de tranen in mijn schoot vielen.

'Sorry,' zei ik.

'Waarom?' vroeg ze.

'Ik vind het vervelend dat ik je verdrietig maak.'

'Nu snap ik waarom Olivia doet zoals ze doet. Abby, dit is mijn wérk. Ik ben hier om je te helpen, als je die hulp wilt aannemen.'

'Moeten we allemaal naar je toe komen?' vroeg ik, op het onderwerp van de logistiek overstappend.

'Nee, ik zie jullie het liefst allemaal apart.'

'Carter ook?'

'Misschien, maar hij is nu nog erg klein. Hij kan gewoon meedoen als wij denken dat hij daar iets aan heeft. We doen het rustig aan. Ik heb een heleboel speelgoed en ze kunnen naar mijn praktijk komen en in mijn speelkamer spelen.'

'Volgens mij zouden ze dat leuk vinden.'

Ik vertelde Janet dat het me zo'n moeite kostte om Olivia weer naar school te krijgen: de tranen, de buikpijntjes, haar lange stiltes. 'Ze zegt steeds tegen me dat haar juf zo gemeen is,' legde ik uit.

'Het zal zwaar worden. Maar je moet er gewoon op vertrouwen dat het voor haar het beste is als ze haar oude leventje weer oppakt. Ga niet op haar smoesjes in. Buikpijn, moe, honger, wat dan ook. Je moet gewoon voet bij stuk houden.'

'Goed,' zei ik, en ik kreeg nieuwe moed.

Olivia en Carter staken hun hoofd boven het trapgat uit en renden toen verlegen naar me toe. Carter begroef zijn hoofd in mijn schoot en wierp steelse blikken op Janet. Olivia begon mal rond te dansen, te giechelen en met een babystemmetje te praten.

'Hallo!' zei Janet. 'Ik ben Janet. Jij moet Olivia zijn, en jij Carter. Jullie mama heeft me alles over jullie verteld!' begroette ze hen monter.

'Wil je mijn schildpad zien?' vroeg Olivia.

'Natuurlijk!' luidde Janets antwoord.

Olivia sleepte haar grote pluchen schildpad naar Janets voeten, nam een aanloopje en kwam precies in het midden van zijn zachte groene schild neer.

'Wauw! Wat een leuke schildpad!' zei Janet enthousiast. Carter rende naar zijn speelgoedmand en haalde er een grote rode vrachtwagen uit.

'Druck!' zei hij, terwijl hij de auto aan Janet gaf.

'Dank je wel, Carter,' zei ze kalm terwijl ze hem aanpakte.

Ik glimlachte. 'Ik geloof dat je bent goedgekeurd.' Janet glimlachte haar alwetende glimlach.

Ik was dankbaar dat Janet in ons leven kwam en slaakte bijna hoorbaar een zucht van verlichting.

Een paar dagen later begon ik op Janets aanraden Olivia voor te bereiden op haar eerste schooldag sinds 11 september.

'Ik wil niet!' jammerde Olivia.

'Lieverd, je bent nu twee weken niet naar school geweest en je hebt al veel te veel gemist,' antwoordde ik, en zoals Janet had aangeraden probeerde ik mijn stem rustig te houden.

'Ik heb buikpijn!'

'Die gaat wel over. Je bent gewoon een beetje zenuwachtig. Ik snap heus wel dat het eng is om weer terug naar school te gaan.'

'Iedereen staart me natuurlijk aan!' Olivia verwoordde mijn eigen angst. Ik had me immers ook in huis teruggetrokken, bang dat ik plotseling in tranen zou uitbarsten of dat er iets vreselijks zou gebeuren – een auto-ongeluk of een kidnapping. Ik ging maar weinig met de hond naar buiten of met Carter in de buggy wandelen in het park, bleef liever thuis en zag dan alleen de mensen die bij me op bezoek kwamen.

'Misschien wel,' zei ik. 'Maar wat kan dat schelen? Blijf gewoon jezelf en dan komt alles goed.' Ik deed mijn best nonchalant te klinken, mezelf ervan te overtuigen dat wat ik zei waar was. Een groot deel van me wilde haar voorgoed thuis houden. We hadden allebei een angst ontwikkeld om van elkaar gescheiden te worden. Zij was bang dat ik op een dag niet meer thuis zou komen, net als papa, en ik wilde haar graag dicht bij me hebben, zodat ik over haar kon waken en kon zorgen dat ze veilig was. Van Janet leerde ik dat ze haar eigen leven weer moest oppakken, dat we allebei onze angst van ons af moesten zetten.

'Kom op, Livy, het is makkelijker dan je denkt,' probeerde Selena haar te paaien.

'Heb je je broodtrommeltje?' vroeg ik vrolijk terwijl ik met Carter op mijn heup de deur voor haar openmaakte.

'Jawel, maar ik eet toch niks...' mokte ze, terwijl ze naar buiten liep.

Samen – Olivia, Selena en ik met Carter – liepen we de zonnige septemberdag in, die zoveel leek op een doodgewone zonnige dag een leven geleden. Toen we bijna bij de bushalte van de schoolbus waren, keek Selena op.

'Kijk eens, Livy!' riep ze uit. 'Twee vlinders die elkaar achternazitten!' Olivia keek op en ik dacht even een glimlachje te zien. De behoefte aan tekenen van Arron was heel groot, en vlinders leken zich telkens te vertonen op de momenten dat we ze het hardst nodig hadden. Ze troostten ons allemaal en gaven ons op de een of andere manier het gevoel dat Arron dichtbij was.

'Ze volgen je naar school. Ze willen je vertellen dat er niets aan de hand is,' zei ik, al vond ik het zelf lichtelijk manisch klinken.

'Wie weet...' bromde Olivia.

We kwamen bij de bushalte en wachtten. Toen de bus kwam aanrijden, drukte ik Olivia tegen me aan.

'Ik wil niet...' zei ze, maar het klonk berustend.

Ze stapte met samengeknepen lippen de bus in. 'Dag-dag, liefje!' riep ik hard, zodat ze me door de dichte raampjes heen kon horen. Ik zwaaide als een dolle, maar het liefst was ik achter de bus aan gerend om haar weer naar huis te halen. Stel nou dat ze niet meer terugkwam?

Een tijdlang ging het elke dag hetzelfde. Olivia probeerde onder school uit te komen door smoesjes op te hangen over buikpijn, keelpijn of pijn in haar neus. Ik deed mijn best daar niet aan toe te geven en haar thuis te houden, ook al zag haar gezicht bleek en keek ze verdrietig uit haar ogen. Ik had haar al heel lang niet meer zien lachen.

Een paar dagen later sprak ik met de decaan van school, die me verzekerde dat Olivia het prima deed. Haar lerares vond het goed dat ze of naar de decaan of naar de schoolverpleegster ging wanneer de chaos in de klas haar even te veel werd. Als de schoolverpleegster me belde, wat minstens éénmaal per dag gebeurde, vroeg ik haar of ze Olivia een knuffel wilde geven en haar even wilde laten uitrusten voordat ze haar terugstuurde naar de klas. Na een tijdje spraken de verpleegster en ik af dat het niet langer nodig was om elke keer te bellen wanneer Olivia naar haar toe kwam.

Ook al zat Olivia nog maar in de eerste klas, ze kreeg veel en belachelijk huiswerk. Ik kon het al amper bolwerken, dus laat staan zij. Elke avond liepen haar huiswerksessies uit op tranen van frustratie. 'Alledaags rekenen', de nieuwe rekenmethode die de school gebruikte, werd een nagel aan mijn doodskist. Breuken in de eerste klas? Meetkunde? Olivia had ook moeite met lezen. Ze zag de b voor een d aan of omgekeerd. Kleine woordjes zoals 'van' en 'de' sloeg ze helemaal over. Ook Selena, de laatste gast die nog in huis was, slaagde er niet in Olivia te helpen. Ze klaagde steen en been over het huiswerk. Als Olivia begon te huilen, borg ik het huiswerk weg, waardoor ze nog harder moest huilen, maar ik besefte dat ik ook gefrustreerd raakte en mijn kookpunt had bereikt.

Tijd vinden om even met Olivia alleen te zijn was ook een uitdaging, omdat Carter alle aandacht vroeg die ik maar te bieden had. Hij liet me niet uit het oog en wilde altijd en overal op mijn schoot zitten. Olivia begon gefrustreerd te foeteren als Carter ook maar enig geluid maakte: 'Zo kan ik me niet concentreren!' We belandden in een neerwaartse spiraal. De buikpijn bleef, maar toch stuurde ik haar telkens naar school. We bleven proberen het huiswerk te doen.

Olivia ging nu regelmatig naar de speelkamer van Janet. Janet vertelde me dat ze hoge torens bouwde van blokken en die dan liet instorten. Een 'boevenpoppetje', een klein, in een zwarte mantel gehuld, heksachtig stukje speelgoed, werd tijdens haar speelsessies afwisselend gedood of doodde zelf. Hij werd verpletterd onder de neervallende blokken of anders gered van de top van de blokkentorens. In Janet leek Olivia iemand te hebben gevonden met wie ze kon praten over verdriet, treurigheid, het gemis van haar vader en slechte mensen – en dat allemaal zonder zich er zorgen over te hoeven maken dat ze mij daarmee van slag bracht. Ze vertelde me niets over haar sessies bij Janet, maar al na de eerste sessie merkte ik kleine veranderingen op.

Op een dag, tijdens een van de zeldzame momenten dat ik Carter niet op schoot had, kwam Olivia naar me toe. 'Mama, ik wil een knuffel.' Daar keek ik van op. Ze had me nog nooit eerder om een knuffel gevraagd. Waarschijnlijk was ik er sinds 9/11 niet zo goed in geweest haar te knuffelen. De paar keer dat ik het had geprobeerd, had ze zich losgewurmd of mocht ik haar alleen een kusje op haar kruin geven. Telkens als ze zelf naar me toe kwam om me te knuffelen, werd Carter onmiddellijk jaloers; dan sloeg hij haar of wurmde zich op mijn schoot, zodat het moment weer voorbijging. Hoewel Janet er niets over had gezegd, wist ik dat ze Olivia leerde te vragen om wat ze nodig had, en daar was ik dankbaar voor.

'Kom eens hier,' zei ik, en ik nam haar in mijn armen tot ze het uitkraaide.

'Ik weet wel dat ik je niet altijd de aandacht geef die je nodig hebt. Dat komt voor een groot deel doordat Carter nog zo klein is en een heleboel aandacht vraagt. Vaak lijkt het of jij mijn knuffels helemaal niet nodig hebt, ook al weet ik dat dat niet waar is. Ik wil graag dat je weet dat ik elke keer dat je erom vraagt mijn best zal doen je te geven wat je wilt. Oké?'

'Oké, mama.' Ik drukte haar tegen me aan, sloeg mijn arm onder haar benen door en hield haar vast alsof ze een baby was, waardoor ze moest giechelen.

Babystapjes voor ons allebei.

Het voelde alsof ik al een heel leven zonder Arron was. Ik wilde dat alles weer zijn gewone gangetje ging, dat Arrons bedaarde logica me zou helpen met Olivia's problemen op school en met Carters aanhankelijkheid. Ik wilde een glimlach op Olivia's gezicht zien als ze de treetjes van de schoolbus op liep, en wilde Carter zien rondhopsen op zijn vaders schouders in plaats van dat hij zich vastklemde aan mijn been.

Onze elfde trouwdag, op zaterdag 29 september, kwam met rasse schreden dichterbij. Ik wist niet hoe ik die dag moest vieren. Het echtpaar dat we ooit waren geweest kwam me nu als een stel vreemden voor, als personages uit een roman:

> De pasgehuwden zijn voortdurend een en al glimlach. Hun gezichten doen er pijn van. In zijn grootsheid is de nacht betoverend en ook lichtelijk angstaanjagend. Een dag die ze nooit zullen vergeten. Ze zien de bevestiging van hun liefde op de gezichten van hun bruiloftsgasten. Vreugdevol, duizelingwekkend. De gasten weten dat ze getuige zijn van ware liefde. De lucht zindert van de goede gevoelens.
>
> Later is het paar in hun hotelkamer; ze nippen van de champagne, al een tikje aangeschoten, hoewel ze te moe zijn om dat te voelen. Hun voeten doen pijn van het dansen, hun wangen van het glimlachen. Ze proberen te fronsen, maar dat lukt niet, omdat de glimlach op hun gezicht gebeiteld zit. Ze ploffen neer op bed en slapen in elkaars armen, wachtend tot de dageraad om hun liefde te consumeren.

De tranen biggelden over mijn wangen toen ik aan dat gelukkige echtpaar dacht. Nu was ik in mijn eentje overgebleven.

Mijn vader en Sheilagh kwamen het weekend van mijn trouwdag logeren, want ze wisten dat ik nu geen gasten meer had. Selena was voor het eerst in drie weken een paar dagen naar huis gegaan. Ik keek ervan op hoe stil het in huis leek zonder haar gebabbel en haar gewoonte om in de keuken de kinderen aan hun armen heen en weer te laten zwieren, onder veel gekraai van hen en geblaf van de hond. Ik ontspande me in de lange, comfortabele stiltes van mijn vader en Sheilagh, als ze een boek zaten te lezen aan de keukentafel en zachtjes praatten terwijl de kinderen in de andere kamer met hun speelgoed speelden. Het was de stilte voor de storm van de gedenkdienst voor Arron, die over een week zou plaatsvinden.

Ik had me niet gerealiseerd in welke mate een huis vol mensen had bijgedragen aan het gevoel de zaken niet meer in de hand te hebben. Ik had wekenlang rillingen gehad, was opgesprongen bij harde geluiden en had me voortdurend overweldigd gevoeld, in de veronderstelling dat dat allemaal deel uitmaakte van mijn verdriet. Maar nu besefte ik dat wat ik had beschouwd als een veilige haven vol mensen die om me gaven, in werkelijkheid de oorzaak was geweest van mijn gevoel belegerd te zijn. Mijn ouders bleven zichzelf en hielden vast aan de vaste gewoonten waarmee ik was opgegroeid: ze rookten nog steeds te veel, dronken koffie, konden uren zitten lezen terwijl hun sigaretten in de asbak opbrandden tot lange askegels. Ze wisten hun verdriet goed te verbergen, misschien omdat ze aanvoelden dat ik behoefte had aan een verdrietvrije omgeving, of anders omdat ze bang waren voor hun eigen emoties. Ik wilde graag weten wat hun geheim was.

De dag voor mijn trouwdag was een drukke dag. 's Ochtends zaten Sheilagh en ik op onze hurken te tuinieren. Lusteloos groef ik in de aarde en trok krachteloos onkruid uit; sterkere wortels kreeg ik niet los. De kleine naaldbomen die Arron had uitgegraven en mee naar huis had genomen van ons recente tochtje naar het huisje van mijn opa in Québec stonden nu te zieltogen. Ze hadden behoefte aan aandacht, water en mulch. Maar Arron was dood en ik liet de babyboompjes tegelijk met hem sterven.

Sheilagh plantte bollen langs de stenen muur die Arron had opgetrokken. Hij is vereeuwigd op een foto waarop hij over de half voltooide muur staat gebogen met een steen in zijn handen, gekleed in een zwarte korte broek en met een brede gereedschapsgordel over zijn witte T-shirt; zijn elandachtige benen, met hun knobbelknieën, zijn lang en mager in vergelijking met zijn brede schouders en stevige armen. Hij was trots op zijn tuin, onze tuin. Die stond vol met bloemen, struiken en bomen die we met zorg hadden uitgezocht, waarvoor we een gat hadden gegraven om de wortelkluit in te zetten, waarna we de aarde hadden aangestampt en alles nauwgezet water hadden gegeven. We waren verslaafd geraakt aan kwekerijen. Ik plaagde hem ermee dat onze tuin eruitzag als die van een huis dat naast een kwekerij ligt: een lapje grond ter grootte van een postzegel dat vol staat met één exemlaar van elke soort boom en struik die in de kwekerij werd verkocht. Arron zou de komende lente onze tuin niet meer in bloei zien.

Die avond voerden mijn vader en ik ons gebruikelijke keukenritueel uit: fijnsnijden, roeren, op smaak brengen. Ik had sinds 11 september niet meer gekookt. Ik kon het eten niet door mijn keel krijgen, maar het was een goed gevoel om het klaar te maken. Normaal.

De dag daarop, onze trouwdag, was allesbehalve normaal. Normaal gesproken zaten Arron en ik op onze trouwdag hand in hand in een romantisch restaurant naar elkaar te glimlachen, alsof we elkaar nog maar pas kenden. We wisselden kaartjes uit met handgeschreven beloftes van een rug- of voetmassage, de enige cadeaus die we elkaar gaven.

Maar vandaag kwam er een limo om Sheilagh, mijn vader, de kinderen en mij naar de Canadese ambassade in New York te brengen, waar premier Jean Chrétien de Canadese 9/11-families zou ontmoeten. Ook ik wilde die families graag ontmoeten. Ik keek ernaar uit met een andere weduwe te praten, want ikzelf kende er geen. Ik vroeg me af of er nog een andere weduwe met kleine kinderen zou zijn. Ik hoopte het van harte, want ik zocht bevestiging, wilde horen dat ik me hield aan de regels voor weduwes, dat ik volgens het boekje met de kinderen omging. Ik wilde iemand vinden met wie ik verhalen kon uitwisselen, die dezelfde taal van de dood zou begrijpen, die een bondgenoot zou worden. Ik stelde me al voor dat ik een weduwe zou leren kennen die ook moeder was en dat we goede vriendinnen zouden worden, dat onze kinderen samen zouden spelen, dat we toekomstige Vaderdagen samen zouden vieren, samen op kindvriendelijke vakanties zouden gaan, voor altijd met elkaar verbonden in ons beider rampspoed. Ik wilde ook zien hoe andere weduwes omgingen met de druk die ik voelde als vertegenwoordiger van een 9/11-sterfgeval.

Vanaf de lus in de snelweg die de Lincoln Tunnel inleidde, konden we het nog nasmeulende World Trade Center zien. We stopten voor een onopvallend gebouw bij Rockefeller Plaza. Terwijl we de tijd zoekbrachten in een koffieshop, smeerden de kinderen hun hele gezicht onder de Krispy Kremedonuts. Het was net of ze speed te eten kregen.

Via veiligheidspoortjes kwamen we in het souterrain van het gebouw, waar op een lage tafel voor de kinderen kleurkrijtjes en papier, koekjes en snoep waren klaargezet. Twee andere kinderen, iets jonger dan Carter en Olivia, kwamen het vertrek binnen.

'Woon je in de buurt?' vroeg ik aan hun moeder, naarstig op zoek naar een vriendin. Ze vertelde me dat ze Kimmy heette.

'Ja. Ik woon in New Jersey.'

'Ik ook!' zei ik enthousiast. 'We zouden eens moeten afspreken!'

'Nou, eerlijk gezegd verhuis ik op 1 november weer terug naar Québec,' zei Kimmy. Dat kwam hard aan: had ik een vriendin gevonden, was ik haar meteen weer kwijt. Ik schrok bovendien van wat ze zei. Ikzelf kon 's ochtends amper mijn bed uit komen en zou er niet aan moeten denken een verhuizing te organiseren. Kimmy legde uit dat haar man en zij daar een huis hadden gebouwd en toch al van plan waren geweest daar te gaan wonen. Mijn fantasie over een medeweduwe leren kennen vervloog.

'Dan moeten we een manier zien te bedenken om contact te houden,' zei ik, terwijl ik erg mijn best deed niet al te teleurgesteld te klinken. Even later renden we allebei verwoed achter onze door alle suiker hyperactieve zoontjes aan.

Ik stond met mijn vader en Sheilagh bij de tekentafel van de kinderen te kijken hoe Olivia zat te kleuren. Carter was net een dansende derwisj: het ene moment zat hij te kleuren, het volgende stak hij zijn armpjes naar me uit omdat hij opgetild wilde worden, om vervolgens meteen weer omlaag te springen en de zaal door te rennen...

met mij achter zich aan. Het geroezemoes werd steeds luider naarmate er meer families met politici en medewerkers van het consulaat spraken, maar hun zenuwachtigheid nam af toen ze nieuwe vertrouwdheid vonden. Opeens viel iedereen stil toen Jean Chrétien binnenkwam. Zijn blik dwaalde rond en hij vermeed oogcontact met iedereen. Ik had met hem te doen. Dit moest wel een verschrikkelijk onderdeel van zijn werk zijn, om ons allemaal zijn deelname te betuigen, om zo bekeken te worden en zijn best te moeten doen oprecht over te komen. Hij stapte op het eerste het beste gezin links van hem af en er werden gefluisterde introducties en vluchtige handdrukken uitgewisseld. Geen omhelzingen, geen droeve blikken, alleen maar een man die zijn werk deed – waar hij zo te zien niet bepaald van genoot. We maakten kennis met Stockwell Day, de leider van Canada's Official Opposition, schudden elkaar kort de hand, wisselden namen uit, en vermeden het over de tragedie te praten.

Joe Clark, die korte tijd premier van Canada was geweest, stond opeens voor mijn vader, Sheilagh en mij, en zag er een stuk waardiger uit dan hij in alle oude karikaturen was geportretteerd. Carter, die weer op mijn heup zat, wilde zich loswurmen uit mijn greep om rond te gaan rennen, nog steeds onder invloed van het suikerbombardement. Ik kon hem niet zijn gang laten gaan, want dan zou hij nog iemand omverrennen.

'Hallo. Ik ben Joe Clark,' zei hij eenvoudig. We schudden hem allemaal de hand.

'Mijn oprechte deelname met uw verlies,' zei hij.

'Dank u,' antwoordde ik. Ik begon heel bedreven te raken in dergelijke uitwisselingen.

'Dus u woont in New York?'

'Nee, in New Jersey.' Inmiddels werd Carter nijdig en duwde met zijn kleine handjes tegen me aan. Hij was op de leeftijd dat hij me soms sloeg of naar mijn wangen graaide als hij zijn zin niet kreeg. De Krispy Kremes waren geen goed idee geweest.

'En wie is dit?' Joe Clark bukte zich een beetje om Carter gedag te zeggen in een poging hem af te leiden. Voordat ik hem ervan kon weerhouden hief Carter zijn handje op en gaf Clark een klap in zijn gezicht. Er viel een verbijsterde stilde, doorbroken door een flitslicht toen mijn vader de foto nam die hij van Clark had willen nemen, die een bloedrode kleur kreeg.

'Carter, nee! Niet slaan! Het spijt me ontzettend! Hemel, Carter! Dat was heel stout! Zeg meteen sorry tegen meneer Clark!'

'Het geeft niet,' zei Carter vriendelijk. Misschien was dit niet zijn eerste confrontatie met een kind van twee.

'Omlaag, omlaag, omlaag!' gilde Carter. Ik kon hem niet meer houden en hij sprong uit mijn armen op de grond, waar mijn vader hem opving en hem vergeefs probeerde vast te houden.

De edelachtbare Joe Clark slenterde weg om andere gezinnen te begroeten, waarbij hij ongetwijfeld kleine kinderen zou mijden.

Het uitje waar ik eerst zo naar had uitgekeken dreigde op een fiasco uit te lopen. Ik had gehoopt dat ik gedachten aan Arron en onze trouwdag uit de weg zou kunnen gaan door mezelf te verschuilen achter mijn stoïcijnse, Jackie Kennedyachtige weduweschap. Ik had gedacht dat me opdoffen en in een limousine naar het Canadese consulaat rijden om de premier te ontmoeten me voor die dag zou afleiden. In plaats daarvan voelde ik me opgesloten in een grafachtig souterrain, waar ik me doodschaamde dat ik Carter niet in de hand had kunnen houden, vol wanhoop dat mijn nieuwe wereld zulke surrealistische trekken had gekregen. Ik wilde weg, maar we hadden nog steeds de premier niet ontmoet. Weer rende ik achter Carter aan en bracht hem terug, waarna ik hem ondanks zijn protesten stevig tussen mijn benen klemde. Eindelijk dan toch kwam Chrétien naar ons toe, vast en zeker op zijn hoede voor mijn obstinate kind. Ik schudde deze norse man onhandig de hand. Met zijn gruizige Franse accent bracht hij het verplichte 'Mijn oprechte deelname met uw verlies' uit. Houterig poseerden we naast hem voor een foto. Ik kon de jengelende Carter maar amper bedwingen terwijl we voor het nageslacht op de gevoelige plaat werden vastgelegd. Chrétien haastte zich vervolgens verder naar een kindvrij echtpaar.

Toen hij uiteindelijk de ruimte verliet, kondigde dat het einde van de bijeenkomst aan. Ik zocht Kimmy op en omhelsde haar ten afscheid, terwijl Carter me de deur uit trok. 'Laten we contact houden!' zei ik smekend. In de limo viel Carter gelukkig in slaap. Die avond aan tafel dacht ik weer aan Arron en fluisterde binnensmonds: 'Gelukkige trouwdag,' alsof hij me zou kunnen horen. Later, alleen in mijn kamer, keek ik naar de kaart die ik Arron op onze tiende trouwdag had gegeven, die hij had ingelijst. De titel van het plaatje was *La Belle Dame sans Merci*, de mooie dame zonder genade, naar het gedicht van John Keats. Een gewapende prins houdt met uitgestoken handen zijn hoofd schuin omhoog, zodat hij de dame met de zijden haren in de ogen kan kijken terwijl die zich vanaf haar paard naar hem toebuigt. Ze wil hem een kus geven, waarschijnlijk om hem te bedanken dat hij haar heeft gered. De kaart was in tweeën gesneden, zodat te zien was wat ik in een vorig leven geschreven had; de tekst zat veilig op de achterkant van het lijstje geplakt:

> *Voor mijn prins op het witte paard, die dat altijd zal blijven...*
> *Ik bedank je er nooit voor dat je mijn held bent.*
> *Ik hou van je.*
> *La Belle Dame sans Merci*
> *(ook wel bekend als Bird)*

De volgende dag, een zondag, nam ik mijn ouders en de kinderen mee naar Eagle Rock Reservation, een groot park met bossen met uitzicht op Manhattan, waar Arron, de kinderen en ik vaak gingen wandelen met Harley. De gebouwen smeulden in de verte nog na. Carter wees ernaar: 'Papa daar? Papa nu engel?' Een rotsmuur was veranderd in een geïmproviseerd gedenkteken. Het greep me aan: die simpele gedichtjes vol verdriet en Amerikaanse vlaggetjes die wapperden in de wind, maar het stond me tegelijkertijd ook tegen. Deze zelfde verzameling memorabilia leek me overal waar ik ging te achtervolgen: handgeschreven briefjes in met een sluitstrip afgesloten plastic zakken die op muren waren geprikt, vaak met foto's van dierbaren erbij, die deden denken aan de VERMIST-posters die ze vervingen, doorweekte knuffelbeesten, kaarsen die allang waren uitgewaaid. Ik had een haat-liefdeverhouding met dergelijke gedenktekens ontwikkeld, want inwendig deden ze me altijd naar adem snakken, alsof ik Arrons dood weer voor het eerst ervoer.

Later die middag keerden mijn vader en Sheilagh terug naar Toronto. Ik omhelsde hen toen ze naast de auto stonden, zonder te weten hoe ik ze moest bedanken dat ze me een bijna normaal weekend hadden bezorgd.

Hoewel ik graag had gewild dat ze nog wat langer bleven, deed het me ook goed alleen in mijn huis te zijn, al was het maar voor een paar dagen. Ik kreeg weer zin om een poging te wagen om eten klaar te maken voor mijn uitgedunde gezin, hoewel ik zelf amper trek had. De dag daarop besloot ik naar buiten te gaan en mijn eerste tocht naar de supermarkt te ondernemen sinds Arrons dood. Misschien zou dat mijn belangstelling voor voedsel aanwakkeren. Toen ik de parkeerplaats van de A&P opreed, voelde ik me weer mezelf. Ik kon een kippetje braden, wat aardappelen en groente koken. Mochten de buren vanavond eten komen brengen, dan zou ik dat in de vriezer stoppen. Ik wilde eten met de kinderen, net als wanneer Arron op zakenreis was.

Het winkelwagentje voelde vreemd en groot aan. Onzeker stapte ik de winkel binnen en voelde me onmiddellijk overweldigd door alle versieringen. Het leek wel de 4e juli, Onafhankelijkheidsdag. Er hingen vlaggen aan het plafond, kleine vlaggetjes op stokjes staken tussen de bakken met groente en fruit uit, van een soort vlaggendoek waren guirlandes aangebracht tussen bakken met levensmiddelen. Ik behoorde gewend te zijn aan zulk vertoon van vaderlandsliefde, maar hier, begin oktober op mijn vaste winkeladres, leek de versiering speciaal voor mij te zijn aangebracht. Heel even wilde ik wegrennen, moe van die voortdurende herinneringen, maar ik was nog steeds opgetogen over mijn hervonden zelfstandigheid, dus deed ik maar alsof het juli was.

De routine van vier jaar boodschappen doen in dezelfde winkel kreeg de overhand en ik liep op de automatische piloot door de zaak. Eerst groente en fruit. De appels zagen er goed uit. Een salade zou lekker zijn, een krop sla uitzoeken, wat kerstomaatjes, wat broccoli voor de kinderen. Op naar de zuivel: melk, yoghurt, boter... Ik neuriede mee met een populaire hit uit de jaren tachtig die uit de luid-sprekers klonk. Ik voelde me normaal! Nu naar de blikken soep... Kip-noedelsoep voor Carter, vissoep voor mij. Toen naar het gang-pad met junkfood.

Ribbelchips. Daar moest ik maar een zak van meenemen voor Arron... Ik verstarde, legde hem toen langzaam terug. De tranen sprongen me in de ogen. Shit. Opruimen in gangpad twee, dacht ik terwijl ik met mijn mouw mijn tranen wegveegde. Een vrouw met een karretje haastte zich langs me en deed of ze niets in de gaten had.

Ik kreeg een beeld voor ogen van Arron die chips zat te eten: hij kwam thuis van z'n werk, nog steeds in zijn pak, pakte de chips en stopte een flinke handvol in zijn mond; hij stond met zijn gereed-schapsgordel om zijn middel en een biertje in de hand uit een open zak te graaien terwijl hij even pauzeerde tijdens het aanleggen van het terras afgelopen zomer; hij zat naar voetbal op tv te kijken en wierp Harley chips toe, die opsprong om ze uit de lucht te snaaien.

Verscholen achter mijn zonnebril liep ik verder, langs de light mayonaise die ik altijd voor hem kocht, langs zijn favoriete merk scheermesjes, langs zijn favoriete merk koffie, langs het chocoladeijs en de chocoladesiroop ('met saus!' was eeuwig en altijd zijn refrein). Ik probeerde me te concentreren op mijn taak: luiers voor Carter, diepvrieswafels voor Olivia, kipvingers.

Toen ik in de rij stond voor de kassa viel me een bord op: STEUN DE 9/11-GEZINNEN. Als ik geld gaf, zou ik daarmee mezelf steunen. Ik kon wel lachen en huilen tegelijk, slikte de brok in mijn keel weg en zette mijn zonnebril goed op mijn neus, terwijl de tranen eronder vandaan over mijn wangen biggelden. De vrouw voor me deed er erg lang over om een cheque uit te schrijven. Ik begon in paniek te raken. Omdat ik op het punt stond in snikken uit te barsten, leidde ik mezelf af door mijn eigen boodschappen in te pakken, waarbij ik ze bijna in de zakken smeet. Ik betaalde snel met mijn pinpas. 'Prettige dag!' riep de caissière me zangerig na.

Ik vloog met het winkelwagentje naar de auto, gooide de zakken achterin en stapte achter het stuur voordat de vloed van tranen los-barstte. Ik bleef een poosje zitten, liet de tranen komen en slaakte vervolgens een kreet van frustratie. Net nu alles weer gewoon begon te lijken, werd ik ingehaald door het verdriet. Door een waas van tranen reed ik naar huis en borg daar de boodschappen op, waarbij ik zag dat ik veel te veel had ingeslagen. De appels zouden wegrotten in de fruitschaal. De kip zou maanden in de vriezer blijven liggen. Ik keek naar de lege plek boven op de koelkast waar de chips meestal lagen: het enige waaraan te zien was dat mijn leven voorgoed was veranderd.

5

Zingende nonnen

Ik was er absoluut niet op voorbereid een begrafenis te regelen, laat staan die van mijn man. De dood, dat was iets wat andere mensen overkwam. Ik was zesendertig en de enige echte verliezen die ik in mijn leven had geleden, waren mijn overleden grootmoeders. Ironisch genoeg had ik op 7 september de begrafenis van een van Arrons beste vrienden bijgewoond. Tim was op zijn tweeënveertigste plotseling in Brussel overleden aan een hartaanval. Arron was niet naar zijn begrafenis geweest en ik was kwaad dat hij niet beter zijn best had gedaan om ook te komen. Hij had als excuus aangevoerd dat hij een verkoopvergadering had met een belangrijke cliënt, en ik had geprobeerd daar begrip voor op te brengen. Hij was immers nog maar kortgeleden bij Encompys begonnen, een nieuw bedrijf dat het moeilijk had, en de vergadering zou kunnen uitmonden in aanzienlijke nieuwe klandizie. Maar ik vond het maar niks dat hij zich door zijn werk van zo'n belangrijke gebeurtenis af liet houden. Later vroeg ik me af of hij misschien niet naar Tims begrafenis was gegaan omdat hij die zonder het te beseffen als een soort voorbode had beschouwd.

Tim had als hij zijn familie in Pennsylvania opzocht altijd de moeite genomen de twee uur durende reis te maken om ons te komen bezoeken. Hij bracht dan lekkers voor de kinderen mee, maakte grapjes en glimlachte en lachte volop. Hij was echt een man die werkte om te leven en zijn vrienden betekenden heel veel voor hem. Hoewel hij alleen woonde, hield Tim altijd een appartement met drie slaapkamers in Brussel aan, zodat hij bezoek kon ontvangen. Arron was met hem bevriend geraakt toen hij een paar weken lang bij hem in Brussel woonde terwijl hij bezig was de details te regelen van een nieuwe baan in Londen. Ik wilde destijds ontzettend graag uit Brussel weg en had die weken daarom bij Selena in Toronto doorgebracht, waar ik een tijdelijke baan had aangenomen. Tim belde Arron vaak op en liet Arrons secretaresse dan belangrijke vergaderingen onderbreken met de woorden: 'Meneer Armitage Shanks voor u aan de lijn, meneer Dack.' Alleen Arron en Tim wisten dat Armitage Shanks de merknaam van Britse toiletpotten was.

De dienst die voor Tim werd gehouden vormde een afspiegeling van zijn levendige persoonlijkheid en er werd meer gelachen dan dat er tranen vloeiden. Het was voor het eerst dat ik een begrafenis een 'viering van het leven' hoorde noemen. Na de dienst, waar de boodschap was verkondigd dat je je leven ten volle moest leven en de mensen om je heen moest waarderen, kwam ik thuis bij Arron. Tims overlijden doordrong ons ervan dat elke dag onze laatste zou kunnen zijn.

De afgelopen lente en zomer waren voor Arron en mij niet makkelijk geweest. Hij was niet tevreden met zijn werk en was bezig met de trage sollicitatieprocedure voor een baan bij Encompys. Ondertussen moest ik afvloeien als webprojectmanager bij Audible.com, een bedrijf dat audioboeken verkocht die je kon downloaden, waardoor hij zich nog meer onder druk gezet voelde. Zelfs nadat hij enthousiast aan zijn nieuwe baan was begonnen, leken we steeds verder van elkaar verwijderd te raken. Opeens moest hij erg veel reizen en lange dagen maken, waarbij hij mij ook nog eens onder druk zette om ander werk te zoeken. Nog maar drie weken voor 9/11 had ik in mijn eentje de zeven uur durende rit naar het huisje van mijn grootvader in Québec moeten maken, met twee kleine kinderen en een hond, doordat een van zijn zakenreisjes onze plannen had doorkruist. Met een kater was hij in zijn badjas naar buiten gewankeld om afscheid van ons te nemen, nadat ik eigenhandig al onze tassen had ingeladen. Ik was woest geweest en was bijna zonder te zwaaien de oprit af gespurt. Wat een raar idee. Nu zag het ernaar uit dat ik voortaan altíjd alleen moest rijden.

Maar toen hij na een week naar ons toe kwam in Montréal leken we allebei tot bezinning te zijn gekomen. Ik was dolblij toen hij op Dorval-airport naar ons toe kwam lopen, en ik zag wel aan hem dat hij dat ook was. Onze wrok leek te zijn vervlogen en samen met de kinderen hadden we een fijne week.

Het weekend tussen Tims begrafenis en 11 september genoten we met volle teugen. Arron en ik liepen hand in hand door het park. Ik bleef zelfs staan, keek naar ons huis, onze kinderen en Arron en zei tegen mezelf: 'Wat ben ik gelukkig! Ik heb alles wat er maar te wensen valt.' Die zaterdag, misschien ingegeven door het effect van de dienst voor Tim, glipten Arron en ik onze slaapkamer in toen de kinderen naar een video zaten te kijken, en bedreven snel en stiekem de liefde. Dat was voor het eerst in heel lange tijd. Op dat moment kon ik nog niet bevroeden dat het de laatste keer zou zijn, of dat ik later met zijn moeder door het vuilnis zou rommelen om het forensische bewijs van onze daad op te sporen.

Ik had me vast voorgenomen om ook Arrons leven te vieren, in plaats van het te betreuren. Ik wilde hem gedenken zoals hij echt was: gelukkig, dwaas en levend. Van een kerkelijke begrafenis kon geen sprake zijn. Mijn ervaring met de gospel zingende dominee en mijn ongemakkelijke gevoel als ik in een kerk was, hadden me dat meer dan duidelijk gemaakt. Bovendien was Selena, die me hielp met de organisatie van de begrafenis, sterk gekant tegen een kerkelijke begrafenis, en haar wensen vond ik ook belangrijk.

Het werd tijd voor plan B. Maar ik had geen plan B. Er bestonden geen boeken met titels als *Hoe organiseer je een viering van het leven?* Over het gevoelige onderwerp van de dood was sowieso weinig informatie beschikbaar. Hoe pakte je zoiets aan als er geen stoffelijk overschot was, geen as, geen fysiek bewijs van een dood? Ik zat ontzettend verlegen om een handboek.

Uiteindelijk kwam mijn briljante zus Jill op het idee om Dans tante te bellen, een franciscaner non uit Philadelphia. 'Tante Nora' had Jill en Dan op hun bruiloft toegesproken en haar gevoelens waren mooi en oprecht geweest, en Arron en ik waren er toen allebei van onder de indruk. Als non adviseerde ze grote bedrijven over ethische kwesties, wat helemaal niet overeenkwam met ons beeld van wat een non is en doet. Na mijn telefoontje liet ze alles uit haar handen vallen en maakte de volgende dag de twee uur durende rit naar ons huis.

Tante Nora ging er met Selena en mij eens goed voor zitten om met ons geduldig een beginnerscursus begrafenisplanning door te nemen. We vertelden haar een paar van onze wensen, zoals dat mijn vriendin Jocelyn 'Honeysuckle Rose' zou zingen, een lied dat Arron op onze bruiloft voor mij had gezongen nadat Jocelyn hem de tekst telefonisch vanuit Londen had doorgegeven. Het lied was synoniem geworden met ons huwelijk, en Arron had het vaak voor me geneuried: *When you're passin' by, flowers droop and sigh...* Selena vroeg of ze een gedicht mocht voorlezen. Ik wilde graag iedereen die een woordje wilde spreken daar de kans toe geven. Tante Nora hielp me de sprekers uit te kiezen. Ze voegde uiteraard haar eigen religieuze accenten toe, zoals een gebed en een hymne, en Selena kneep enigszins misprijzend haar lippen op elkaar, totdat Nora voorstelde dat ik zou bepalen welke familieleden die zouden voorlezen.

Vervolgens koos ik een datum: maandag 8 oktober, Columbus Day, en het Canadese Thanksgiving. Selena was met die datum niet zo ingenomen. 'Dan moeten al onze vrienden hun Thanksgiving missen!' Ik besefte wel dat het voor onze Canadese vrienden en familie niet gemakkelijk was om de kalkoen te laten voor wat hij was, maar voor Arron en mij was dit een belangrijke dag. Waar ter wereld we ook gewoond hadden, we hadden altijd het Canadese Thanksgiving gevierd. Bruce en Jacquie hadden er een gewoonte van gemaakt ons op te komen zoeken, waar we ook waren, en brachten dan Lego mee, dat we na het eten in elkaar zetten. Het leek gepast en belangrijk om die traditie in ere te houden, zodat we elk jaar met Thanksgiving aan Arron konden denken: zoals hij innig tevreden, met zijn bast vol rode wijn en kalkoen, op de bank lag in wat wij een 'kalkoencoma' noemden, klagend over zijn overvolle buik.

Nora ging weer naar huis en printte een programma uit met een portret van Arron op de voorkant. Ze vertelde me dat ze twee collega-nonnen zou meenemen om voor wat muziek te zorgen. Ik was ontzettend opgelucht. Ik had een plan, een richting, een missie.

Ik regelde een tent en kreeg van de gemeente toestemming om die op te zetten bij Eagle Rock Reservation. Ik bestelde 350 stoelen, zonder te weten hoeveel mensen er zouden komen. Ik had over andere 9/11-gedenkdiensten gehoord waar wel duizend mensen waren geweest en was blij dat we nog maar vier jaar in deze buurt woonden.

Robert, een goede jeugdvriend van Arron, was filmmaker in Toronto en zegde toe voor de receptie een montage van foto's en muziek te maken. Een hele dag was ik bezig al onze fotoalbums door te nemen, waarbij ik bij elke foto moest huilen. Arron op zijn veertiende, schuchter glimlachend op een schoolfoto, zijn blonde haar lang en steil, keurig achter zijn oren gestreken, zijn wangen schattig roze; Arron die breed naar de camera glimlachte terwijl ik een dikke kus op zijn wang drukte; Arron die bij het huisje van mijn opa spijkers in de terrasvlonder stond te slaan, met Carter naast hem, die de hamer vasthield. Dat was een van de laatste foto's die van hem waren genomen. Ik voelde me zowel getroost als gespannen terwijl ik met mijn vinger over elke afbeelding streek, alsof ik Arron probeerde te voelen of hem op wonderbaarlijke wijze weer tot leven kon wekken.

Nog een dag ging voorbij met luisteren naar al onze muziek, zoekend naar Arrons favoriete liedjes, waarbij ik moest huilen bij teksten waar ik voorheen nooit goed naar had geluisterd. Ik stond ervan te kijken dat zoveel van zijn favoriete songs te maken hadden met dood of met sterven. Eentje droeg de veelzeggende titel 'Perfect Blue Buildings'.

De dag van de dienst was een mooie en zonnige dag, maar winderig en veel te koud voor de tijd van het jaar. De kinderen en ik arriveerden op eigen gelegenheid, want Selena had besloten naar een ochtenddienst te gaan die was georganiseerd door Accenture, het moederbedrijf van Encompys. Accenture had bij de instorting van het WTC diverse consultants verloren en zou naast de drie van Encompys ook hen gedenken. Ik zag het niet zo zitten om erheen te gaan, omdat ik bang was dat het een mediaspektakel zou worden, want burgemeester Rudy Guiliani was uitgenodigd om te komen spreken.

Ik kon me bovendien niet voorstellen dat ik in staat was op één dag twee diensten bij te wonen.

Toen ik naar de tent toe liep, mijn blik afgekeerd van de skyline van Manhattan, hoorde ik tot mijn verrassing muziek. Opkijkend zag ik twee vrouwen die zongen en gitaar speelden. Ze waren allebei informeel gekleed: de ene droeg een spijkerbroek en de andere, die lang, grijzig blond haar had, een rok. Ze zongen met hoge sopraanstemmen. Hun uiterlijke verschijning vormde een contrast met hun plechtige manier van doen. Dit zijn vast de zingende nonnen, ging het door me heen.

En toen begon ik te giechelen. De nonnen leken wel regelrecht uit een aflevering van *Saturday Night Live* gestapt. Ik dacht aan zuster 'Pat' en de 'kerkdame', en mijn gegiechel ging over in gegnuif. Ik herinnerde me hoe Sally Field op haar gitaar had staan spelen, met die bespottelijk grote kap met vliegtuigvleugels op die ze in het tv-programma *De vliegende non* had gedragen, en kon vervolgens niet meer stoppen met lachen.

Het duurde niet lang of ik zat te hikken, met tranen in mijn ogen.

Het laatste wat ik tijdens de gedenkdienst voor mijn man had verwacht was dat ik de slappe lach zou krijgen. Ik hoopte maar dat als ik mijn gezicht in mijn handen verborg, mensen zouden denken dat ik huilde. Hoewel ik tranen in mijn ogen had doordat ik mijn lachkriebels onderdrukte, voelden die niet verdrietig aan. Ik voelde me hysterisch. Inmiddels was Selena gearriveerd en was op de stoel naast me komen zitten. Ze keek me niet-begrijpend aan. Ik slaagde erin tussen mijn gegiechel door 'zingende nonnen' uit te brengen, en toen was er ook bij haar geen houden meer aan. Ik gaf haar onder de stoel een trap, maar we staken elkaar telkens weer aan tot onbedwingbare giechelbuien. Ik beet op mijn lip tot ik bloed proefde. Dit kon zo niet. Carter zat op mijn schoot en draaide zich telkens om om mij aan te kijken; hij vond het vervelend dat ik mijn gezicht tegen zijn rug aan drukte en mijn tranen afveegde aan zijn jasje.

Ik stelde me voor dat Arron naast me zat. Hij zou ook hebben gelachen, alleen zou dat bij hem hoorbaar zijn geweest, en aanstekelijk, zodat het hele publiek met hem mee zou hebben gelachen. Hij zou geen moeite hebben gedaan het te verbergen. Hij kon mij in bioscopen ontzettend in verlegenheid brengen door op ongepaste momenten aan het bulderen te slaan, zo hard dat er naar ons werd gekeken of dat mensen 'Ssst!' riepen. Ik miste hem op dat moment heel erg en stelde me voor wat hij binnensmonds alleen voor mij verstaanbaar zou hebben gemompeld: 'Zingende nonnen op mijn begrafenis? Leuk bedacht, Bird!' Ik stelde me voor dat ik hem discreet een waarschuwende blik toezond, zodat hij hardop zou zeggen: 'Wat is er nou?' Ik was dol op die nonnen omdat ze me zo'n lachbui bezorgden; dat was veel bevredigender dan huilen. Ik voelde me lichter en echter dan ik me in al die weken van voorbereiding had gevoeld. Het leek of Arron bij me was zoals ik daar al giechelend en met tranen in de ogen de dienst bijwoonde.

Op een gegeven moment stond Jocelyn op om 'Honeysuckle Rose' te zingen. Ze had me gewaarschuwd dat ze niet goed kon zingen, maar ik had dat als een teken van bescheidenheid opgevat. Maar het was precies zoals ze had gezegd: ze zong de tekst in vele verschillende toonsoorten en octaven. Ik zag mensen elkaar blikken toewerpen, zich afvragen of dit misschien een grap was. Haar valse noten maakten er, in combinatie met haar emoties, een afschuwelijk optreden van. Terwijl ze stond te zingen lachte ik, openlijk deze keer, en huilde ik tegelijk; de tranen biggelden me weer eens over de wangen en er sloeg een golf van liefde voor haar door me heen, omdat ze dit kleine wonder voor mij opvoerde.

Toen ze van het podium stapte, keek ze me met een schaapachtige grijns aan. Ik lachte en zei luidkeels: 'Wat was jij vréselijk! Hartelijk bedankt!' Iedereen onder het tentdak grinnikte verrast en de lucht zinderde van de positieve energie. Ik was tevreden. Ik had in Arrons geest gehandeld, op een manier waarop hij herinnerd zou willen worden.

Later maakten veel mensen die de dienst hadden bijgewoond het ritje van een kwartier van Eagle Rock Reservation naar het prachtige landgoed in tudorstijl in de bossen van New Jersey. De receptieruimte was groot, met aan twee kanten dubbele, gewelfde houten deuren, die nu de buitenwereld buitensloten. De vloeren bestonden uit afgesleten terracotta tegels. Het zonlicht piepte naar binnen door de nonchalant dichtgetrokken bordeauxrode gordijnen die voor de prachtige glas-in-loodramen hingen. Er waren zo'n tweehonderd mensen, hetzelfde aantal dat elf jaar eerder op onze bruiloft was geweest. De gotische elementen van deze zaal leken wel wat op die van de zaal waar we onze trouwreceptie hadden gehouden aan de Universiteit van Toronto. Veel mensen die op onze bruiloft waren geweest, hadden nu tranen in hun ogen.

Iemand dimde het licht, zodat we konden kijken naar de fotopresentatie die Robert had samengesteld. Ik klemde mijn glas rode wijn in mijn hand en staarde naar de bodem om de zijdelingse blikken van andere rouwenden te vermijden. Ik kon hun medeleven voelen. Ik keek hoe mijn tranen in mijn glas vielen en het oppervlak van de wijn in beroering brachten, niet in staat om op te kijken naar de foto's van mijn gelukkige, lachende, levende echtgenoot. Het was onverdraaglijk om zijn favoriete muziek te horen. Niemand kon me op dat moment troosten. Mijn moeder bleef dicht bij me in de buurt. Ze wilde me omhelzen, maar ik wilde niet dat iemand me aanraakte. Ze kwam naar me toe en slaagde er uiteindelijk in haar arm om me heen te slaan, maar ik glipte er snel weer onderuit, zelf verrast dat ik haar troost niet wilde.

Carter greep zich nu eens aan mijn rok vast en zat dan weer op mijn heup. Mijn schouders en rug deden pijn van de inspanning die het kostte om hem telkens op te tillen en weer neer te zetten. Van tijd tot tijd schoot hij de zaal door naar mijn broer van eenentwintig. Matt leek bijna dankbaar toen hij de gang op kon om Carter achterna te gaan, net op het moment dat er foto's van hemzelf als jongen van tien samen met Arron op het scherm verschenen. Er kwamen nog meer tranen toen ik bedacht wat Matt was kwijtgeraakt. Een grote broer. Een vriend. Een mentor.

Olivia stond vooraan met twee andere meisjes, een vriendinnetje van school en een buurmeisje. Ik kon ze af en toe horen giechelen om de foto's en ving zo nu en dan een flard van hun gesprek op.

'Op die foto lijkt je papa net een meisje.'

'Ben jij dat of Carter?'

Er was een foto van Olivia als naakte tweejarige waarop ze dwars door de lucht lijkt te vliegen, ondersteund door Arrons sterke hand. Hij staat op één been, terwijl hij het andere geheven houdt onder dezelfde hoek als dat van Olivia; ze lijken net twee superhelden die zogenaamd door de lucht vliegen. Olivia moest toen ze de foto zag lachen en huilen tegelijk. Verse tranen stroomden over mijn wangen. De foto had haar in verlegenheid gebracht en ik hoorde haar jammeren: 'Mammieieie!' De grote groep moest even lachen, maar toen was er een volgende foto aan de beurt en daalde er weer een stilte over de aanwezigen neer.

Na de foto's stonden mensen een voor een op om over Arron te speechen, maar het geluid was zacht en het was nog steeds donker in de zaal, zodat ik ze niet goed kon horen terwijl ik op de receptie handen schudde en met iedereen een praatje maakte. Af en toe klonk er een lach uit de menigte op en draaide ik me om, maar de grap was me dan al ontgaan. Ik wilde dat ik eraan had gedacht iemand de speeches te laten opnemen.

De receptie liep ten einde en ik stond na middernacht nog steeds buiten op de stoep mensen uit te zwaaien, terwijl Carter jengelde dat hij naar huis wilde. Olivia was al met een vriendinnetje vooruitgegaan.

In mijn eentje reed ik naar huis, met Carter vastgegespt in zijn autostoeltje achterin. Toen we het huis binnenliepen, zag ik tot mijn verbazing dat mijn tafel keurig was gedekt met een compleet Thanksgiving-diner. Mijn buren, die zo attent waren geweest om te bedenken dat een heleboel Canadezen de feestdag met hun eigen familie misliepen, hadden een feestmaal aangericht. Er was een enorme kalkoen, met maisbrood, aardappelpuree, zoete aardappelen, spruitjes en cranberrysaus. Iedereen had een papieren bord voor zich en de kalkoen was al half op.

Ik kon wel janken van dankbaarheid. Toen ik vroeg hoe ze allemaal het huis waren binnengekomen, aangezien ik maar één sleutel had, wees iemand naar het raam van de woonkamer, waar het slot uit was gehaald. Kleine Ed, een van onze buren, had ingebroken. 'Ik repareer het later wel,' zei hij schaapachtig.

Ik was uitgeput en wist niet hoe ik het diner zou moeten uitzitten. Ik nam plaats op de bank, schoof wat kalkoen heen en weer op een bord en wilde dolgraag naar bed. Mijn hoofd bonsde en ik vroeg me af wanneer ze allemaal weg zouden gaan – of ik dan te moe zou zijn om te huilen of dat de dam zou breken en mijn zorgvuldig opgebouwde façade van kalmte zou instorten. Geleidelijk aan vertrokken de gasten en begonnen Selena en ik op te ruimen; we zetten schalen in de vaatwasser, wikkelden restjes in plastic. Ik was net een zombie, deed alles zonder na te denken. Op een gegeven moment vond ik een pakje dat eerder die dag was bezorgd. Ik herkende het als een tas die ik had besteld voor Selena's verjaardag, een leven geleden. Ze maakte het zogenaamd enthousiast open en drukte me tegen zich aan. 'O, wat mooi!' riep ze uit, hoewel ze wist dat het eraan had zitten komen. Toen ik me omdraaide, zag ik mijn moeder fronsen.

Mijn relatie met mijn moeder was sinds 9/11 gespannen. Ze scheen niet te kunnen begrijpen dat ik Selena nodig had als verbindingslijn met Arron. Ik had behoefte aan haar onbuigzame Engelse manier van doen, haar no-nonsense benadering van rouw. Selena deed niet moeilijk over haar verdriet. Ze huilde als ze zich treurig voelde en wist duidelijk te verwoorden wat er in haar omging. Mijn moeder daarentegen leek als ze me troostte om woorden verlegen te zitten, iets wat ik niet van haar gewend was. Ze dronk te veel wijn, praatte een tikje te hard en haar eigen behoeftigheid was maar al te duidelijk. Ik realiseerde me niet dat Selena een wig tussen ons dreef, en het zou een hele tijd duren voordat ik inzag dat dit bijdroeg aan onze verslechterende relatie.

Nadat mijn moeder naar boven was gegaan om te gaan slapen, maakten Selena en ik de laatste dingen schoon, zonder veel aandacht te besteden aan de afscheidsgroet van onze laatste gasten. Ik liep de veranda achter het huis op, huiverend in de koude lucht, en zwaaide de groep vrienden van Arron uit Toronto gedag, die zich inmiddels hadden verzameld op het terras bij de garage. Ik kon hun gezichten niet goed zien, alleen oranje oplichtende puntjes, en glimlachte terwijl ik me afvroeg wat ze stonden te roken. Toen wenste ik de achterblijvers welterusten: Selena, Matt en een paar buren.

Toen ik mijn slaapkamer binnenkwam, lag mijn moeder in mijn bed.

'Mam, je moet boven in je eigen bed gaan liggen.' Mijn stem klonk vlak.

'O, schatje...' Ze stak haar armen uit en rolde naar me toe.

'Wat doe je nou?' Mijn stem klonk nu kwaad terwijl ik haar overeind hielp. Ze ging huilend op de rand van het bed zitten.

'Ik wil er voor je zijn! Ik wil dat je met me kunt praten! Ik ben je moeder!'

'Dat weet ik, mam, maar ik ben moe. Ik moet nu slapen, en jij ook. Morgen kunnen we praten.' Ik was razend. 'Ga nou maar naar bed, oké?'

Toen ik ging liggen, voelde mijn bed nog warm aan. Ik was te moe om me erover op te winden. Mijn oogleden werden zwaar terwijl ik aan Arron dacht. *En?* vroeg ik me af. *Vond je het wat? Heb ik het goed gedaan? Ik had niet verwacht dat die oude vriendin van je zo aardig zou zijn. Misschien deed ze wel zo liefjes omdat ik de weduwe ben. Maar ik wil geen weduwe zijn. Jij had er moeten wezen. Dit had de begrafenis van iemand anders moeten zijn. Hoe kon je me nou zo in de steek laten?* Tranen sprongen me in de ogen en ik huilde in mijn kussen, in de hoop dat niemand me zou horen.

6

De laatste spijker

Toen jaren geleden mijn grootmoeder overleed, duurde het een paar dagen voordat mijn familie in staat was de herdenkingsdienst voor haar te organiseren, en voor mij voelden die dagen vreemd aan, alsof we allemaal gevangenzaten in het niemandsland tussen leven en dood. Na de dienst was het een opluchting te beseffen dat ze een passend afscheid had gekregen, dat haar dood definitief was. De dienst voor Arron had hetzelfde effect op me. In de loop van een paar weken was hij eerst laat geweest, vervolgens werd hij vermist met de mogelijkheid te worden teruggevonden, toen werd hij vermist zonder de mogelijkheid nog te worden gered, en ten slotte gingen we ervan uit dat hij dood was. Maar ondanks de herdenkingsdienst was hij nog steeds niet officiéél dood.

Misschien dat Selena en ik daarom op de vrijdag na de dienst een pelgrimstocht ondernamen naar het nieuwe Family Assistance Center, aan Pier 94 in Manhattan, om ons voor de eerste keer over Ground Zero te laten rondleiden. Hoewel ik even overwoog de kinderen mee te nemen, deed ik dat toch maar niet. Het leek te vroeg, te akelig. Bovendien voorzag ik dat een dag bij het Family Assistance Center een bezoeking zou worden.

Als we daar waren, zouden we ook achter een overlijdensakte voor Arron aan gaan. Die had ik nodig voor zijn levensverzekering en om zijn nalatenschap te kunnen afwikkelen. Selena zag het niet zo zitten; zij had de hoop dat Arron alsnog zou worden gevonden nog niet opgegeven.

Het nieuwe Family Assistance Center bleek een grotachtig gebouw ter grootte van vier voetbalvelden. In vergelijking daarmee leek de Armory nietig. Het wemelde er van de mensen; sommigen leken kracht te putten uit de bedrijvige sfeer, anderen huilden stilletjes en werden getroost door familie. Velen van ons hadden mappen in de hand met daarin officiële papieren: geboorteaktes, trouwaktes, rekeningen, gemeentelijke inschrijvingsbewijzen, P-nummers. Onder de gloed van een soort stadionverlichting zaten vrijwilligers achter grote tafels die bedekt waren met dossiers en formulieren. In een hoek lieten mensen zich op speciale stoelen masseren. Kinderen speelden in een apart gedeelte dat was voorzien van felgekleurd Little Tykes-speelgoed. Op regelmatige afstanden waren grote waterkoelers neergezet. Aan één kant van het gebouw was een eetgedeelte ingericht. Het leek wel een congres van rouwenden.

Om bij Ground Zero te komen moesten we in een privékamer wachten op een kleine ferry die op gezette tijden mensen van Pier 94 over de Hudson naar Lower Manhattan vervoerde. De kamer had veel weg van een ziekenhuiskapel. Een stuk of tien mensen zaten stilletjes op hun stoelen voor zich uit te kijken, alsof er voor in de kamer een altaar stond opgesteld. We werden uitgenodigd om bloemen en teddyberen mee te nemen uit een rek aan de zijkant, dus liepen Selena en ik daarnaartoe. 'Anjers,' zei ik zachtjes. Ik had nooit van anjers gehouden, vond ze te goedkoop en te gewoontjes. Selena hielp me een boeket samen te stellen van witte bloemen waaraan ik één rode bloem toevoegde, als symbool voor de enkele rode roos die Arron me altijd bij speciale gelegenheden gaf. We namen twee teddyberen mee om later aan de kinderen te geven. Na tien minuten mochten we in een kleine stoet over een gigantische, industrieel uitziende steiger naar de ferry lopen.

Terwijl de boot de rivier over voer, bracht de koude bries mijn haar in de war. Het was een prachtige oktoberdag en ik keek naar het witte kielzog van de boot dat zich aftekende tegen het donkere, zwartpaarse water van de Hudson. De koele lucht leek me even wakker te schudden en ik realiseerde me dat ik de hele morgen in een roes had verkeerd. Ik wilde helemaal niets voelen. Er waren te veel mensen van het Rode Kruis en te veel familieleden van slachtoffers van de bomaanslag in Oklahoma City in de buurt die vrijwillig hadden aangeboden de 9/11-gezinnen te helpen, klaar om ons elk moment van tissues te voorzien. Ik vroeg me af of het de bedoeling was dat we gesprekken met hen zouden aanknopen, alsof we een cruise maakten voor ons plezier.

Moet je zien!' zei Selena opeens. Er vloog een vlinder achter de boot aan. Het onwaarschijnlijke feit dat er een vlinder achter ons aan kwam moest wel een teken van Arron zijn. We maakten dit tochtje niet alleen, en daar was ik blij om.

Manhattan lag links van ons. Er werd nu iets van de verwoestingen zichtbaar. Er gaapte een gat in de glazen koepel van de Winter Garden, alsof die van bovenaf door een metalen reuzenspeer was doorboord. Verwrongen stalen balken hingen vervaarlijk neer vanuit de afgehouwen hoek van een gebouw erboven. Maar in het haventje vlak bij de plek waar we aanlegden, dobberden een paar kleine zeilboten lustig op het water alsof er niets was gebeurd.

Toen we de griezelige stilte in stapten, pakte ik mijn spullen en zag dat de rode anjer die ik aan mijn witte boeket had toegevoegd er niet meer tussen zat. Uit de uitdrukkingsloze gezichten van familieleden en vrijwilligers was niet op te maken wie hem ertussenuit zou kunnen hebben gehaald. Ik zag dat een van de vrijwilligsters van het Rode Kruis een enkele rode anjer had en ging achter haar aan, gefixeerd op wat wel míjn bloem moest zijn, maar zonder zich iets van mijn boze blikken aan te trekken liep ze voor ons uit.

Andere familieleden, Rode Kruismedewerkers en familieleden van slachtoffers van het Oklahomabombardement liepen met Selena en mij in een enkele rij tussen de beschadigde gebouwen door over een stoffig pad dat was geplaveid met stukken board. We staken een verlaten straat over. Overal leken politieagenten te zijn, wat gek was, want er waren helemaal geen auto's of andere mensen in de buurt. Op een kruising zwaaiden de verkeerslichten nutteloos in de wind boven ons hoofd; met regelmatige tussenpozen versprongen ze, maar zonder ons er iets van aan te trekken staken we de kruising schuin over. We werden naar een houten platform gebracht dat veel weg had van een terras in de achtertuin van een woonhuis. Ik greep me stijf aan de reling vast en vroeg me af of die zo glad was gesleten doordat een heleboel mensen vóór mij die ook zo stijf hadden omklemd.

De bulldozers die op het enorme terrein van de verwoesting rondreden, leken wel speelgoedautootjes boven op smeulende hopen puin; hun koplampen doorsneden het geelbruine licht. Het leek wel een wintertafereel, een plek waar in een stille schemering net verse sneeuw was gevallen – alleen bestond de sneeuw hier uit vochtig bruin stof vermengd met as, en hoewel het een heldere, zonnige dag was, hing er laag boven de grond een okergeel waas in de lucht. De geur was verstikkend: een mengeling van nat beton, stof van pleisterkalk, rook en verbrand vlees. Nooit zal ik die geur vergeten. Het duurde een hele poos voordat ik me had georiënteerd en me een idee kon vormen van waar Arrons toren had gestaan. Te midden van de rommel viel geen enkele stoel, geen enkel bureau, geen enkele computer te herkennen – helemaal niets. Ik keek naar een bulldozer die vervaarlijk op een van de grijze bergen balanceerde. Onhandig bewoog hij heen en weer, hotsend, waarna de enorme shovel omhoogkwam en zwaar neerzakte om een reuzenhap te nemen uit de berg rommel eronder. Pas nou toch op, dacht ik. Doe hem geen pijn! Het sloeg nergens op. Dwaze gedachte. Ik vroeg me af of ze ook maar in de verste verte al toe waren aan het niveau waarop Arron zich zou kunnen bevinden. Misschien bevond hij zich wel in het gedeelte dat nog nasmeulde. In gedachten sprak ik hem kwaad toe: 'Wat had je daar te zoeken? Wat héb je daar te zoeken? Waar zit je? Waarom ben ik hier? Eikel!'

Ik wilde daar blijven en er nooit meer weggaan.

Ik wilde zo snel mogelijk van die plek vandaan rennen.

Eindelijk was ik bij hem, mét hem. Ik had me niet gerealiseerd dat dat het doel was geweest van mijn bezoek aan Ground Zero. Dit was de plek waar hij was gestorven. Ik voelde hem naar me kijken en vroeg me af hoe dat voor hem moest zijn. Voelde hij dezelfde verachting voor deze plek die ik nu voelde? Had hij met me te doen, zoals ik daar met witte knokkels de reling omklemde, zijn moeder met een strak gezicht naast me? Ik vroeg me af wanneer de bulldozers hun schat omhoog zouden halen: Arrons lichaam, of desnoods alleen iets wat aan hem herinnerde – zijn das of zijn ring, welk bewijs dan ook van zijn bestaan.

Na hooguit vijf minuten werd ons te verstaan gegeven dat het tijd was om te gaan. Er zou een gezelschap hoogwaardigheidsbekleders arriveren en wij moesten plaats voor hen maken. Ik was kwaad dat ik weggebonjourd werd. Snapten ze dan niet hoe lang ik erover had gedaan om hier te komen? Ik had zoveel pijn moeten doorstaan om uiteindelijk hiernaartoe te kunnen. 'Niet te geloven!' fluisterde Selena me venijnig toe, zo hard dat de anderen het konden horen.

Een politieagente en een medewerker van het Rode Kruis voerden onze groep met zich mee. Ik wrikte mijn handen los van de houten reling en dwong mezelf een stap te zetten. Als gedetineerden marcheerden we door het stof, weg van de enige plek die ertoe deed, althans voor mij. De enige plek die me met al zijn lelijkheid troost bracht.

Ik knipperde mijn tranen weg terwijl ik afscheid nam van Arron en ging achter de anderen aan. Ik wilde dat ik naar die bulldozer toe had kunnen lopen en de as en het stof eronder had kunnen aanraken. Ik wilde ontzettend graag het stof in mijn handen houden, me erin onderdompelen, het inademen, mijn tranen erop laten vallen, zodat ze zich zouden vermengen met de zijne.

In plaats daarvan werden we een smalle, met gaashekken afgezette corridor binnengeleid; de hekken hingen vol met posters en banieren en verregende knuffelbeesten. Hier werden we geacht onze bloemen en gedenktekens neer te leggen, maar ik kreeg de kriebels van die plek. Ik schoof de bloemen in een hoek en wendde me naar Selena. 'Laten we maken dat we hier wegkomen!'

We kwamen weer bij Pier 94, waar een grote groep mannen in donkere pakken op de steiger stond. Een van de Rode Kruismedewerkers fluisterde: 'Dat zijn allemaal Amerikaanse senators die op onze boot wachten. Vanwege hen is onze tocht bekort. Zij gaan nu een kijkje nemen bij Ground Zero.' Ze leek onder de indruk.

Bij Selena noch bij mij kon er een glimlachje af toen we langs hen liepen.

We gingen op weg naar het eetgedeelte en namen een broodje, terwijl we wachtten op Kathleen van Encompys. Ze had met ons afgesproken, om me te helpen een overlijdensakte van Arron te bemachtigen. Kathleen had kunnen achterhalen op welke verdieping en in welke toren Arron zich had bevonden; ze had contact gehad met liefdadigheidsorganisaties en een gratis overlijdensadvertentie voor Arron in de *New York Times* geregeld. Ze was een ietwat plompe vrouw, met de efficiency van een buldog, steevast gekleed in een grijs flanellen pakje, en pakte de zaken aan op een manier waardoor ze het toppunt van competentie leek.

We zaten allemaal in door gordijnen afgescheiden kamertjes met twee door de gemeente benoemde juristen die jong genoeg leken om nog op de middelbare school te zitten. Kathleen overhandigde hun een brief die bevestigde dat Arron op de ochtend van de 11e september in het World Trade Center aanwezig was geweest. Ze namen een verklaring van me op over Arrons telefoontje van die ochtend. Aangezien er geen stoffelijk overschot was, was dit het enige wat ze hadden om zijn dood te bewijzen. Ze maakten kopieën van onze papieren, onze geboorte- en trouwaktes.

'Volgens mij hebben we alles wat we nodig hebben. U krijgt de aktes over zeven tot tien dagen via FedEx toegestuurd,' zei de jonge jurist.

Met een handdruk werd Arron officieel doodverklaard.

Deel twee

Het wit

In afzondering, waar niemand me zag,
En ik ook niets zag,
Had ik geen ander licht of andere gids
Dan het vuur dat brandde in mijn borst.

St.-Johannes van het Kruis, 'De donkere nacht'

7

De louterende winden van de woede

Op een mooie, zonnige dag aan het eind van oktober besloot ik het gras te gaan maaien, want ik voelde me kwieker dan in weken het geval was geweest. Ik had een 'goede dag', zo eentje waarop ik het idee had dat ik mijn leven prima aankon. De kinderen speelden met hun vriendjes in de tuin. Het leek een geschikte dag om het gazon een van zijn laatste maaibeurten te geven voordat de winterse vorst zou inzetten. Na de herdenkingsdienst voor Arron, twee weken geleden, waren al mijn familieleden en vrienden van buiten de stad weer naar huis gegaan, zodat ik alleen achterbleef in een groot, leeg huis, waar ik nu in mijn eentje de verantwoordelijkheid voor droeg.

Toen Arron nog leefde, was grasmaaien altijd mijn taak, maar in die tijd leek het makkelijker te gaan. Hij heeft een keer een foto van me genomen waarop ik de enorme maaimachine voor me uit duw, gekleed in een bikinitopje en korte broek, met zware werklaarzen aan mijn voeten waarin mijn gespierde benen goed uitkomen. Ik zie er sterk uit, heel goed in staat om de grote, logge Honda-machine te hanteren die een typisch voorbeeld is van het soort spullen dat Arron altijd graag aanschafte: robuust en krachtig.

In onze tuin was het lastig manoeuvreren met de zware maaier. Er lopen een heleboel smalle stenen paadjes doorheen, het terrein helt, alle hoeken zijn rond en er ligt overal kinderspeelgoed. Tuinieren was altijd veel werk. In de regel kostte het me wel een uur om het gazon te maaien, maar die dag had ik er echt zin in. Op die manier zou ik na weken van slapte, opgesloten in mijn bedompte huis te midden van verwelkende rouwboeketten, mijn kracht weer kunnen voelen.

Ik haalde diep adem en trok aan de starthendel. Hard. Het touwtje dat eraan vastzat, was langer dan ik had gedacht en mijn hand schoot wild de lucht in boven mijn hoofd, zodat ik mijn greep verloor. De hendel zwiepte uit mijn hand en vloog toen hij terugschoot hard tegen mijn slaap.

'Shit!' riep ik uit.

De motor pruttelde amper. Door de klap sprongen de tranen me in de ogen. 'Verdorie! Dit is allemaal jouw schuld!' Ik schreeuwde tegen de lucht in de hoop dat mijn stem Arron zou bereiken. 'Dit is verdomme jouw werk!'

Ik schrok er zelf van hoe snel ik op die prachtige dag ineens kwaad werd. Ik greep de hendel van de maaier weer vast; het liefst had ik het hele touwtje eraf getrokken. Ditmaal trok ik harder, waarbij ik mijn arm geweld aandeed. Mijn knokkels kwamen tegen de kop van een schroefje dat uit de zijkant van de maaier stak, zodat ik ze openhaalde. Bloedend en beurs trapte ik de machine op zijn kant, waarbij de pijn door mijn voet schoot. 'Verdomme!' In tranen liet ik me op de grond zakken. 'Ik haat je! Ik haat dit leven! Ik wil mijn oude leven terug!'

De maaier lag nutteloos naast me op zijn kant. Ik zwolg in zelfmedelijden. Ik haatte Arron omdat hij was doodgegaan, omdat hij die dag in de toren was geweest. Ik haatte het dat hij die nieuwe baan had aangenomen. Waarom had hij niet gewoon zijn oude werk gehouden? Dan had hij nu nog geleefd. Ik haatte mezelf; ik kreeg in mijn eentje niets voor elkaar. Omdat ik mijn woede op iemand wilde koelen, riep ik tegen de lucht: 'Je bent een klootzak dat je ons hebt verlaten! Die toren is klote! Osama is een klootzak! American Airlines is klote! Encompys is klote! Honda-grasmaaiers zijn klotedingen! Dit huis is klote! Mijn leven is klote!'

Ik was me wild geschrokken toen ik een vriend voor het eerst had horen zeggen dat Arron 'vermoord' was. Moord was iets voor in misdaadprogramma's op tv, iets waar wapens aan te pas kwamen. Ik beschouwde wat Arron was overkomen nog steeds als een soort natuurramp, zoiets als een orkaan. Als ik aanvaardde dat er een persoon voor Arrons dood verantwoordelijk was, zou ik de verantwoordelijkheid hebben Arron op de een of andere manier te wreken. Maar wraak nemen betekende dat je kwaad was – en kwaadheid had ik tot op dat moment niet willen voelen. Terwijl ik daar op de grond naast mijn gekantelde grasmaaier zat, kostte het me moeite onder ogen te zien dat ik ondanks mezelf een woedende weduwe was geworden. En nu zou ik iemand moeten betalen om het gras voor me te maaien.

Ik was me vaag bewust van de fases die Elisabeth Kübler-Ross in rouwverwerking onderscheidt: schok, ontkenning, woede, onderhandelen, depressie en acceptatie – maar ik moest er niet aan denken in een patroon te passen. Mijn verdriet voelde anders aan, het was uniek voor mij, geen levensproces dat iedereen doormaakt. Het leek belachelijk dat iedereen dezelfde stappen doorliep. Verdriet was toch net zo persoonlijk als een vingerafdruk? Ik nam me vast voor op míjn manier te rouwen, zónder woede.

Sinds Arrons dood was ik me bewust geworden van andere 9/11-weduwes die meer in de openbaarheid traden, en ik stond ervan te kijken met hoeveel vuur zij nabestaanden steunden: ze maakten zich sterk voor een eerlijke verdeling van de gelden van liefdadigheidsinstellingen, of zwaaiden met enorme ingelijste foto's van zonen en echtgenoten terwijl ze met samengeknepen lippen op bijeenkomsten zaten, misnoegd over de loze woorden en het gebrek aan verantwoordelijkheidsgevoel bij politici. Deze 'andere' weduwes spanden zich in voor een gedenkplek op Ground Zero, voor veiligere bouwvoorschriften, en voor het weghalen van de stoffelijke overschotten van onze dierbaren van een opslagplek die 'Freshkills' heette. Ik bewonderde hun moed en vasthoudendheid. Ik vertrouwde erop dat ze ook uit mijn naam spraken. Ik vroeg me af waar ze de kracht vandaan haalden; misschien vonden ze die in een gemeenschap van gelijkgestemden, een gemeenschap waar ik niet mee in contact stond. Ik voelde me alleen in mijn verdriet.

Ik vroeg me af of al deze uitlaatkleppen voor woede deze weduwes en familieleden troost en heling boden, of dat de dingen die ze probeerden te bereiken hun verdriet alleen maar in stand hielden. De felheid en trefzekerheid van hun woede maakten me bang. Ik vreesde dat als ik me daaraan overgaf, ik overspoeld zou worden door bitterheid en niet in staat zou zijn de nieuwe complicaties in mijn leven het hoofd te bieden, die bestonden uit de kinderen, het huis, de hond, familie, buren en verdriet.

En toch verlangde ik ernaar in contact te staan met de gemeenschap die die weduwes vertegenwoordigden. Zij steunden elkaar en waren vriendinnen geworden. Ik kende nog steeds geen andere 9/11-weduwe dan Kimmy, die ik bij het consulaat had ontmoet. Ik wilde weten of hun woede hen hielp, of het aan de kaak stellen van de zwakheden en onvolkomenheden van de politiek die ertoe hadden geleid dat de torens waren ingestort, een goede uitlaatklep was voor hun woede. Ik vroeg me af of zij zich net zo schuldig voelden als ik wanneer ik geld van goede doelen kreeg. Ik vroeg me af of zij wisten hoe ze zich moesten gedragen als iemand op hun schouder in snikken uitbarstte en ze de woorden 'Mijn oprechte deelname met uw verlies' voor de honderdste keer moesten aanhoren. Vertelden zij aan vreemden in het park welke tragedie hun was overkomen? Schopten zij de grasmaaier omver? Vielen zij in slaap met een hol gevoel vanbinnen omdat ze hun dierbaren misten?

Met hulp van Janet bracht ik tien plaatselijke families bij elkaar die hun echtgenoten of kinderen in het World Trade Center hadden verloren. We kwamen samen in een zaal waar dampende pastaschotels, die ons ter beschikking waren gesteld, op tafels stonden. We schreven onze naam en de namen van onze verloren dierbaren op kaartjes. Iedereen was nog steeds verdoofd, leek verdwaasd rond te lopen. Niemand in de zaal toonde enige echte opwinding of emotie, en toch hing er een voelbare opluchting in de lucht dat we elkaar hadden gevonden. We bevonden ons in een veilige omgeving en voelden ons vrij om op nuchtere toon een paar van de afschuwelijke kanten van een 9/11-sterfgeval te bespreken, zaken waarover we het met anderen niet konden hebben: lichamen vinden, DNA-tests, onze laatste telefoontjes met onze dierbaren. We wisselden verhalen uit die we van andere weduwes over hún laatste contact hadden gehoord.

'Een weduwe die ik sprak vertelde me dat haar man ook in

Windows on the World was geweest en dat hij haar had gebeld om haar te zeggen hoe warm en rokerig het daar was,' zei Liz, een uitbundige blondine wier man talloze mensen had geholpen uit de brandende Noordtoren te ontvluchten door hen de trappen af te helpen. Hij had niet verwacht dat het gebouw zou instorten.

Ik klampte me vast aan dergelijke uitspraken, want ze gaven me aanwijzingen over de laatste momenten van Arrons leven en voedden de gedachten die door me heen spookten. Terwijl we van papieren bordjes onze lasagne en salade stonden te eten, concentreerden onze gesprekken zich op de vraag naar stoffelijke overschotten. 'Is jouw man al gevonden?' vroeg ik aan Jennifer, een statige weduwe zonder kinderen. Dat was een zorgvuldig geformuleerde vraag, want het gebeurde maar zelden dat er een compleet lichaam werd aangetroffen. Je kon niet vragen: 'Is het lichaam van je man gevonden?' want dan kon je als antwoord krijgen dat alleen zijn pink was opgespoord. Ik moest me schrap zetten voor het antwoord en was opgelucht toen ze 'nee' zei.

Later sprak ik Laurie, die heel snel praatte, alsof ze helemaal hyper was van te veel koffie. Ze kon amper stil blijven staan. 'Ik heb gehoord dat het Rode Kruis nog een keer geld wil geven,' zei ze. 'Heb jij je daar al voor aangemeld? Dat moet je echt doen. En van de week was ik nog bij het Family Assistance Center en deelden de boeddhisten cheques van duizend dollar uit. Je zou erachteraan moeten gaan.' Ik wist dat ze mij net zo graag wilde helpen als ik haar, maar ik kon me niet aan de indruk onttrekken dat ze verborgen motieven had, alsof we meededen aan een geheime wedstrijd om te bepalen wie het beste het systeem bespeelde, wie het hoogste bedrag van liefdadigheidsinstellingen binnenhaalde.

Ik keek de zaal door naar al deze verschillende mensen. We hadden niets met elkaar gemeen. Jennifer en Liz hadden geen kinderen en waren iets ouder dan ik. Laurie, die wel kinderen had, leek onbereikbaar, en niemand van ons bezat de emotionele vermogens om vriendschap te sluiten. We leidden allemaal een heel ander leven, en toch had de tragedie ons bij elkaar gebracht. Ik had gedacht dat we daarom meteen contact zouden hebben, maar het gemeenschappelijke lot van onze dierbaren was niet voldoende om een band te scheppen. Of misschien waren we allemaal nog veel te murw om elkaar te kunnen helpen. Onze reacties op ons leed waren inderdaad net zo verschillend als onze vingerafdrukken, en het was veel moeilijker dan ik had verwacht om op zoek te gaan naar de paar ervaringen die we deelden. Te midden van deze vrouwen was ik blij dat ik een gemeenschap had gevonden, en toch voelde ik me daarbinnen verloren en geïsoleerd.

Die avond voelde ik me wanhopiger dan toen ik net op de bijeenkomst was gearriveerd. We wilden toch over ons verlies praten, over het verlies van onze echtgenoten? 'Mis je hem?' had ik willen vragen. 'Hoe sla je je erdoorheen?' Maar dat soort vragen leken te persoonlijk om aan vreemden te stellen. Ik wilde contact hebben met anderen die konden begrijpen wat een 9/11-verlies inhield, en met mensen die de menselijke kanten van mijn verlies konden begrijpen, maar om de een of andere reden overschaduwde het 9/11-verlies het menselijke verlies. Juist het feit dat we bij elkaar waren gekomen in één ruimte had deze anomalie op scherp gesteld.

Elke keer dat we de tv aanzetten en de brandende gebouwen zagen, werden we eraan herinnerd dat het hier ging om het verlies van een heel land, en niet alleen maar een menselijk verlies. Die tv-beelden maakten het me onmogelijk 9/11 los te zien van Arrons dood. Ik kon me helemaal onderdompelen in de aspecten van zíjn dood en míjn verlies, de eenzaamheid, de droefenis, het verdriet, maar de beelden van de brandende gebouwen herinnerden me er dan meteen weer aan dat het verlies groter was dan dat. Die dag had een wereldwijd verlies van onschuld betekend. Het riep een angst bij mensen op die eerst niet had bestaan. In die context werd Arron heel klein, en mijn verdriet nog kleiner. Uiteindelijk voelde het alsof ik niet echt het recht had om om Arron te rouwen, waardoor ik des te harder om hem als persoon wilde treuren. In de kranten zag ik koppen als 'Sinds 11 september...' maar nooit werd in dergelijke artikelen Arrons naam genoemd. Een giftige 9/11-wolk overschaduwde mijn menselijke verdriet en liet dat langer duren. Een 9/11-sterfgeval was iets heel anders dan een niet-9/11-sterfgeval.

Die avond, met z'n allen in dat zaaltje, verscholen we ons allemaal achter ons concrete verlies; we praatten over de laatste momenten en wisselden horrorverhalen uit over lichamen, of we babbelden over van welke liefdadigheidsinstellingen we nog geld los zouden kunnen krijgen, bang om over onze emoties te praten. Het was net alsof die vrouwen allemaal stuk voor stuk vliegers waren die hoog door de lucht vlogen en ik niet in staat was er ook maar eentje lang genoeg naar beneden te halen om een diepere menselijke band mee aan te gaan. Misschien verwachtte ik te veel. Ik was op zoek naar steun, het soort steun dat zij me niet konden geven, het soort dat ik niet aan hen kon geven.

De bijeenkomst met de andere weduwes zette me aan het denken over mijn eigen financiële situatie. Als zoveel echtparen harrewarden Arron en ik regelmatig over geld. Vaak ontstonden deze woordenwisselingen met kerst, wanneer ik geacht werd alle cadeaus, versieringen en levensmiddelen in te slaan. Voordat ik de deur uit stapte voor een van mijn gevreesde tochten om kerstinkopen te gaan doen, vroeg Arron me streng: 'Welk budget heb je dit jaar per persoon?'

'Hetzelfde als altijd – vijftig dollar.'

'Oké. Nou, als je maar oplet dat je daar niet overheen gaat. Ik weet dat je altijd meer uitgeeft, zeker aan je eigen familie.'

Als hij dat zei, kwam de stoom uit mijn oren. 'Ik weet het, ik weet het,' zei ik dan, terwijl ik mijn stem kalm probeerde te houden. 'Je vindt weer eens dat je er iets van moet zeggen omdat jij alleen bent met je moeder, terwijl ik een hele familie heb. Nou, ik zal je eens wat zeggen. Mijn familie is nu jouw familie, dus moeten er kerstcadeaus voor hen worden gekocht. Als je mee wilt om te helpen, kun je bijhouden wat ik uitgeef.'

Hoewel ik zijn hulp op prijs gesteld zou hebben, bood hij die nooit aan. Achteraf gezien gaf ik voor iedereen (inclusief hem en zijn moeder) een bedrag uit dat dichter bij de honderd dollar lag.

Ik haatte dit soort gesprekken over geld. Als ze niet gingen over kerstcadeaus, dan wel over de romannetjes die ik zo graag kocht, of over een nieuwe lipstick. Sinds we na Olivia's geboorte een gezamenlijke rekening hadden genomen, was ik geleidelijk op een punt gekomen waarop ik een hekel aan zijn spaarzaamheid had gekregen, en had ik zo mijn maniertjes ontwikkeld om in het vage te houden wat ik had uitgegeven. Ik betaalde de Visa-rekening en betaalde contant wanneer ik boodschappen deed. Ik vond het niet prettig om dingen voor hem verborgen te houden, maar dat was beter dan er elke keer door hem op aangesproken te worden. Volgens mij beschouwde hij me als een shopaholic met een platinumcard die duizenden dollars aan kleding spendeerde. Maar niets was minder waar. Het grootste deel van mijn garderobe was afkomstig van de plaatselijke Gap en mijn ondergoed kocht ik bij de A&P. Over de kleren die kostbaarder waren en over aankopen voor het interieur voelde ik me schuldig. Ik probeerde me te beperken tot klassieke stijlen die niet zo snel uit de mode zouden raken, redenerend dat ze, hoewel duur in aanschaf, een hele tijd mee zouden gaan. Maar Arron bleef bezwaren houden. Hij zag wel in dat kwaliteit iets goeds was, maar alleen waar het dingen betrof die hij voor zichzelf kocht. Hij kocht alleen de beste Brooks Brothers-pakken, en schoenen van Florsheim. Tijdens één bezoek aan de bouwmarkt kon hij meer uitgeven dan ik op al mijn strooptochten voor Kerstmis bij elkaar. Als ik iets zei over die hypocrisie van hem, luidde zijn antwoord steevast: 'Ik heb die dingen nodig voor mijn werk,' of: 'Die spullen van de bouwmarkt zijn voor het huis. We kunnen ze aftrekken van de belasting.'

Na zijn dood vroeg ik me af wat hij eraan had gehad om zo zuinig te zijn. Hoewel die spaarzaamheid er tijdens zijn leven voor had gezorgd dat het de kinderen en mij aan niets ontbrak, geloof ik niet dat dat zijn motivatie was. Waarschijnlijk wilde hij voor zichzelf sparen. 'Ik wil niet eeuwig en altijd voor iemand anders blijven werken, Bird,' zei hij vaak. Hij was ontzettend jaloers op mensen die werkzaam waren in zijn branche, de wereld van het geld. 'Ik zou heel wat meer kunnen verdienen als ik een...' Ja, als hij een wat was? Ik vroeg het me af. Een effectenmakelaar? Een investeringsbankier? Dood?

Arrons levensverzekering, die we kort voor zijn dood hadden afgesloten, betaalde al een paar weken na de instorting van de torens uit. Als ik eraan dacht dat we die verzekering bijna niet hadden gehad, sloeg de angst me om het hart. Nadat hij tijdens een drinkgelag met zijn collega's een paar sigaretten had gerookt, was hij bij de eerste verzekeringsmaatschappij niet door de bloedtest heen gekomen die moest bewijzen dat hij een niet-roker was. Alleen maar omdat ik hem maandenlang aan zijn hoofd had lopen zeuren had hij uiteindelijk een duurdere verzekering afgesloten, en ditmaal rookte hij niet voordat hij de bloedtest moest ondergaan. We hadden nog maar een jaar premie betaald.

Hoewel Arron nog maar twee maanden bij Encompys in dienst was, ontvingen we van hen nog een levensverzekeringscheque, en wel na een bezoek van een financieel adviseur, Jennifer, die deel uitmaakte van het team voor 'steun aan nabestaanden' van de verzekeringsmaatschappij. 'Ik kan je helpen een plan op te stellen voor de toekomst, kijken hoe je het geld waarover je nu beschikt het beste kunt benutten,' zei ze. Ze stelde vragen over mijn financiële reilen en zeilen, en terwijl ze aan mijn eettafel zat rende ik naar boven, naar Arrons werkkamer, om de financiële overzichten te zoeken die hij in een ordner bewaarde.

Jennifer bestudeerde de documenten. 'Hij heeft zelf een hoop geïnvesteerd,' merkte ze op.

'Ja, hij had een eTrade-account. Ik weet niet eens precies waar hij in investeerde. Het was een soort hobby van hem. De rest zit in fondsen van ons samen en we hebben een beleggingspand.'

'Hij heeft het goed geregeld, maar we moeten nu toch zorgvuldig je mogelijkheden nagaan. Je komt op mij nogal snugger over vergeleken met veel weduwes die ik spreek.'

'O ja, hoezo?'

'Veel van hen hebben nog nooit een cheque uitgeschreven en hebben geen idee hoe hun financiën ervoor staan.'

Maar van de weduwes die ik had ontmoet, hadden een heleboel zich aangemeld voor uitkeringen van liefdadigheidsinstellingen, en sommigen deden hun best de nalatenschap van hun man af te wikkelen. Ikzelf had al een afspraak gemaakt met een notaris die was gespecialiseerd in nalatenschappen en een zogeheten Surrogate's Certificate aangevraagd, dat zou moeten bewijzen dat ik de 'executeur' was van Arrons nalatenschap, een woord dat macabere beelden bij me opriep. Ik had met mijn keurig nette notaris afgesproken in het Newark Court House, een oud, klassiek gebouw waarin de fraaie marmeren ruimtes een schril contrast vormden met de groezelige gangen en felle verlichting. Nadat ik voor een rechter was verschenen die mijn identiteit had bevestigd en Arrons overlijdensakte had geverifieerd, liepen we naar een administratiekantoortje waar het naar sigaretten stonk en dat vol stond met stapels dozen en mappen waaruit de inhoud op het vettige, grijze tapijt was gegleden. Ik overhandigde een cheque van duizend dollar aan een vrouw met opgekamd blond haar en bizar lange nagels – ze zag eruit alsof ze zojuist was weggelopen van de set van *The Sopranos* – en keek gefascineerd toe terwijl ze met klikkende nagels de cheque vastpakte, hem op tafel legde en er vervolgens op de een of andere manier in slaagde een ontvangstbewijs uit te tikken. Dat overhandigde ze me met een glimlach: 'Alsjeblieft, schat. Dit heb je nodig wanneer er iemand aanspraak maakt op de nalatenschap van je man.'

Toch voelde ik me toen ik daar met Jennifer zat allesbehalve zelfverzekerd. Over de financiële toekomst van mijn gezin maakte ik me voortdurend zorgen. Mijn eigen inkomenspotentieel bedroeg een derde van dat van Arron. Ik was zo zoetjesaan gaan beseffen dat het heel wel mogelijk was dat ik het huis zou moeten verkopen, dat we zouden moeten verhuizen naar een minder dure buurt en op minder grote voet zouden moeten gaan leven.

'Wat ik moet weten is hoelang ik met dit geld toe kan. Het lijkt nu wel veel, maar is dat uiteindelijk misschien toch niet. Denk je dat ik moet verhuizen naar een minder duur huis?'

'Nou, over het algemeen geldt dat je de eerste twee jaar maar beter geen grote veranderingen kunt doorvoeren als dat niet per se nodig is. Ik zal een paar scenario's voor je uitwerken, zodat je kunt zien hoe je ervoor staat.'

Jennifer hielp me na te gaan hoe het met mijn inkomen zat. Een overlijdensuitkering van de staat, een ongevallenuitkering van Arrons werkgever, een beleggingspand. Ik gaf haar een ruwe schatting van onze maandelijkse uitgaven: onroerendgoedbelasting, vaste lasten, de oppas, boodschappen, de auto. Ze droeg posten aan waar ik niet aan had gedacht: zomerkampen als de kinderen groter zijn, een hogere levensverzekering voor mij, therapie. De afgelopen maand waren er al veranderingen opgetreden in ons uitgavenpatroon. Geen onkosten meer voor Arrons vervoer van en naar zijn werk, geen zakenlunches, dure pakken, rekeningen voor zijn mobiele telefoon. Die maakten plaats voor kosten van oppas, therapiesessies met Janet en rekeningen van klusjesmannen. Jennifer gaf me beleggingstips; zo zou ik er bijvoorbeeld goed aan doen mijn beleggingen te spreiden, en ze raadde voor elke categorie een breakdownpercentage aan. Daarnaast stelde ze voor geld opzij te zetten voor de opleiding van de kinderen en lijfrenteverzekeringen af te sluiten. Ze raadde me aan een testament te laten maken. Maar ze kon me niet vertellen wat ik wilde weten: had ik genoeg?

In Jennifers verslag las ik voor het eerst over het zogeheten September 11th Victim Compensation Fund, oftewel het Uitkeringsfonds voor Slachtoffers van 11 september. Kennelijk kon ik een beroep doen op een wet die was aangenomen door president Bush en het Congres. Ik zou dan wel moeten afzien van mijn recht om de vliegmaatschappij, het World Trade Center, of wie dan ook voor de rechter te slepen. Andere uitkeringen die ik ontving, zoals van de levensverzekering, de ongevallenverzekering van Arrons werkgever en de uitkering van de staat, zouden op de door het fonds uitgekeerde bedragen in mindering worden gebracht. De aanmeldingsprocedure was eenvoudig; je hoefde er maar weinig formulieren voor in te vullen. Ik was sceptisch. Wat had dit fonds mij te bieden? Zou het al die jaren kunnen compenseren dat er geen inkomen van Arron binnenkwam? Zou ik dan genoeg hebben? Maar ik was ook hoopvol gestemd. Misschien kwam het toch nog allemaal goed.

Ondanks Jennifers advies over wat ik het best kon doen met het geld dat haar bedrijf mij zojuist had uitgekeerd, was het me allemaal toch te veel en deed ik niets. In plaats daarvan bracht ik een bezoekje aan Gene, de financiële man bij onze plaatselijke Chasevestiging. Met het verzekeringsgeld kocht ik een mooi deposito tegen een gunstige rente.

'Weet je,' zei Gene, 'dit geld zou je ook via de bank kunnen investeren, zodat het je meer oplevert...'

Onze vrienden Rachel en William nodigden de kinderen en mij uit voor een barbecue in de late herfst. Arron en ik waren met hen bevriend geraakt dankzij onze kinderen, hoewel we niet veel gezellige dingen samen hadden gedaan, anders dan op het speelterrein of af en toe een etentje op vrijdagavond, waarop we naar muziek luisterden en tegen elkaar klaagden dat het zo moeilijk was om ouder te zijn. Toch waren ze in de vier jaar dat we nu in Montclair woonden goede vrienden geworden.

Tijdens het eten, terwijl ik met een margarita in de hand met hen op het terras zat te kijken hoe de kinderen speelden in de tuin, haalde William diep adem. 'Zo, Abby. Diverse vrienden hebben me gevraagd of het mogelijk is je geld te sturen. Je weet wel, voor de kinderen.'

'Willen ze me geld sturen? Maar waarom?' Ik voelde een warme blos naar mijn gezicht stijgen.

'Nou, ik denk dat ze je willen helpen. Volgens mij moet je een speciale bankrekening openen, een fonds. Ik print wel een flyer om de mensen te laten weten dat cheques uitgeschreven dienen te worden op naam van dat fonds en dat ze direct naar de bank gestuurd kunnen worden.'

'Allemachtig!' Ik wist niet wat ik hoorde. 'Een fonds?'

Ik had me niet gerealiseerd dat dit was wat mensen deden voor diegenen die berooid waren achtergebleven: cheques en eten geven.

Vervolgens kwamen er elke dag cheques binnen. Sommige voor tien dollar, of honderd, maar ook van wel duizend dollar of meer. We kregen quilts van vreemden en een banier die door schoolkinderen in Manitoba was gemaakt. We kregen dozenvol condoleancekaarten van zondagsschoolleerlingen. Ik had wat voorgedrukte bedankkaarten besteld en stuurde er eentje naar iedere vriend, iedere kennis en iedere vreemde die mij een condoleancebriefje, een quilt of een cheque had gestuurd. Gek genoeg vond ik het makkelijker om mensen voor geld te bedanken dan ik had gedacht. Een snel krabbeltje onder aan elk stijf kaartje: 'Wordt zeer gewaardeerd', 'Voor de toekomst van de kinderen...' Maar voor al mijn goede vrienden vond ik niet de juiste woorden. Hoe moest ik iemand bedanken die me een cadeau van onschatbare waarde had gegeven door er simpelweg voor me te zijn, me liet huilen zolang ik wilde, de kinderen meenam naar Toys "R" Us, of op dinsdagavond om tien uur citroenijs kwam brengen? Ik maakte me er vaak zorgen over dat ik niet dankbaar genoeg zou zijn en voor al die dingen nooit iets zou kunnen terugdoen.

Overal werd ik achtervolgd door dankbaarheid en de bijbehorende nederigheid. Ik was continu bezig mensen te bedanken. Ik hoopte dat ik dat een beetje elegant deed, maar vond het moeilijk vol te houden. Nederigheid had iets wat aan zwakte deed denken. Voor mij was het net zoiets als invalide zijn. Ik was hulpeloos en had mensen nodig die me cheques toestuurden. Dit was niet de manier van leven waar ik aan gewend was. Ik was die eenzame achtjarige die elke dag een halfuur in de tram zat om op school te komen, trots op haar zelfstandigheid. Ik was die zeventienjarige die slechts een halfjaar nadat ze haar rijbewijs had behaald in haar eentje door Canada was getrokken. Ik kon een kamer schilderen als een professionele schilder, ik wist hoe ik websites moest opzetten. Ik zat niet te wachten op cheques van vreemden. En toch stortte ik die nu op het C. Arron Dack Memorial Trust Fund. Het geld zou bestemd zijn voor de opleidingen van de kinderen, redeneerde ik. Met het gevoel dat ik klein, behoeftig en hulpeloos was zette ik mijn handtekening op de achterkant van elke cheque.

Elke dag dat de post kwam, leek het wel of ik weer een prijs had gewonnen in een macabere loterij. De cheques voor het fonds werden aangevuld door andere: drie maanden hypotheekpremie van de New Jersey Association of Realtors, periodieke cheques van het New York WTC Relief Fund, het September 11th Fund, het Leger des Heils, United Way. Bij elke cheque voelde ik me onwaardiger worden. Ik was een geval voor liefdadigheid. Ik kreeg cadeaubonnen voor Safeway, Toys "R" Us, Wal-Mart. Hoe lang duurde het nog voor me voedselbonnen werden toegestuurd?

'En als Arron nou eens bij een auto-ongeluk was omgekomen?'

vroeg ik Jill op een avond aan de telefoon. 'Stel nou dat ik een dood-gewone weduwe zou zijn? Was Arrons dood dan zo anders? Ik ver-dien het niet om al dit geld te krijgen.'

'Arrons dood was inderdaad anders,' hield ze vol. Maar ik zag niet goed in hoe dan precies. Arron was dood. Dood was dood. Maakte het ook maar iets uit dat ik geen afscheid had kunnen nemen, alsof een laatste woord me een soort afsluiting kon bieden? Alle plotselin-ge sterfgevallen waren moeilijk, zo kwam me voor. Wat ik maar niet kon begrijpen was welke impact de ineenstorting van de torens op de rest van de wereld had. Iedereen wilde de helpende hand reiken. Mensen gaven geld aan goede doelen, die ervoor moesten zorgen dat dat geld bij de juiste personen terechtkwam. Maar ik wilde het geld weggeven. Ik moest denken aan alle weduwes die helemaal niets kre-gen en moesten sappelen om hun kinderen groot te brengen. Ik stel-de me voor dat ik een baan moest zien te vinden, dat ik zou moeten verhuizen, dat ik geen geld had voor een goede therapeut. Het geld leek bezoedeld, als bloedgeld. Het had ook wel iets ironisch om al het geld toebedeeld te krijgen dat Arron zo graag had willen hebben. Het was net of ik werd betaald door de duivel. Toch was dit geld afkom-stig van mensen die geraakt waren door de gebeurtenissen, of het vreselijk vonden wat er was gebeurd, mensen die zich om mij be-kommerden.

Ik werd beroerd van het schuldgevoel omdat ik het geld accepteer-de. Door dat schuldgevoel werd ik kwaad op Arron, iets wat me maar niet los wilde laten. Maar door kwaad op hem te zijn leek het of hij weer leefde, omdat ik een concrete emotie op hem richtte, en emo-tie die ik kon voelen in mijn nek en schouders, in mijn kaak, in de frons tussen mijn wenkbrauwen. Ik kon alleen maar hopen dat mijn woede uiteindelijk het effect zou hebben van een louterende wind die mijn verdriet met zich meevoerde.

8

Een held van alle dagen

Mijn moeder besloot ons met Halloween een paar dagen te komen opzoeken – voor haar de eerste gelegenheid om langs te komen zonder dat er afleiding zou zijn van andere logés. We moesten ons contact herstellen. Als ik haar aan de lijn had klonk mijn moeder wanhopig: 'Ik wil alleen maar een moeder voor je zijn... Ik wil dat je me nodig hebt.' Ze voelde zich bedreigd doordat ik me niets gelegen liet liggen aan haar moederlijke bijstand. Ik wilde liever niet met haar onzekerheid geconfronteerd worden, met de behoefte die ze had aan mijn behoefte aan haar; dat was iets waar ik niet aan kon beantwoorden en wat verstikkend op me uitwerkte. Haar bezoek zou samenvallen met de eerste openbare gedenkdienst van New York City voor de slachtoffers van 9/11, waar ik naartoe wilde. Mijn vorige tochtjes naar Ground Zero en de Family Assistance Centers hadden een band geschapen tussen Selena en mij, alsof we krijgers waren die zij aan zij hadden gevochten. Als ik alleen met mijn moeder naar de gedenkdienst zou gaan, zou de kloof tussen ons wellicht overbrugd worden en onze moeder-dochterrelatie herstellen.

Op de dag na haar aankomst nam ik mijn moeder mee uit winkelen in het centrum van Montclair. In de etalage van een van mijn favoriete winkels zag ik een schitterende, niet al te grote bedombouw staan. Het bed, gemaakt van stoer, in een oven gedroogd hout, was opgemaakt met zacht, champignonkleurig beddengoed. Het was een showmodel en bovendien afgeprijsd. 'Wat prachtig,' moedigde mijn moeder me aan. 'Dat zou echt iets voor jou zijn.'

Bedtijd was altijd het enige moment van de dag geweest waarop

Arron en ik zeker wisten dat we elkaar zouden zien. Hij ging om tien uur slapen en stond om zes uur op. Hij zeurde dan dat ik ook naar bed moest komen, ook al had ik nog helemaal geen slaap, en klaagde als ik het licht aan liet om te lezen. Hij beledigde me een keer heel erg door me voor mijn verjaardag een leeslampje te geven dat je op je boek kon klemmen. 'Is dit voor jou of voor mij?' vroeg ik teleurgesteld. Op een avond smeet ik na een ruzie het leeslampje door de kamer en het ging kapot. Ik vond dat prima; nu moest ik het grote licht weer aandoen om te kunnen lezen. Hij lag dan demonstratief te zuchten tot ik het weer uitdeed en me omrolde om zijn hand vast te pakken.

Het bed was een vertrouwd onderdeel van ons gezinsleven – van Arron en mij, en van Olivia en Carter. Het was de plek waar we vreugden beleefden, ziektes doorstonden, de liefde bedreven, ruziemaakten. Het bed was onze geschiedenis, en nu was die geschiedenis niets meer dan dat: momenten in de tijd. Momenten die we nooit meer terug zouden krijgen.

Zonder Arron voelde ons bed groot en koud. Als ik sliep, klemde ik me vast aan de rand, alsof het middengedeelte een weidse zee was, een plek waar ik in zou kunnen vallen en verdrinken. Ik kon het maar niet warm krijgen in bed, hoeveel dekens ik ook over me heen legde. Ik viel in slaap met mijn rechterarm uitgestrekt, terwijl mijn hand de plek zocht waar Arrons hand altijd had gelegen. Ik drukte de kussens tussen mijn knieën en stelde me voor dat die zijn warme romp waren.

Op een regenachtige dag in Londen, in maart 1994, vier jaar nadat we getrouwd waren, stapten Arron en ik in onze VW Rabbit en reden naar de Ikea. We hadden net ons kleine rijtjeshuis aan Prothero Road betrokken en hadden geen bed. We probeerden de matrassen die onder de felle winkelverlichting in een rij lagen uitgestald uit. De trappen in ons huis waren smal, en nadat we ooit de boxspring van een middelgroot bed doormidden hadden moeten zagen om hem over de trap ons appartement in Toronto binnen te krijgen wisten we wel beter. Ikea was gewend aan smalle Europese trappen en verkocht kingsize bedden in twee delen; de dikke opgerolde matrassen pasten over beide delen heen, zodat er één groot bed ontstond. We bonden de twee helften boven op de VW en reden naar huis om ze via de trap de slaapkamer in te zeulen. De bovenlaag paste prima en ik maakte ons bed op met de lakens die we voor ons trouwen hadden gekregen en een dekbed. We kropen die nacht lekker naar het midden; voor de eerste keer sinds de verhuizing, inmiddels een maand geleden, hadden we het warm.

Ons eerste bundeltje vreugde kwam een paar maanden later: harig en geel, met een natte zwarte neus en lange, lichte wimpers. Harley lag die eerste nacht naast ons bed te janken, totdat we toegaven en haar bij ons onder de dekens namen. Toen we wakker werden, zat er een veelzeggende natte plek in het bed, en in de weken daarop brachten we haar bij dat het bed niet haar domein zou worden. Ik viel elke avond in slaap op de bedrand, om haar te aaien terwijl ze op de grond naast ons lag.

Het bed werd onze worstelring wanneer we onze frustraties wilden afreageren. We sprongen boven op elkaar en drukten elkaars armen of benen tegen de matras. Arron won altijd, vaak door me op het bed neer te drukken en me met kussen te overladen. Het geworstel ging er minder ruig aan toe vanaf de dag dat ik een zwangerschapstest deed en ontdekte dat een bezoekje aan Florida voor de bruiloft van Brent en Marie een bijzonder souvenir had opgeleverd.

In januari 1995 verhuisden we vanwege Arrons werk van Londen naar Boston. Een paar maanden waren we druk bezig met schilderen en opknappen om het huis in Londen te verkopen, ook al hadden we er maar een kleine tien maanden gewoond. Vlak voordat we naar het vliegveld vertrokken schilderde Arron, achterwaarts naar de deur lopend, nog gauw even de vloer; buiten gooide hij zijn natte kwast in de vuilnisbak en sprong in de taxi.

We kwamen terecht in een bijna leeg huis aan het water in Hingham, Massachusetts, niet al te ver van Boston. Ons grote dubbele bed arriveerde eindelijk vanuit Londen en toen juni aanbrak had een klein meisje de ruimte tussen Arron en mij veroverd, stevig ingewikkeld in haar groene flanellen dekentje. Beschermend vouwden we onze lichamen om haar heen; onze voeten en neuzen raakten elkaar terwijl we toekeken hoe ze lag te slapen.

Ons bed verhuisde nog twee keer, totdat het uiteindelijk een permanenter onderdak vond in Montclair, New Jersey, en in augustus 1999 hadden we weer een baby tussen ons in liggen, ditmaal een jongetje. Maar tegen de lente van 2001 voelde ik me alleen aan mijn kant van het bed, niet in staat om ondanks Arrons stilzwijgende aanwezigheid er een warm plekje van te maken. Ons huwelijk had een dieptepunt bereikt, en de situatie werd nog verergerd doordat ik op mijn werk was wegbezuinigd.

'God, wat ben ik jaloers op je dat jij ontslagen bent,' zei Arron op een dag toen we de vaatwasser uit stonden te ruimen.

'Hoezo?' Ik was verbijsterd.

'Ik zou het heerlijk vinden om een paar maanden wat te niksen. Ik ben zó moe van mijn werk.'

Dat hij dacht dat ik maar wat liep te niksen, liet ik voor wat het was. Ik begreep wel hoe hij zich voelde. Hij had jarenlang keihard gewerkt. Ik begreep nooit waar hij de energie vandaan haalde. 'Neem dan een paar maanden vrij. Neem een jaar vrij. We zouden naar een goedkoper huis kunnen verhuizen. We zouden onze levensstijl kunnen veranderen. Waarom heb je toch altijd het gevoel dat je zo hard moet werken?' Bij het vage vooruitzicht iets aan ons leven te veranderen raakte ik enthousiast. De hectiek van wonen in een van de duurste streken van het land, in combinatie met zijn lange werkdagen en eindeloze gereis, putte ons allebei uit. Ik was ervan overtuigd dat we onze manier van leven konden veranderen en gelukkiger konden zijn.

Maar ik wist ook dat hij niets liever wilde dan een eigen bedrijf beginnen. Dat was de reden waarom hij zo hard werkte. De laatste tijd was Arron ontevreden over het feit dat hij nog niet was benoemd tot partner bij Capital Markets Company, een financieel consultingbedrijf waar hij op dat moment bijna twee jaar werkte. Hij was bezig met een nieuwe baan bij Encompys, maar het ging allemaal traag en doordat het allemaal nog zo onzeker was, raakte hij geïrriteerd.

'Ik wil een kleiner bed,' deelde ik Arron op een avond mee terwijl ik de lakens terugsloeg.

'Waarom?' vroeg Arron, die er aan zijn kant in stapte.

'Omdat een kingsize bed slecht is voor je huwelijk. We slapen tegenwoordig kilometers uit elkaar,' klaagde ik. Ik was me ervan bewust dat ik steeds toenadering zocht. Het bed werd steeds meer een reddingsvlot naarmate de afstand tussen ons groter werd. Niets kon hem behagen en ik leek hem alleen maar tot wanhoop te drijven, vooral als ik voorstelde om geld uit te geven aan frivole zaken zoals bedden. Hij leek moeite te hebben met zijn financiële verplichtingen en maakte zich voortdurend zorgen over geld.

'Maar het is toch heel geschikt als de kinderen bij ons kruipen?' Arron leek het nodig te vinden het bed te verdedigen.

'Jawel, maar je weet dat ik wat dat betreft heel streng ben. De kinderen liggen nooit lang bij ons.' Ik probeerde uit alle macht niet klagerig te klinken. 'Volgens mij moeten we een kleiner bed nemen.' Ik was nu resoluut en helemaal niet meer klagerig. 'Ik wil dichter bij je slapen.'

'Als jij een baan vindt, Bird, kun je een nieuw bed kopen.' Voor Arron was het bed helemaal geen punt. Een nieuw bed kopen kostte geld, dat hij er niet voor over had. Hij begreep niet dat ik op die manier ons huwelijk weer op de rails wilde zetten.

We waren er nooit aan toegekomen een nieuw bed te kopen en nu wilde ik, al was het dan postuum, alsnog de kloof dichten.

Op die oktobermiddag kocht ik uiteindelijk, daartoe aangemoedigd door mijn moeder, het bed waarvan ik ooit had gehoopt dat het Arron en mij nader tot elkaar zou brengen. De dag daarop zocht ik via de computer naar matrassen, en mijn moeder en ik gingen 's middags naar Macy's om er diverse uit te proberen. Het was een spoedcursus matrassenjargon: afdeklaag, voegt zich naar de lichaamshouding, soortelijk gewicht, soorten schuimrubber. Ik vond de Sealy, die op internet goede reacties had gekregen. De volgende dag werd mijn nieuwe matras afgeleverd, en die avond installeerde ik me in mijn nieuwe bed, eindelijk tevreden. Ik voelde me in één keer dichter bij zowel Arron als mijn moeder.

De herdenkingsdienst voor 9/11 zou op 29 oktober 2001 op Ground Zero plaatsvinden. Ik wilde er beslist naartoe. Arrons herdenkingsdienst van een paar weken eerder had zijn dood voor mij bevestigd. Nu wilde ik dat zijn dood in een ruimer kader zou worden erkend, alsof een officiële openbare herdenkingsdienst alles echter zou maken. Ik wilde dat Arron werd vertegenwoordigd door zijn familie, dat hij zich onderscheidde van alle andere slachtoffers. Ik wilde ook graag een excuus hebben om naar Ground Zero terug te keren, om de bulldozers te zien op de kleiner geworden puinhopen van het World Trade Center, misschien iets dichter bij Arron.

Op de dag van de dienst reden we naar een parkeerplaats waar honderden bussen klaarstonden om ons naar de stad te brengen. We stapten in een daarvan en wachtten, ieder diep in zijn eigen gedachten verzonken, tot we zouden vertrekken. Ik maakte een rekensommetje: iedere 9/11-familie mocht twee mensen meenemen, zodat straks negenduizend mensen zich door de smalle straten van Lower Manhattan moesten wurmen. Ik moest niets hebben van grote mensenmassa's.

Via de Holland Tunnel reed ons konvooi van bussen Lower Manhattan in, waar we uitstapten en via West Street naar de plek van de dienst liepen, langs winkels en restaurants die nog steeds gesloten waren. We kregen allemaal een grote gelamineerde ID-kaart aan een metalen ketting, die we om onze nek moesten hangen. Het voelde net alsof ik een doodvonnis droeg. Ik stopte het ding in mijn tas tot erom werd gevraagd. Toen we het met hekken afgezette terrein naderden waar de dienst zou worden gehouden, overhandigden medewerkers van het Rode Kruis ons witte plastic tasjes met daarin tissues, een gezichtsmasker, aspirine, een flesje water, een mueslireep en – volkomen onverklaarbaar – een ATT-telefoonkaart voor langeafstandgesprekken. De tasjes maakten me bang. Het was net alsof we rantsoenen kregen uitgedeeld bij wijze van voorbereiding op nog een ramp.

Heel even verloor ik mijn moeder uit het oog, en ik raakte in paniek zoals ik ooit toen ik vijf was in paniek was geraakt toen ik op een roltrap meende mijn moeders hand vast te houden, maar erachter kwam dat het de hand van een vreemde was. Maar toen zag ik haar weer; reikhalzend keek ze uit over de paar mensen die ons scheidden.

Iedereen om me heen had dezelfde lamgeslagen uitdrukking van verdriet op zijn gezicht als ikzelf. We zagen er allemaal bleek en zombieachtig uit, alsof we onze blik niet scherp konden stellen. Als makke schapen werden we een straat ingeleid waar klapstoelen in rijen stonden opgesteld, afgeschermd door politiebarricades. Massa's mensen drongen naar voren in een poging dichter bij het geïmproviseerde podium te komen dat verderop was neergezet, dichter bij Ground Zero, maar wij gingen in een rij zitten waar we helemaal niets konden zien van de kuil of de puinhopen die ooit gebouwen waren geweest. We waren alleen maar blij om een vrij plekje te vinden en aan het gedrang te kunnen ontsnappen.

De lucht was vochtig en smerig, ondanks de warme zon. Het rook naar nat pleisterwerk en beton, en er hingen bijtende dampen die in onze ogen en neusgaten prikten. Veel mensen deden hun masker om, maar daar voelde ik niets voor. Ik wilde me de geur herinneren, inhaleren wat Arron misschien ook had geroken, hem inademen. De geur deed me denken aan de verbouwing van de keuken vorig jaar, en aan Arron. Op een zaterdagmiddag had hij geprobeerd het oude plafond naar beneden te halen, en toen ik over de achtertrap naar beneden kwam, hing hij aan iets wat eruitzag als een gaasrooster dat ingebed zat in het keukenplafond. De grond was bezaaid met stukken oud pleisterwerk. Aan het gaas zaten nog meer grote brokken vast. Arrons bovenarmen zaten onder de krassen en sneden van de scherpe randen. Het plafond was aangebracht in een tijd dat het de bedoeling was dat plafonds zeker honderd jaar meegingen, en ondanks zijn lichaamsgewicht wist hij er geen beweging in te krijgen.

'Waarom pak je geen koevoet?' vroeg ik lachend.

'Omdat het dan stukken minder leuk is!' Hij grijnsde me toe, terwijl zijn knieën, zoals hij daar hing, bijna de vloer raakten.

Maar de geur hier was niet afkomstig van pleisterwerk uit een keuken. Deze geur behelsde de dood. Ik vond het heel akelig dat ik mezelf daaraan moest helpen herinneren.

Ik keek naar links en realiseerde me dat we naast het smeedijzeren hek van St. Paul's Chapel zaten, een schitterend gotisch gebouw dat op wonderbaarlijke wijze de aanslag ongeschonden had doorstaan. Ik kon een stukje groen grasveld zien en diverse oude, zwart uitgeslagen grafstenen. In de tijd dat Arron nog op Wall Street werkte en ik hem opzocht, had ik deze kerk en het prachtige kerkhof vaak vol bewondering gadeslagen. Het was een weelderig geheim heiligdom te midden van alle drukte en beton in de stad. Rechts van me zag ik tot mijn ontzetting een van de laatst overgebleven World Trade Centergebouwen, verkoold en zwart. Op straatniveau bevond zich een macaber uitziende boekwinkel, maar door de met de roet bevuilde ramen kon je amper het interieur zien. Het geheel zag eruit als een gebombardeerde stad in het Midden-Oosten of een ander door oorlog geteisterd gebied.

Terwijl ik toekeek hoe duizenden mensen in deze lange, smalle straten een zitplekje zochten, voelde ik me opeens ontzettend kwetsbaar. De terroristen konden wel een aanslag op óns plegen, zoals we daar open en bloot zaten, zonder uitweg. Mijn hart leek te hameren. Ik maakte me zorgen dat de kinderen dan wees zouden worden. Mijn angsten waren irrationeel, maar ik wist ook dat ik niet de enige was die ze voelde. Op de gefronste voorhoofden overal om me heen zag ik die terug. Ik probeerde mezelf te troosten met logica en hield me voor dat de kans dat me voor de tweede keer een tragedie zou overkomen maar klein was, maar toch kon ik er niet echt in geloven.

Ik keek naar mijn moeder en zag aan de strakke lijn van haar mond toen ze probeerde te glimlachen dat ook zij bang was, misschien nog wel meer dan ik, omdat dit voor haar de eerste keer was dat ze werd geconfronteerd met de verwoestingen in het ooit zo bruisende zakendistrict. Als Canadese beschouwde ze de Verenigde Staten als een gevaarlijkere plek: daar waren meer wapens, meer geweld en terreur. Op dat moment kon ik wel met haar meevoelen.

Een vrouw begon op meeslepende wijze 'Amazing Grace' te zingen, een hymne die synoniem was geworden met de 9/11-sterfgevallen. Haar stem weergalmde tussen de ruïnes. Op de een of andere manier zorgde de muziek te midden van alle verwoesting voor vredigheid. We waren hier allemaal om op onze eigen manier afscheid te nemen. De lucht zinderde van de aanwezigheid van degenen die waren omgekomen en was even zwaar als de geur. Arron bevond zich onder hen, vlak bij mij, in de geur, in het stof, in de muziek. Ik greep mijn moeders hand vast, blij dat ze bij me was, en ik wist dat het moment ook haar diep raakte.

Diverse hoogwaardigheidsbekleders stonden op om te speechen, maar we konden alleen hun stemmen horen, niet wat ze zeiden. De aartsbisschop van New York, een imam, een rabbi. Nog meer muziek vulde de lucht. De dienst werd besloten met het geluid van het brandweeralarm, het enige geluid in de griezelige stilte van duizenden mensen. Het was bij de brandweer traditie om het alarm te laten afgaan tijdens herdenkingsdiensten voor omgekomen brandweerlieden, het laatste alarm dat ze zouden horen. Een heldenafscheid. Ik voelde me net een indringer die getuige was van een privéritueel, dat niet voor mijn ogen was bestemd. Toch vond ik het geluid van het alarm iets louterends hebben; het wiegde me op zijn langgerekte klanken. Ik was blij dat ik gekomen was, om hier te midden van deze angstaanjagende verwoesting samen met duizenden lotgenoten te zitten, en een paar minuten lang drong de enormiteit van wat er gebeurd was in volle omvang tot me door. Opeens voelde de instorting van de torens aan als iets echts, in plaats van slechts een beeld dat keer op keer op tv werd vertoond. Heel even was ik in staat verder te kijken dan mijn persoonlijke verlies, naar het grotere plaatje, en het steen-in-de-vijvereffect te zien dat deze gebeurtenis op de rest van de wereld had. Weer werd ik eraan herinnerd dat dit iets groters was dan alleen Arron, dan alleen ikzelf.

Na de dienst baanden we ons langzaam een weg door de mensenmassa's naar de bus, om zo gauw mogelijk te ontsnappen aan de geur, het stof en de stad. Deze keer speet het me niet van de plek weg te gaan. Ik kon niet het verdriet van de wereld op mijn schouders torsen. De angst die ik tijdens de dienst had gevoeld, verhinderde een louterend samenzijn met mijn overleden echtgenoot. Ik wilde er niet aan denken dat hij daar was, als een blaadje vastgeplakt aan een verkoold stuk beton. Deze plek vertegenwoordigde een afwezigheid van leven, en ik wilde juist dat zijn geest levend zou zijn, gelukkig, en dicht bij degenen van wie hij hield.

Ernstig en zwijgend gingen we weer in de bus zitten. Pas toen onze bus de diepten van de Holland Tunnel inreed, waren mijn moeder en ik weer in staat een woord uit te brengen.

'Ik zag Larry vorige week nog,' zei ze, de stilte tussen ons verbrekend. Larry was mijn stiefvader, die mijn moeder tien jaar geleden had verlaten voor een vriendin van mij.

'O. Hoe was het?'

'Ik word heel zenuwachtig van hem! Ik wilde dat ik gewoon tegen hem kon zeggen wat ik hem te zeggen heb. Maar hij doet zo vreselijk betuttelend. Hij zegt maar steeds dat hij geen geld heeft, zodat het net klinkt alsof ik hem een poot wil uitdraaien.'

'Hoezo? Heb je meer geld nodig dan?'

'Nou, ik krijg hetzelfde als altijd, maar het leven is een stuk duurder geworden.'

'Heeft Larry de alimentatie sinds jullie zijn gescheiden dan nog nooit verhoogd?'

'Nee.' De verlichting in de Holland Tunnel wierp vlammende schaduwen over mijn moeders gezicht.

'Dus hij geeft je al tien jaar lang hetzelfde? Stond er dan niet een clausule in de echtscheidingsakte dat het bedrag gelijke tred moest houden met de inflatie?'

'Ik weet niet...' Ze liet haar zin in de lucht hangen. We reden plots het felle zonlicht in, zodat we even verblind waren.

In onze poging de emotie van de dag niet verder uit te diepen, hadden we onverwacht onze afleiding gevonden. Maar ik schrok van wat mijn moeder me toevertrouwde. 'Maak je een grapje?'

'Nou, ik heb wel wat spaargeld...' zei ze defensief. Ze wierp haar platinakleurige haar naar achteren en keek door het raampje van de bus naar de spinachtige, zwartijzeren bruggen die in Newark zo alomtegenwoordig waren. Ik besefte dat ik een gevoelige snaar had geraakt.

'Is hij je naast de alimentatie nog meer schuldig?'

'Nou, eh... Om eerlijk te zijn moet hij me nog steeds mijn deel van het huis betalen sinds we het hebben verkocht...' Ze kromp bijna in elkaar terwijl ze me aankeek.

'Wat?!' schreeuwde ik bijna, zonder me van de andere passagiers iets aan te trekken. Van spanning trok ik mijn schouders op tot aan mijn oren. Ze keek me schaapachtig aan, als een klein meisje dat wordt betrapt met haar hand in de koektrommel.

'Mam, dit is waanzin. Je moet een goede advocaat nemen. Je hebt rechten. Waarom laat je zo over je heen lopen? Snap je dan niet dat je hem door niet te vechten voor waar je recht op hebt macht over jou geeft?' Ik klonk net als Arron.

'Ik weet het, lieverd. Je hebt gelijk,' zei ze met een dun stemmetje.

Ik werd ziedend om hoe Larry mijn moeder behandelde. Hij had ons allemaal akelig behandeld en dat nam ik hem kwalijk. Op dat moment moest ik mijn woede op iemand koelen en hij was het ideale doelwit. Toen Larry mijn moeder had verlaten voor mijn vriendin, die twintig jaar jonger was dan hij, had ik die relatie niet kunnen accepteren. Aan onze gezamenlijke lunches kwam een eind. Hij belde niet meer. Hij was in mijn leven geweest vanaf dat ik acht jaar oud was en nu voelde ik weer een oud verlies.

'En, weet je een goede advocaat?' vroeg ik. Mijn wraaklust was niet te stuiten. Ik realiseerde me dat ik óók kwaad op mijn moeder was, omdat ze zich zo willoos tot slachtoffer had laten maken.

'Ik vind dat mijn vriendin een goede regeling heeft gekregen. Zij vertelde me dat haar advocaat verbazingwekkend was.'

'Huur hem dan in,' zei ik resoluut. Mijn woede brandde zich een weg door een leven lang van angsten die me soms hadden verhinderd mijn moeder de waarheid te zeggen uit vrees haar te kwetsen. Ik wilde mijn moeder terug, had haar nodig. Ik verweet het Larry dat ze nu niet sterk genoeg kon zijn voor mij. Ik nam me vast voor voor haar te vechten en hoopte maar dat ze mijn raad ter harte zou nemen. Geërgerd en moe sloot ik mijn ogen.

De bus bracht ons naar een nieuw Family Assistance Center, eentje dat uitsluitend bedoeld was voor families uit New Jersey en dat was opgezet in de oude terminal bij het Vrijheidsbeeld. Dit schitterende pand was rond de eeuwwisseling een eindstation voor treinen geweest, waar immigranten nadat ze Ellis Island waren gepasseerd aan hun nieuwe leven in Amerika begonnen. Het was tevens de plek waar onze nieuwe levens waren begonnen, maar dit was niet het leven in Amerika waar ik naar had uitgekeken.

De bus zette mijn moeder en mij af bij de ingang van het gebouw. De zon ging onder te midden van een veelheid aan kopertinten en strepen lavendelblauw, en we hadden vanaf de overkant van de Hudson prima zicht op Ground Zero. Op de gebroken glazen koepel van de Winter Garden na was de incomplete skyline bijna mooi te noemen. Mijn moeder vroeg of iemand een foto van ons wilde nemen. Ik ging voor de koraalrode zonsondergang staan, met de oorlogsachtige verwoestingen aan de overkant van de rivier, en voelde me een oude vrouw met een scheve glimlach op haar gezicht geplakt.

We stapten een geïmproviseerd geheel van tenten en kamertjes binnen. Sommige delen van het gebouw hadden geen dak, zodat er een sfeer ontstond als van een openluchtmarkt. We sloten aan in de rij, probeerden warm te blijven en wachtten op eten. Onze magen knorden. We waren om tien uur die ochtend van huis vertrokken en nu was het vijf uur 's middags. Er was geen tijd geweest om tussen de middag iets te eten te kopen en de mueslireep en het water die het Rode Kruis zo vriendelijk ter beschikking had gesteld, waren allang op. We kregen te horen dat je binnen urnen met wat puin van Ground Zero kon ophalen, maar daar hadden we geen haast mee en we besloten eerst een hapje te gaan eten.

Terwijl we aan onze pastasalade zaten, raakte mijn moeder in gesprek met een andere vrouw van haar leeftijd die vertelde dat haar zwangere dochter en schoonzoon allebei werden vermist. Mijn moeder was daar zichtbaar door aangedaan. Het had dus nog erger gekund: ze had mij en de kinderen ook kunnen kwijtraken. Ze had onze hele familie kunnen verliezen. Ik dacht dat dat misschien wel beter zou zijn geweest; dan zouden Arron, de kinderen en ik tenminste nog bij elkaar zijn. Dan zouden we ons leven niet alleen hoeven te leiden, zonder hem. Dat was een vredige gedachte, hoewel ik er ook wel van schrok. Wilde ik echt dat we allemaal dood waren? Nadat de vrouw en haar man waren weggegaan om hun urnen op te halen, aten mijn moeder en ik in stilte verder. Ik vroeg me af of ze twee of drie exemplaren zouden krijgen. Toen ik opstond voelde ik me ontzettend verdrietig en was bijna in tranen.

Er mocht maar één familielid het gedeelte in waar soldaten in uniform de urnen uitdeelden, dus bleef mijn moeder op me wachten. In de rij vulde ik een formulier in en gaf Arrons P-nummer op, terwijl iemand een enorm boek doorbladerde om zijn naam op te zoeken. Het boek was een log geval – ik stelde me voor dat Sint-Petrus ook zoiets moest raadplegen aan de hemelpoort – en het herinnerde me er weer aan hoeveel mensen er waren omgekomen.

Ik keek toe hoe anderen hun urnen vol met puin van Ground Zero ophaalden. Iedereen werd verzocht beide armen uit te steken, zodat hij een Amerikaanse vlag in ontvangst kon nemen die tot een driehoek was opgevouwen. De ene hand eronder, de andere erop. Om iets te doen te hebben probeerde ik me te herinneren hoe die opgevouwen vlaggen ook weer heetten – *triangle*? Tri-en-nog-wat. Misschien *tricorne*? *Trifold*?

Toen was het mijn beurt. Ik zoog mijn adem naar binnen toen een officieel uitziende man zich voorstelde als een politicus uit New Jersey en me de hand schudde. Hij condoleerde me en ik raakte geëmotioneerd. Om me goed te houden beet ik op de binnenkant van mijn wang. 'Gewoon blijven ademhalen,' commandeerde ik mezelf. Ik slikte een paar keer om de tranen terug te dringen die al de hele dag op de loer lagen. Met zijn ogen smeekte hij me niet te gaan huilen.

Hij overhandigde me een donkerblauwe kartonnen doos die mijn echtgenoot moest voorstellen. Dat begreep ik inmiddels wel. Dit heette Arron te zijn. Het was een poging het stoffelijk overschot te vervangen dat ik niet had en mogelijk nooit zou hebben. Ik wilde het op een lopen zetten en de doos weggooien, de betekenis ervan ontkennen. Maar op dat moment kwam ik tegenover de soldaat te staan. Er voltrok zich een kleine plechtigheid: de ene hand onder, de andere boven terwijl de vlag tussen mijn trillende handpalmen werd gelegd. We wisselden een stevige, botversplinterende handdruk. De soldaat bracht een saluut door zijn hoofddeksel aan te raken. Ik verwachtte bijna het gebulder van eenentwintig kanonnen te horen.

Terwijl de soldaat me zijn groet bracht, sprongen de tranen me in de ogen. Ik probeerde mezelf tot de orde te roepen, maar ze kwamen toch, openlijk ongehoorzaam. De betekenis van deze ceremonie overviel me. Het was een Amerikaanse plechtigheid, zoals ik wel in films had gezien, en ze was mooi, zowel in eenvoud als in grootsheid. Het was het afscheid van een held, zoals dat voorbehouden was aan politieagenten, brandweerlieden en soldaten. Arron, mijn Brits-Canadese echtgenoot, was ongewild een Amerikaanse held geworden.

Ik wilde mijn held van alle dagen terug. Degene die, met zijn gereedschapsgordel om, zonder cement een zes meter lange stenen muur in onze tuin bouwde, die de zijwieltjes van Olivia's fietsje losschroefde en haar binnen een halfuur op twee wielen leerde rijden, degene die Carter in zijn grote rode pick-up meenam op een zaterdagochtendritje naar de bouwmarkt, waar hij hem door de gangpaden banjerend de namen van gereedschappen leerde.

Uiteindelijk, met armen vol schatten van mijn held, werd ik naar een muur van geestelijken geleid. Velen van hen waren gekleed in liturgische gewaden en ze stonden met plechtige gezichten op hun volgende slachtoffer te wachten. Snel, wat is mijn geloof? Ik kon het me niet herinneren. Iemand wachtte op mijn antwoord, dus zei ik maar: 'Anglicaans.' Deur nummer 3. Mijn prijs was een vriendelijke, statige, witharige heer die mijn vrije hand in de zijne nam. Ik wilde hem lostrekken en wegrennen. Ik voelde weer die scheve glimlach die op mijn gezicht geplakt zat. Ik had geen idee wat ik tegen deze man moest zeggen, die zijn best deed me te steunen met woorden van vriendelijkheid en geloof. Ik wilde niet dat hij het woord 'God' in de mond nam. In deze context had dat iets wat me bang maakte. Het voelde vals, ijdel gebruikt, nutteloos. God hoorde hier niet thuis. Ikzelf hoorde hier niet thuis.

'Hij is nu bij God,' zei mijn geestelijke.

'Zeg dan maar tegen God dat Hij hem terug moet geven,' wilde ik zeggen, maar dat wist ik voor me te houden.

'Bedankt,' mompelde ik in plaats daarvan.

Ik wilde niets liever dan mijn moeder ophalen en naar huis gaan, maar slaagde erin zo elegant mogelijk weg te lopen. Ik klemde mijn 'aandenkens' in mijn handen en zette koers naar de deur, blij dat ik weg kon.

Toen we thuis waren, maakte ik de kartonnen doos open, met mijn moeder en de kinderen als getuigen. Daarin zat een blauwfluwelen zakje met een kaartje erbij met de tekst: 11 SEPTEMBER 2001, IN LIEF-DEVOLLE HERINNERING. Het zakje bevatte een kerskleurige houten urn ongeveer zo groot als een grapefruit met de inscriptie '9-11-01' op de zijkant. In de doos lag ook nog een goudkleurig bordje waar-op ik, vermoedde ik, Arrons naam kon laten graveren, waarna ik het op de onderkant van de urn kon bevestigen. Maar ik wist nu al dat ik dat nooit zou doen. Ik schudde de urn heen en weer en hoorde binnenin het gedempte geluid van gruis. Het was een teleurstellend geluid. Ik wilde iets substantiëlers horen, iets wat gewicht had, zoals ik me de urn van Arrons dierbare hond Kaylee herinnerde, van wie we de as hadden uitgestrooid op Round Lake vlak bij Arrons cottage in de tijd dat we net verkering hadden. Die urn was zwaar geweest, en toen Arron hem openmaakte, zaten er stukjes bot in ver-mengd met wel een halve kilo stof, of meer. De urn rammelde als je ermee schudde en het duurde een hele tijd voordat we de as op het meer hadden uitgestrooid. Als een grote grijze plek bleef die eerst een poosje om onze boot heen liggen voordat hij naar de diepte zonk. In deze urn zat niet eens genoeg as voor een hond, laat staan een heel mens. Ik wist niet wat ik ermee aan moest, dus zette ik de urn maar op tafel. De kinderen schudden ermee, maar waren ook niet onder de indruk.

'Wat is dat?' vroeg Olivia.

'Het is gruis van het gebouw,' antwoordde ik.

'Wat moeten we daarmee?' vroeg ze. Ik staarde er een poosje naar, alsof de urn zelf een zin aan alles kon geven.

'Het komt van de plek waar je vader is overleden,' was het enige antwoord dat ik kon bedenken.

Inmiddels staat onze urn, nog steeds in zijn doos, op een boeken-plank te verstoffen. De opgevouwen vlag heb ik weggeborgen, samen met brieven van ministers, presidenten en prinsen, tijdschriften- en krantenartikelen gewijd aan 9/11, condoleancekaarten, quilts die door onbekenden zijn genaaid, en banieren gemaakt door schoolkinderen. Ik hou dat allemaal uit het zicht, omdat ik me Arrons alledaagse heldendom liever herinner aan de hand van de foto's van hem die verspreid door het huis staan, waarop hij glimlacht of lacht.

9

Werkende weduwe

Een paar dagen voordat mijn moeder arriveerde, stond mijn vroege-re baas bij Audible, Rob, op de stoep met een maaltijd van de afhaal-chinees. Hij vroeg zich af of ik weer aan het werk wilde. Ik was ver-rast. Wilde hij me terug omdat ik goed in mijn werk was of vroeg hij het alleen maar omdat hij met me te doen had? Van Audible had ik de afgelopen twee maanden ontzettend veel steun gehad; veel van mijn ex-collega's waren me komen opzoeken. Ze hadden zelfs geld bij elkaar gelegd en een groot bedrag aan het trustfonds van de kin-deren geschonken. Van de vele cheques die ik voor het fonds had ontvangen, was die van Audible het grootst.

'Rob, ik weet niet goed of ik momenteel wel goed zou kunnen wer-ken, maar ik voel me gevleid dat je vraagt of ik terugkom. Eerlijk gezegd verrast het me, gezien het feit dat ik moest afvloeien.'

'Het was krankzinnig dat je weg moest. Dat was een foute beslis-sing. Je was – en bent nog steeds – heel waardevol voor het bedrijf. We willen je graag terug.'

'Jeetje, ik weet niet wat ik moet zeggen.' Het deed me goed, maar nog steeds had ik zo mijn vraagtekens bij Robs motieven. Er zou op dit moment niet veel uit mijn handen komen. Dat snapte hij toch ook wel?

'Het werk is niet moeilijk. Eén project maar. We willen graag dat je ons komt helpen met een draadloze telefooninterface. AT&T staat op het punt hun GPS-service te lanceren, en we willen Audible testen op een paar telefoons met GPS. Jij komt direct onder mij te werken en het is maar voor drie dagen per week. Voor jou moet dat een makkie zijn.'

In mijn oude rol als webprojectmanager had ik soms aan wel vijftien projecten tegelijk gewerkt. Het werk vergde een enorme concentratie en organisatie, en op dit moment kon ik geen van beide opbrengen. Ik voelde me nog steeds heel zwak en brak nog steeds op de gekste momenten in snikken uit. Het leek onmogelijk, en ik vroeg me af in hoeverre ik de kinderen ermee tekort zou doen. Ik zei tegen Rob dat ik erover wilde nadenken.

Toen ik mijn moeder over Robs bezoekje vertelde, zag zij het niet zo zitten dat ik weer aan het werk zou gaan. 'Het lijkt me een beetje te snel. Weet je wel zeker dat je er klaar voor bent, lieverd?'

'Ik weet niet,' zei ik. 'Ik moet toegeven dat ik er momenteel inderdaad een beetje tegen opzie.'

'En de kinderen dan?' vroeg ze.

'Nou, ik betaal Martha een fulltime salaris. Ik geloof niet dat hun dagelijkse leven er al te veel onder zal lijden.' Ik schoot in de verdediging, maar begon wel een helderder beeld te krijgen van de voors en tegens.

De dag daarop belde ik mijn zus. 'Zou het heel dom zijn als ik binnenkort weer aan het werk ga?' vroeg ik haar.

'Nee hoor, helemaal niet. Misschien is het juist wel goed voor je. Dan kom je het huis uit en krijg je weer regelmaat.' Ik was haar dankbaar voor haar wijsheid. De lange dagen gingen heen met wat ronddwalen door het huis, met huilen, met naar websites voor weduwes kijken en me verloren voelen. Als ik werk zou hebben, zou ik naast Arron en 9/11 nog iets anders hebben om me mee bezig te houden. In elk geval kende ik Audible, dus kon ik beter daar gaan werken dan me in een volkomen nieuwe baan storten. De mensen bij Audible gaven om me en zouden tolerant zijn als ik fouten maakte.

Ik maakte me ook zorgen over geld en de ziektekostenverzekering. Ik had wat geld gekregen van Arrons levensverzekering, maar was nog steeds niet zeker van onze toekomst in dit huis en in Montclair, want dat is een dure plek om te wonen. Een regelmatig salaris, ook al was het niet al te veel, zou me voor een deel gemoedsrust geven. Arrons werkgever zou de komende drie jaar onze ziektekosten voor zijn rekening nemen, maar het kon geen kwaad om wat geld achter de hand te hebben. Op de wisselvallige financiële markt kon er met Encompys elk moment iets misgaan.

Ik had Martha, ons kindermeisje, aangehouden, ook toen ik ontslagen was, omdat ik ervan uitging dat mijn werkloosheid tijdelijk zou zijn en ik binnenkort weer aan de slag zou gaan. Zij zorgde voor Carter als hij niet naar de peutergroep was en zij was er als Olivia thuiskwam uit school. Ze hield het huis aan kant, deed de was en gaf de kinderen te eten. Mijn leven was ingericht als dat van een werkende moeder, maar toch maakte ik me zorgen dat het zowel voor hen als voor mij moeilijk zou worden om lange dagen gescheiden te zijn. In samenspraak met Janet besloot ik echter dat zolang ik gelukkig was, de kinderen dat ook zouden zijn. Ik wist niet helemaal zeker of deze aloude mantra van werkende moeders voor mij en mijn rouwende kinderen wel zou opgaan, maar besloot toch weer aan het werk te gaan. Ik kon immers altijd opzeggen als het niet goed uitpakte. Ik accepteerde Robs aanbod en op 5 november 2001 zat ik weer aan een beige bureau bij Audible.com in Wayne, New Jersey.

Mijn eerste dag terug op de werkvloer was een merkwaardig uitstapje in het openbare leven. 's Ochtends werd ik zenuwachtig wakker en ik wist niet wat ik moest aantrekken. Ik was vroeger nooit nerveus geweest over mijn werk bij Audible, zelfs niet op mijn allereerste werkdag. Nadat ik twee lange maanden in mijn huis opgesloten had gezeten, met maar heel weinig contact met andere mensen dan familie en goede vrienden, was ik bang voor hoe de mensen op het werk me zouden behandelen. Telkens als ik naar buiten trad, voelde ik het gewicht van een soort eerbied die anderen voor me hadden, of medelijden, of angst. Ik merkte dat mensen in drie categorieën in te delen waren: degenen die met me meeleefden en die altijd de juiste dingen wisten te zeggen; degenen die het niet goed begrepen, maar daar wel hun best voor deden – zij waren meestal degenen die zeiden: 'Mijn deelname met uw verlies'; en diegenen die er helemaal niets van snapten en alleen maar probeerden me uit de weg te gaan. Hoe werd ik geacht te reageren op de vraag: 'Hoe ís het nou met je?' Die blik van vertwijfeling in de ogen van de ander die alleen maar wilde horen dat alles prima was. Maar het was níét in orde, en dat zou het ook nooit meer zijn. Was dat te zien aan de doffe blik in mijn ogen? Bij Audible zou er niets veranderd zijn.

Het lukte me om op mijn eerste werkdag heel weinig contact met anderen te hebben. Mijn nieuwe kantoor bevond zich aan de zijkant van het gebouw, waar niet zoveel mensen rondliepen. Veel van degenen met wie ik altijd optrok waren of tegelijk met mij ontslagen, of hadden tijdens de reorganisatie zelf hun ontslag ingediend, zodat ik mijn oude sociale patronen toch niet had kunnen oppakken. Ik hield me schuil in mijn kantoor en zei alleen mensen gedag als ik in de keuken thee ging halen.

In de daaropvolgende weken ging ik af en toe met iemand buiten de deur lunchen, maar meestal kocht ik een broodje en at dat alleen in mijn kamer op – iets wat ik vroeger zelden deed. Voor het werk hoefde ik maar heel weinig contact te hebben met andere medewerkers, en het grootste deel van de tijd werkte ik samen met twee Russische programmeurs die Engels spraken met een zwaar accent en die zich nog meer op de achtergrond hielden dan ik. Hun kamers lagen vlak bij de mijne en ik zat vaak te luisteren naar hun discussies in het Russisch.

Ik had niet genoeg te doen om de hele tijd bezig te blijven, wat prima was, want daardoor kon ik alle 9/11-paperassen afhandelen waarmee ik werd gebombardeerd, voornamelijk door liefdadigheidsorganisaties. Als je je ergens voor wilde aanmelden, moest je een heleboel papieren kopiëren en veel mailen. Ik maakte er een gewoonte van een grote harmonicamap met me mee te zeulen waar originelen in zaten van al onze persoonlijke papieren: geboorteaktes, trouwboekje, overlijdensakte, het Surrogate's Certificate (dat bewees dat ik executeur was van Arrons nalatenschap) enzovoort. Ik moest de auto op mijn naam laten zetten, de rekeningen afhandelen die sinds augustus niet meer waren betaald, en Arrons naam laten schrappen van al onze bankrekeningen. Ik moest zijn airmilespasje en zijn spaarloonregeling opzeggen. Een van de diensten die 9/11-families werd aangeboden, was een creditcheque op Arrons naam die verzekerde dat zijn identiteit niet gestolen was. Vervolgens moest ik alle papieren invullen om zijn naam te laten verwijderen uit de lijsten van bedrijven waar hij krediet had.

Mijn dagen concentreerden zich rond afspraken die verband hielden met mijn 'nalatenschapsadministratie': afspraken met de bank (het duurde een jaar om Arrons naam van al onze rekeningen te laten verwijderen), met de notaris om een fonds voor de kinderen op te zetten, bezoekjes aan de rechtbank in Newark om een Surrogate's Certificate te krijgen; ik moest naar Sears om spullen te kopen voor het huis dat we verhuurden, en naar het New Jersey Family Assistance Center om met iemand van het Rode Kruis of een andere liefdadigheidsinstelling te praten. Ik was blij dat ik een flexibele baan had die me de tijd en de middelen gaf om zoveel van deze klusjes te doen. Audible had geduld met me en gunde me de tijd die ik nodig had om weer aan het werkende leven te wennen. Ik was niet bepaald een modelwerknemer.

Als ik aan mijn computer zat te werken, werd ik soms overspoeld door gedachten aan Arron; dan herinnerde ik me hoe hij met zijn pick-up naar mijn kantoor kwam om me op te halen tijdens een sneeuwstorm, of hoe opgetogen ik was die zeldzame keren dat ik een e-mail van Arron Dack in mijn inbox aantrof. Vaak moest ik mijn bezigheden onderbreken en huilend mijn rug naar de deur van mijn kamer keren. Ik leerde dat ik naar mijn werk beter geen mascara op kon doen. Op mijn bureau had ik altijd een grote doos tissues staan. Mijn vrienden correspondeerden met me per e-mail en veel van mijn antwoorden waren niet zo vrolijk. Dan schreef ik: 'Vandaag ben ik heel verdrietig, ik kan er niets aan doen,' of: 'Het lijkt wel of ik hem alleen maar kan missen,' terwijl de tranen over mijn gezicht biggelden. Het was een opluchting om in een dunbevolkt gedeelte van het bedrijf te zitten. Ik moest er niet aan denken dat mensen me de hele tijd zouden zien huilen, hoewel iedereen waarschijnlijk niet anders verwachtte.

Vaak vergat ik volkomen waar ik geacht werd me mee bezig te houden en bleven mijn handen op het toetsenbord rusten terwijl ik met niets ziende ogen uit het raam staarde, mijn hoofd vol watten, leeg. Mijn telefoon ging niet over. Ik kon vanuit mijn raam bomen zien. De lucht had de kleur van staal. Ik wist dat ik op mijn werk zat en iets zou moeten doen wat met werk te maken had, maar ik had geen idee wat dat zou kunnen zijn. Simpele taken vergat ik te doen. Het duurde uren voordat ik dingen af had die ik vroeger in een paar minuten voor elkaar kreeg. Ik deed tijdens telefonische vergaderingen erg mijn best me te concentreren op wat er werd gezegd en dwong mezelf aantekeningen te maken, zodat ik de gesprekken niet zou vergeten.

In de loop der tijd raakte mijn gevoel van eigenwaarde uitgehold en voelde ik me niet meer in staat het werk te doen waar ik ooit zo van had gehouden en waar ik zo goed in was geweest. Ooit had de wereld aan mijn voeten gelegen. Mijn collega's hadden ontzag voor me gehad omdat ik zoveel voor elkaar kreeg – snel, efficiënt en met plezier. Ik was trots op alles wat ik had bereikt en wilde dat gevoel terug. Maar die persoon bestond niet meer; ze was die dag in zo'n toren gestorven. In plaats daarvan was er een nieuwe ik ontstaan, iemand die maar wat zat te staren en niet goed wist welke klus ze moest aanpakken of afmaken, wie ze moest bellen. Deels had ik te weinig te doen, niet genoeg om er een baan van drie dagen mee te vullen. Maar daarnaast had ik geen controle over mijn afdwalende gedachten en besefte ik dat ik niet meer voor elkaar kon krijgen dan van me werd verwacht. Ik kon er niets aan doen dat ik teleurgesteld in mezelf raakte. Ik deed mijn werk niet goed, althans niet volgens mijn eigen maatstaven, en dat beviel me helemaal niet.

En toch gaf het werk mijn weken enige structuur. Ik kon ontsnappen aan de drukte van de kinderen en me koesteren in de rust van het kantoor. Ik kon de graftombe ontvluchten die mijn huis geworden was, waar Arrons schoenen onder het stof stonden te wachten tot hij terugkwam, waar zijn zomerjasjes nutteloos in de kast hingen nu het winter was geworden, waar zijn handgeschreven financiële overzichten nog steeds op het prikbord hingen. Tegenwoordig zette ik Olivia op de schoolbus, pelde een snikkende Carter van mijn been en ging ervandoor naar kantoor. Ik genoot van de routine die me was opgelegd. Ik kwam aan op kantoor, borg mijn tasje in mijn la, liep naar de keuken en zette thee met het warme water uit de waterkoeler, terwijl ik mijn best deed een praatje te maken met wie daar maar toevallig aanwezig was. Blije stemmen: 'Hoe ís het nou met je?' Vervolgens glipte ik mijn heiligdom binnen om uit het raam te gaan staren. Ik hoopte maar dat ik er goed aan deed te gaan werken. Ik herhaalde steeds maar de mantra: 'Als mama gelukkig is, zijn de kinderen dat ook.'

Maar wás ik wel zo gelukkig? Als Carter zich op werkdagen aan mijn been vastklampte en jammerde: 'Niet weggaan, mama!' maakte ik me zorgen om zijn geestelijk welzijn. Olivia knuffelde me halfdood als ik thuiskwam, alsof ik dagenlang weg was geweest. Martha maakte vroeg eten voor hen klaar, dus moest ik mezelf maar zien te redden, en dan at ik popcorn of muesli als avondmaal. De kinderen leken verdrietiger dan voorheen, en op een avond vroeg Olivia: 'Waarom moet je gaan werken, mama?' Ik had geen ander antwoord paraat dan: 'Dat is gewoon iets waarvan ik het gevoel heb dat ik het moet doen.' Ik voelde me net als de staalgrijze winterse vrieslucht die ik vanuit het raam van mijn kantoor zag.

Binnen een week na mijn eerste werkdag, op 11 november 2001, vond er een tweede viering van Arrons leven plaats. Toen Selena me had opgebeld en de datum had voorgesteld, had het een goed idee geleken. Gedenkdagen: elven. De getallen van de datum 11 september (9 + 1 + 1) leverden bij elkaar opgeteld 11 op; 11 september was elf dagen voor mijn zesendertigste verjaardag geweest; onze elfde trouwdag viel een week later; de vluchtnummers van de vliegtuigen die in de torens waren gevlogen waren allemaal deelbaar door 11; elke keer dat ik op de klok keek zag ik 9.11. 11 November leek belangrijk. Het zou op een zondag vallen, een makkelijke dag om een herdenkingsdienst bij te wonen, en het zou betekenen dat ik tijdens mijn eerste werkweek geen vrij hoefde te nemen.

Ik was blij dat Selena deze gebeurtenis organiseerde. Nu ik weer werkte, was ik moe en had geen puf om nog een herdenking te regelen, maar ik was wel blij dat we die zouden houden. Veel mensen die we in Toronto hadden gekend, hadden de dienst in New Jersey niet kunnen bijwonen. Ik wist ook dat het voor Selena belangrijk was om iets te plannen wat voor haar betekenis had, iets vanuit het perspectief van een moeder in plaats van dat van een echtgenote.

Het verraste me echter dat het me zo irriteerde toen Selena een paar van mijn herinneringen aan Arron in haar plannen opnam. Ze vroeg naar bloemen. Ik stelde margrieten voor, omdat ik eraan moest denken hoe de tweejarige Olivia triomfantelijk een boeket margrieten had vastgehouden dat ze van Arron voor Valentijnsdag had gekregen, en aan een foto van Arron en Carter waarop ze margrieten achter hun oor hadden. Hoewel margrieten in die tijd van het jaar moeilijk te vinden en duur waren, hield Selena vol en bestelde er grote boeketten van voor op de tafels. Ze had mij gevraagd waar ik vond dat de dienst gehouden moest worden. Zij had gedacht aan de muziekzaal van Hart House, het studentencentrum van de Universiteit van Toronto, waar Arron en ik waren getrouwd. Vond ik dat geen goed idee? 'Natuurlijk,' zei ik, 'dat is perfect!' Want voor mij was het dat ook. Ze vroeg me naar een gedicht dat Arron als puber had geschreven, waarvan ik de eerste verzen op het hoofdeinde van Olivia's bed had geschilderd. Ze wilde het als aandenken op kaartjes laten drukken.

Ik wist dat Selena deze dingen toevoegde uit respect voor mij en Arron, maar ik vroeg me wel af hoe het zat met haar eigen herinneringen aan haar zoon. Voor haar moest toch zeker ook wel een speciale bloem of een speciaal gedicht bestaan? Hoewel ze mij als zijn echtgenote eer wilde bewijzen, leek ze het toch ook moeilijk te hebben met haar eigen rol na Arrons dood. Ik voelde dat ze behoefte had aan erkenning van háár verlies. In het openbaar leek ze me net iets te stijf te omhelzen, of ving ze ineens de kinderen op alsof ze rekwisieten waren, alsof ze wilde zeggen: 'Kijk mij nou toch eens, ik ben zijn moeder! Ik ben óók belangrijk!' Misschien dat er, omdat ik jonger was, kinderen had en Arrons vrouw was, meer sympathie van het publiek naar mij uitging. De maatschappij leek te denken dat het minder moeilijk was om een volwassen zoon te verliezen dan een echtgenoot, de vader van kleine kinderen. Maar voor verdriet en verlies bestonden geen maatstaven. Ik voelde bij Selena ontheemdheid, en ik hoopte maar dat ze door deze herdenking voor Arron te organiseren, te midden van haar vrienden, de kans kreeg om op haar eigen manier in het openbaar om hem te rouwen. Het gekke was dat ik blij was dat Selena bij deze herdenkingsdienst als gastvrouw zou optreden, en niet ik, zodat zij deze keer de pijn en de herinneringen zou doorvoelen, degene zou zijn die het verdriet van anderen opnam, het lichtend voorbeeld voor het leed van alle anderen.

Te laat drong tot me door dat het een prijs had om mijn herinneringen en mijn verdriet aan Selena over te dragen. Ik keek naar de manden met boekenleggers en kaarten waar Arrons gedicht op gedrukt stond en wenste dat ik eraan had gedacht om dat te gebruiken voor de New Jerseydienst. Ik merkte dat ik er niet blij mee was dat Selena zich de margrieten en de muziekzaal – een deel van Arron en mij samen – als het ware had toegeëigend. Ik wilde niet dat mijn herinnering aan deze dingen zou worden bezoedeld door de dood, maar daar was het nu te laat voor. Ik had de voorstellen al gedaan.

De kinderen en ik reisden naar Toronto met Kathleen, voor wier hulp ik steeds erg dankbaar was. Zij had onze vluchten en hotelkamers geregeld, en Encompys had betaald. Ik keek ernaar uit met haar in een hotel te verblijven in plaats van bij familie te logeren. Het was makkelijker om Kathleens kordate, no-nonsense manier van doen te verdragen dan om te gaan met de warrige, onvoorspelbare emoties van mijn vrienden en familie.

Op de herdenkingsdienst zat ik in kleermakerszit op de grond van de muziekzaal van Hart House, een zaal waar de tijd leek te hebben stilgestaan en die er nog vrijwel hetzelfde uitzag als op de avond van onze trouwreceptie op 29 september 1990. Her en der stonden grote leren stoelen in het ruime vertrek; aan twee kanten bevonden zich zandkleurige stenen haarden, en overvolle boekenkasten stonden langs de groene muren. Carter begroef zich in mijn schoot. Ik droeg een lange, fuchsiakleurige jurk, wat gek voelde, ondanks de zwarte trui met ronde hals die ik eroverheen droeg om te verbergen dat het eigenlijk een lange, nauwsluitende avondjurk was. Ik had er genoeg van om zwart te dragen; ik wilde kleur en een jurk waarin Arron me graag zou hebben gezien. Hij had naar behoren o en ah geroepen toen ik ermee door de slaapkamer had geparadeerd. Het was een stretchjurk en hij sloot zich om me heen nu ik met mijn benen over elkaar zat, waardoor ik me te nonchalant en te sexy tegelijk voelde. Ik vond het prettig om op ooghoogte te zijn met alle kleine kinderen die naar de dienst waren gekomen, zodat ik de starende blikken van hun ouders kon vermijden.

Ik staarde in mijn wijnglas en dacht terug aan deze zelfde dag een maand geleden. Dezelfde beelden en muziek. Ik veegde mijn tranen af aan mijn mouw omdat ik niet wilde opstaan, maar iemand had mijn tranen gezien en overhandigde me een tissue. De 'foto-muziek-montage' riep dezelfde benauwende emoties bij me op als de eerste keer in New Jersey. De toevoeging aan de montage had ik min of meer verwacht: een film samengesteld door Robert, Arrons jeugd-vriend, die ook de fotomontage had gemaakt. Hij had een film gemaakt op Arrons hengstenbal, een weekend in de cottage van hun vriend Mike aan French River in de week voordat we trouwden. Ik wist dat het grappig zou zijn en het stelde me niet teleur. De film liet zien hoe ruig het er dat weekend aan toe was gegaan, een gekuiste versie die Robert *Raising Heck* noemde. Er waren shots van het inte-rieur van het huisje waarop elk oppervlak vol stond met bierblikjes of drankflessen. Onder invloed van drugs speelden ze een spelletje golf en er was een ochtendscène waarop ze wakker werden met een kater. Er zaten aangrijpende beelden bij van Arron die zijn vrienden in alle oprechtheid vertelde dat hij niet zou verhuizen na zijn trou-wen en dat hij niet zou veranderen. Ik wilde terug naar die tijd, dat we weer die mensen waren die niet zouden verhuizen of veranderen en die voor altijd veilig en levend in Toronto zouden blijven.

De humor was een opluchting toen Arron op het scherm tot leven kwam. Maar zijn beruchte gegiechel deed me de das om. Ik was ver-geten hoe dat klonk. De film riep oude herinneringen op: hoe hij altijd over zijn been wreef als hij wakker werd, de twinkeling in zijn ogen als hij een van zijn typische onzinnige grapjes maakte. Zijn gie-chel was zelfs nog te horen als hij buiten beeld was. Ik lachte, maar een tikje té.

De film zette de toon voor alle sprekers die daarna een praatje hiel-den. Elk verhaal over Arron was grappig. Er stond een knappe bru-nette op en even voelde ik een steek van jaloezie. Sheilagh was op de middelbare school smoorverliefd op Arron geweest en vertelde dat hij altijd fijngekauwde stukjes pen naar haar gooide en dat ze vaak samen naar huis liepen.

> Na school liepen we soms van Wellesley naar Yonge Street, en dan kwamen we door het vervallen deel van de straat. Andere jongens van veertien zouden zich misschien aangetrokken hebben gevoeld tot een van de vele gokhallen, maar met Arron had je meer kans om in een supermarkt te belanden, waar hij je dan aanspoorde met hem 'groente te knuffelen'. Hij keek uit naar verloren of misvormd uitziende groenten; fruit had ook zijn belangstelling, vooral alles wat exotisch of harig was. Je kreeg punten als je de meest 'sneue' raap wist te vinden, de 'brutaalste' meloen of de 'kikkerkoudste' aubergine. Dat was soms nog een hele uitdaging, want 'kikkerkoud' was een mysterieuze eigenschap waarvan alleen Arron wist wat die precies inhield. Ik was er algauw achter dat het daarbij niet om een eigenschap of onvolkomenheid ging, maar om een kwaliteit die hij onmiddellijk herkende in mensen of dingen waar hij blij van werd.

Haar verhalen over Arron maakten me aan het lachen en huilen. Ze herinnerde zich hem met zoveel detail, details die mij leken te ontgaan, ondanks alle jaren die ik met hem had doorgebracht. Ik voelde me jaloers en blij tegelijk.

Er werden door zijn beste vrienden en door vrienden die ik nog nooit had ontmoet nog veel meer verhalen over Arron verteld. Selena stond op en droeg het gedicht 'Do Not Stand at My Grave and Weep' van Mary Elizabeth Frye voor, dat over verlies ging. Terwijl ze daar stond, kwam Olivia overeind, ging naast haar oma staan en nam haar hand in de hare. Selena kon zich bijna niet goed houden.

Na de speeches en de verhalen dunde de menigte een beetje uit, hoewel ik het gevoel had dat die om me heen deinde. Mensen kwamen in golven naar me toe om mijn hand vast te houden. Oude vrienden leken in beeld te komen en daar weer uit te verdwijnen. Van veel mensen vond ik het leuk ze te zien, want ik had in ruim tien jaar geen contact meer met ze gehad, maar ik werd een heleboel verschillende kanten op getrokken en het was niet mogelijk om met iedereen een praatje te maken. Ik begon moe te worden. Mijn gezichtsspieren deden pijn, zoals ze elf jaar geleden op onze trouwdag ook pijn hadden gedaan.

Veel later brachten Bruce en Jacquie ons naar een kleine bijeenkomst die Selena had georganiseerd in het appartement van een vriend. Het was fijn om omringd te zijn door Arrons vrienden terwijl we napraatten over de dienst en over Arron, en ze besteedden alle zorg aan me: ze hielpen me met de kinderen en namen de tijd om met hen te spelen. Ik hoopte maar dat ze op een dag de kinderen hun verhalen over hem konden vertellen, verhalen die ik in mijn verdriet niet kon navertellen, die ik me niet kon herinneren. Maar het was een raar gevoel om zonder Arron bij zijn vrienden te zijn. Allemaal verwachtten we dat hij zó zou komen binnenlopen.

Op maandag werden we wakker in het hotel en maakten we ons klaar om vroeg in de middag terug te vliegen naar Newark, zodat ik de volgende dag op tijd op mijn werk kon zijn. De kinderen sprongen in Kathleens kamer op de bedden en aten haar pepermuntjes. Toen we aan het pakken waren, kreeg Kathleen een telefoontje van kantoor. Ze zeiden dat ze de tv moest aanzetten. In New York was een vliegtuig neergestort. We stonden naar de reportage op CNN te kijken, in gedachten weer helemaal terug naar de ochtend van 11 september. Een brandende woonwijk in New York. Vliegtuigen die aan de grond bleven. Gepraat over verwoestingen en terrorisme. Er trok een huivering door me heen. Ik snauwde tegen de kinderen dat ze hun mond moesten houden. Carter begon te huilen. Olivia zei niets meer.

We belden de luchtvaartmaatschappij. Er zouden geen vluchten naar New York vertrekken voordat men wist of dit een terroristische aanslag was of niet. Voor het eerst sinds deze lange nachtmerrie was begonnen, raakte ik in paniek en liet ik die bewuste ochtend de revue weer passeren: het wachten en niets weten, de angst dat iemand anders van wie ik hield niet meer naar huis zou komen. Ik was blij dat mijn kinderen bij me waren en dat we ons in Canada bevonden. Ik kreeg een knoop in mijn maag en mijn keel werd droog. Kathleen was ook in paniek, wat zich erin vertaalde dat ze de leiding nam.

'Het lijkt me beter om vandaag niet meer te proberen weg te komen,' zei ze met een strak gezicht.

'Ik kan het gewoon niet geloven dat dit gebeurt. Niet weer,' zei ik, mijn handen tot vuisten gebald.

We namen alle mogelijke scenario's door: wachten om te kijken of we onze vlucht alsnog konden nemen, wachten tot de volgende dag en proberen een andere vlucht te nemen, een auto huren en gaan rijden.

'We kunnen volgens mij beter met de auto gaan dan de hele dag op een vliegveld rondhangen. En in elk geval komen we dan thuis,' zei ze. Ik zag haar nadenken. Opeens leek autorijden een heel goed idee.

'Ik stap voor geen goud nu in een vliegtuig,' zei ik. Kathleen was het daarmee eens, maar ontdekte algauw dat geen van de verhuurbedrijven ons zou toestaan een auto mee te nemen over de grens. Ik voelde me gevangen in mijn eigen vroegere stad. Ik belde mijn vader, omdat we misschien ergens moesten overnachten, en legde hem de situatie uit.

'Ik kan jullie naar Buffalo brengen,' zei hij, alsof het maar een halfuurtje rijden was in plaats van de drie uur die je er in werkelijkheid over deed.

Dus bracht mijn vader ons naar Buffalo. Hij deed terwijl hij achter het stuur zat bijna joviaal en ik was dankbaar voor zijn kalmte. Misschien was hij ook wel blij dat we niet met het vliegtuig gingen. We huurden bij Hertz op het vliegveld Buffalo Niagara een rode Ford Taurus en aanvaardden onze reis over het uitgebreide netwerk van snelwegen door de staat New York. Kathleen reed; haar knokkels zagen wit en ze keek recht voor zich uit. Ik probeerde zonder veel succes de kinderen bezig te houden en zat met mijn gedachten elders. Elke keer dat ik me omdraaide, voelde ik een steek van pijn in de knoop die in mijn nek was ontstaan. De hele dag bleven de kinderen kibbelen, huilen en drenzen. Volgens de statistieken was autorijden minder veilig dan vliegen. Gold dat ook voor deze dag? Als passagier, die geen controle over de auto heeft, begon ik de auto nog meer te vrezen dan het vliegtuig.

Later op de dag kwamen we vermoeid en chagrijnig, maar levend en wel, in een Arron-loos huis aan. Ik wilde dat er een einde aan het drama kwam. Ik wilde me oprollen in bed. Na een onrustige slaap werd ik om zeven uur wakker van Carters ochtendcommando: 'Ik wil chocolademelk!' Ik gaf hem zijn tuitbeker met warme chocolademelk, bakte een wafel voor Olivia, maakte haar lunch klaar en zette haar om tien over acht op de bus. Martha kwam om halfnegen om voor Carter te zorgen en hem om negen uur naar de peuterklas te brengen, en ik glipte de deur uit en de auto in om naar mijn werk te rijden. Voorlopig waren de overleden echtgenoot, gedenkdiensten, vliegtuigongelukken en stressvolle autotochtjes even vergeten. Het was weer gewoon een dag als alle andere in mijn merkwaardige nieuwe leven als werkende weduwe.

10

Een slang steekt zijn kop op

Begin november was mijn lichaam een graadmeter geworden voor mijn verdriet. Na mijn intensieve kickbokslessen, twee keer per week, voelde ik me altijd stijf en beurs. Maar na mijn reisje naar Toronto deed mijn nek zo'n pijn dat ik mijn hoofd niet naar rechts kon draaien zonder een scherpe pijnscheut te voelen. Naar links draaien was helemaal onmogelijk. Ik kon mijn linkerarm niet langer hoog genoeg optillen om een deur open te duwen. Ik had vaak hoofdpijn. Elk kwaaltje verergerde mijn verdriet, en mijn verdriet verergerde mijn kwalen en pijnen. Mijn schouders voelden aan alsof ze rondom mijn lichaam in elkaar waren gezakt en ik voelde me als een zwakke oude dame, kromgebogen en ellendig.

Janet zag me een keer in elkaar krimpen toen ik naast haar op de bank kwam zitten. Omdat ze me altijd wilde beschermen, beviel het haar maar niks dat ik zo wrakkig was, en ze vertelde me over Maureen, een cranio-sacraaltherapeute. 'Je pijn maakt deel uit van je verdriet,' zei Janet. Ik wist niet goed wat ze daarmee bedoelde of wat een cranio-sacraaltherapeute was, maar ik was tot alles bereid om me beter te voelen. Zodra ik thuis was, belde ik Maureen.

Ik had geen idee wat ik kon verwachten toen ik later die middag bij Maureens praktijk arriveerde. Er stond etherische muziek op en de zwakke geur van honingwierook vulde de lucht. Op de muren waren schematekeningen van het menselijk lichaam geprikt, met fel-rode en felblauwe lijnen erop die verschillende lichaamssystemen aangaven en voorzien waren van vreemdtalige lettertekens. Ik werd een beetje zenuwachtig van het newagesfeertje, maar was bereid om me door haar te laten helpen – sterker nog, ik wilde niets liever. Maureen was een kleine vrouw zonder make-up. Haar lange grijze haar droeg ze in een paardenstaart, maar ondanks het grijs leek ze niet ouder dan een jaar of vijfendertig. Ze droeg een ruimvallende fleece trui op een zwarte legging, waarin haar slanke, gespierde benen goed uitkwamen.

'Kom binnen!' zei ze vrolijk. 'Ik heb iets voor je: een boek dat mijn vriend heeft geschreven. Misschien dat je er iets aan hebt.' Ze overhandigde me een roze boek met een feloranje zonsondergang op het omslag; de titel luidde: *Awakening from Grief: Finding the Way Back to Joy*, en het was geschreven door John Welshons. 'Dat krijg je van me cadeau.'

'Goh. Bedankt.' Haar zorgzaamheid roerde me. Ik stopte het boek in mijn tas en deed mijn best niet meteen een oordeel klaar te hebben over het kitscherige omslag. Misschien zou ik het zelfs wel gaan lezen, bedacht ik.

'Ik stond er helemaal niet van te kijken dat je aan de telefoon zei dat je vooral pijn hebt in de linkerkant van je lichaam,' zei ze toen ik, met al mijn kleren nog aan, was gaan liggen op de met een laken beklede massagetafel die het grootste deel van de kamer in beslag nam.

'O nee? Hoe dat zo?' vroeg ik.

'Alles wat je nu voelt, wijst erop dat je hartmeridiaan er waarschijnlijk bij betrokken is. Die kan invloed hebben op de linkerarm, -schouder en -elleboog, tot aan de onderkant van de onderarm, helemaal tot de pink aan toe. En gezien wat je me over je man hebt verteld, ligt dat ook wel voor de hand: een gebroken hart.'

Ik was stomverbaasd. Het leek heel logisch. Mijn lichaam zakte in elkaar rondom mijn hart, om dat te beschermen, waardoor ik lichamelijke pijn leed. Een gebroken hart: ik had een diagnose. Verdriet was een sterke kracht en ik begon in te zien dat die zich niet alleen geestelijk manifesteerde, maar ook lichamelijk.

Maureen stak langzaam haar handen tussen mijn rug en de tafel, waarbij ze punten aanraakte die naar ik aannam acupressuurpunten waren: een plekje onder elk van mijn schouderbladen, onder mijn heupen, de plek die zij 'sacrum' noemde, de achterkant van mijn schedel, mijn slapen. Onder haar aanraking ontspande ik me. Binnen in me raakte iets gevuld; het werd er minder leeg. Vanuit een vergeten plek kwamen al lang begraven herinneringen in me op aan hoe het was om vastgehouden te worden. Het was zo lang geleden dat iemand me had aangeraakt dat ik niet had beseft hoezeer ik daarnaar hunkerde. Nu werd me duidelijk hoe erg ik Arrons aanrakingen had gemist, al was het maar zijn hand vasthouden.

Maureens aanrakingen waren zo licht dat ik me onwillekeurig afvroeg hoe ze daarmee iets in gang kon zetten. Maar naarmate ik me verder ontspande, voltrok zich iets vreemds: als ze op één plek op mijn lichaam drukte, voelde ik pijn of druk in een ander lichaamsdeel. Druk op de zijkanten van mijn kuitspieren leidde tot pijn in mijn kaak, nek of schouder. Maureen begon mijn linkerarm naar de rechterkant van mijn lichaam te trekken, en achter in mijn nek vond een verandering plaats: een loslaten. De spanning nam af.

Toen ze klaar was, kwam ik lichtelijk dizzy overeind. Het leek alsof ze niets gedaan had, en toch voelde mijn lichaam donzig, wattig en zwaar aan. Ik had weer stevige hoofdpijn.

'Het is normaal dat je je na een sessie wat wankel voelt. Je lichaam is zichzelf aan het reorganiseren, en dat kan heel desoriënterend zijn,' merkte ze ter vertroosting op. 'Doe de eerstkomende uren maar kalm aan. Het kan ook zijn dat je de eerste paar dagen erg emotioneel bent.'

In de weken daarop zette Maureen de behandeling van mijn linkerschouder voort en werkte ze aan de vele lagen pijn en emotie die zich daar hadden opgehoopt. Haar kleine handen waren krachtig en werden heel warm als ze aan het werk was. De dikke spier aan de linkerkant van mijn ruggengraat voelde in haar handen aan als een kronkelende slang. Vaak wilde ik ontzettend graag dat ze mijn spieren stevig zou bewerken ter verlichting van iets wat aanvoelde als diepe jeuk, en zonder dat ik het tegen haar hoefde te zeggen nam ze dan de slang in mijn nek en schouder met enorme kracht te grazen. Na drie bezoekjes aan haar kon ik weer deuren openmaken en begon de zenuwstreng die over mijn sleutelbeen had gelopen te verdwijnen.

Ik voelde me langer. Wanneer ze bezig was, gebeurde het soms dat er op onverklaarbare wijze hete tranen over mijn wangen biggelden. Aan het eind van elke afspraak voelde ik me lichter en optimistischer gestemd.

Tijdens de sessies kwam ik vaak in een meditatieve toestand van diepe ontspanning terecht. Zoals ik daar op die massagetafel lag, voelde ik me vredig en kalm. Als ik me concentreerde op wat mijn lichaam voelde en deed, leek het wel alsof mijn fysieke onderdelen – mijn huid, spieren en botten – beter afgestemd raakten op mijn emoties en geest. Ik had het gevoel dat ik zweefde, alsof ik midden in de lucht aan touwtjes hing. Dat was een merkwaardige en heerlijke sensatie. Ik was meer een geheel, was me beter bewust van elk pijntje in mijn lichaam en hoe dat zich verhield tot wat ik dacht of voelde. Ik begon te begrijpen dat ik naar mijn lichaam moest luisteren, want het kon me vertellen wat er in me omging. Pijn in mijn linkerschouder duidde op frustratie en woede, maar verdriet ging vaak gepaard met een scherpe pijn bij mijn rechternier.

Terwijl ik op Maureens massagetafel lag, stelde ik me voor dat er een groot licht door mijn kruin helemaal tot aan mijn voeten scheen, met een kaarsrechte bundel nu mijn lichaam en geest op elkaar waren afgestemd. Ik kon het bloed door mijn lichaam voelen pulseren. Het leek te neuriën. In mijn binnenste voltrok zich een verandering, maar ik had geen idee wat het was en was me er amper van bewust hoe nieuwsgierig ik ernaar was.

Mijn vriendin Jacquie belde me op een dag vanuit Toronto en begon voorzichtig over helderzienden. 'Bruce en ik zijn laatst bij een helderziende geweest. De vrouw die de reading gaf was behoorlijk verbazingwekkend,' begon ze. 'Aan het eind van onze sessie zei ze iets over Arron en jou.'

Jacquie vertelde me dat de helderziende mij 'heel verloren' had genoemd, alsof ik 'me door mijn angst heen aan Arron vasthield', en als 'koel en moeilijk voor Arron om op dit moment mee om te gaan'. Ik kon er niets aan doen dat ik enigszins in paniek raakte. Zou hij echt denken dat ik koel was? Onbenaderbaar? Ik voelde me alsof ik hem op de een of andere manier in de steek had gelaten. De helder-ziende had het ook gehad over 'een kleine jongen die Arron kon zien' en over een 'nachtpon'. De reading was in deze trant doorgegaan met zinspelingen op de rozen in onze tuin en op een telefoontje dat hij naar me zou hebben gepleegd. Ik schrok van de woorden: 'Hij hield echt van haar, maar zei dat niet vaak genoeg,' omdat ik wist dat Arron het net zo had gevoeld.

Maar de beschrijving die de helderziende van Arron had gegeven vond ik nog het meest treffend, want die klopte helemaal: 'Hij was een lange man, heel majestueus, heel gedreven, maar met een groot gevoel voor humor. Zijn humor had iets heel charmants en vriende-lijks. Hij kon soms behoorlijk sarcastisch zijn, of in zijn eigen woor-den "een echte rotzak". Maar hij is oké. Bij zijn leven zou hij nooit in iemand zoals ik hebben geloofd.' De frase 'een echte rotzak' gebruik-te Arron vaak met betrekking tot zichzelf, zeker nadat hij met succes een van zijn duivelse practical jokes op zijn collega's had losgelaten. Ik moest glimlachen en wilde meer horen.

'Toch grappig,' zei ik. 'Zit ik me hier zorgen over hem te maken in het leven na dit leven, en hij maakt zich zorgen over mij. Ik vind het best beledigend dat hij niet meer vertrouwen in me heeft.'

Nadat ik had opgehangen bleef ik een hele tijd zitten nadenken over wat ik zojuist te horen had gekregen. Hoe kon ik nou koel zijn? Ik wilde niets liever dan bewijzen dat Arron ongelijk had. Voor mijn gevoel was ik hem door wat de helderziende had gezegd een stukje nader gekomen, en ik wilde dieper graven. Maureen hielp me erbij om innerlijke rust te vinden en ik begon nieuwe kanten van mezelf te ontdekken, op zoek naar nieuwe ideeën. Ik hoopte maar dat ik mezelf daarmee voor hem openstelde.

Toen ik na de behandeling kalmpjes op Maureens tafel lag te kij-ken naar de gekleurde lichtjes die achter mijn gesloten oogleden dansten, luisterde naar mijn eigen ademhaling en alle zorgelijke gedachten van die dag van me af liet glijden, stelde ik me voor dat Arron me eindelijk kon horen. De gedachten die ik mezelf toestond te denken waren alleen voor zijn oren bestemd: 'Ik mis je', 'Is alles goed met je?' Maureen gaf ook yogales, en de meditaties en de langdurige, neerwaarts gerichte 'hondposes' aan het eind van elke les gaven me eveneens de kans mijn geest tot rust te brengen.

Ik kon niet anders dan geloven dat Arron nog steeds op een zeker niveau aanwezig was en dat we elkaar konden aanraken, omdat ik niet bereid was te geloven dat onze verbintenis voorgoed verloren was en omdat ik bang was voor de mogelijkheid dat er na de dood niets meer was. De mogelijkheid om hem op de een of andere manier te bereiken, zelfs in de dood, gaf me elke dag de kracht om mijn bed uit te komen.

Arron en ik waren gelukkige mensen geweest. We lachten veel. We hadden een heleboel goede vrienden en leidden wat velen een moreel verantwoord leven zouden noemen: we voedden onze kinderen op tot de vriendelijke, zorgzame burgers die we zelf hoopten te zijn. Onze moraliteit kwam echter niet voort uit geloof. God bestond niet echt voor ons, of misschien bestonden wij wel niet voor God. We baden niet. Maar desondanks bedacht ik in de zomer van 2001 dat het misschien toch een goed idee was om de kinderen te laten dopen, maar Arron vond dat een krankzinnig plan.

'We gaan niet eens naar de kerk!' riep hij uit als ik erover begon.

'Nou, misschien zouden we dat wel moeten doen,' zei ik defensief, verward door mijn eigen verzoek.

Ik hield mezelf voor dat het was omdat ik wilde dat de kinderen bekend zouden zijn met een geloof, het gevoel ergens bij te horen, iets wat ikzelf nooit had gekend. Maar de waarheid was dat ik, ongeveer een halfjaar voor 9/11, steeds een merkwaardig soort voorgevoel over de kinderen had gehad: auto-ongelukken, kidnappings, vallen vanaf grote hoogte. 's Nachts lag ik wakker met mijn hand op het nachtkastje, zodat ik mijn negatieve gedachten kon 'afkloppen'. De kinderen laten dopen voelde als een soort bescherming, een goddelijk schild dat hen voor kwaad zou behoeden. Ik begon Arron aan zijn hoofd te zeuren om een testament te maken, zodat hun toekomst veilig was gesteld, mochten wij komen te overlijden. Akelige voorgevoelens volgden me als een schaduw. Had ik maar geweten dat Arrons leven gevaar liep en niet dat van onze kinderen. Als ik dat had voorvoeld, zou ik Arron misschien zover hebben gekregen dat hij die bewuste dag was thuisgebleven.

Mijn spiritualiteit werd op de proef gesteld op de dag dat de torens instortten. Als je zo abrupt en gruwelijk uit het leven werd weggerukt zoals met Arron was gebeurd, kon je na de dood onmogelijk een rustig leven hebben. Ik maakte me zorgen dat het hem net zo zou vergaan als de man in de film *Ghost*, die op aarde bleef rondzwerven en niet over kon gaan naar de geestenwereld, omdat hij zich vast had voorgenomen om wraak te nemen. Hij communiceert met zijn vrouw via een helderziende om hem te helpen zijn dood te wreken. Zijn geest zou in een fysieke wereld gevangen blijven totdat hij zijn taak kon volbrengen. Ik maakte me zorgen dat Arron ook gevangenzat en wraak wilde voor zijn dood, en ik was niet gerust op zijn spirituele welbevinden. Ik stelde me Arron voor als een vogel die vastzat, die binnen in een schoorsteen rondfladderde en niet kon ontsnappen aan de duisternis, terwijl hij niets liever wilde dan het licht tegemoet vliegen. Ik wilde me hem op een betere plek voorstellen, een plek waar hij zich kon ontspannen en van een martini kon nippen, op sandalen en gekleed in een toga waar je zijn benen onderuit zag steken. Ik wilde hem voor me zien terwijl hij zijn glas naar me ophief en me zijn tevreden, lome glimlach schonk.

Maureens lichamelijke werk en de wekelijkse sessies rouwverwerking bij Janet, waar ik in een veilige omgeving mocht huilen en zwelgen, werden een soort religie voor me – zij waren mijn goeroes, die me terugleidden naar het leven. Ik begon te genieten van de loutering die optrad nadat ik bij Maureen op de massagetafel of bij Janet op de bank had gehuild, terwijl ik mijn tissues tot vierkantjes opvouwde.

Na verloop van tijd werd ik me meer van mezelf bewust. Ik begon beslissingen te nemen door naar mijn lichaam te luisteren, meer vanuit een onderbuikgevoel dan vanuit mijn verstand. Die beslissingen konden zo triviaal zijn als wat we die avond zouden eten, of zo belangrijk als bij wie we ons geld zouden beleggen, maar ik luisterde er vrijwel blind naar.

Ik werd eerlijker tegenover mezelf over wat ik wilde en nodig had, en maakte me er minder zorgen over wat anderen van mijn beslissingen zouden vinden, want ik was niet langer bang voor wat er zou gebeuren als ik me zou vergissen.

Ook kreeg ik oog voor kleine toevalligheden: net op het moment dat ik erom verlegen zat kreeg ik een tip voor een goede financieel adviseur; Arrons favoriete song was op de radio net toen ik aan hem liep te denken; ik wist wie er aan de telefoon was nog voordat ik opnam; of ik ontdekte een boek dat ging over zaken die verband hielden met de spiritualiteit of dood, precies die onderwerpen waarover ik mezelf vragen stelde. Ik dacht nu aan Arrons overduidelijke invloed toen zijn moeder en ik de ideale plek voor zijn herdenkingsdienst hadden gevonden: het landhuis in tudorstijl midden in New Jersey. Toen Selena en ik over de lange, door bomen omgeven oprijlaan hadden gereden, hadden we elkaar aangekeken. 'Deze plek is er geknipt voor,' had ze gezegd. Het was alsof er een knipperende hand van neon met zijn vinger naar het landhuis had gewezen: 'Doe het hier, Bird, dit is de plek die ik wil.' Misschien zocht ik naar toevalligheden, maar ze voelden als broodkruimels langs een pad, en ik was meer dan bereid ze te volgen.

Ik vond andere manieren om me op Arrons golflengte af te stemmen. Als ik Harley uitliet, deed ik de meditatie die Maureen me had geleerd: al lopend maakte ik mijn hoofd leeg en concentreerde me op mijn ademhaling. Ik probeerde de blaadjes te zien die langs het pad naast me dansten, probeerde het geluid van krakend ijs op de plassen te horen als ik erop stapte, of het gehamer van een specht in een boom vlakbij. Ik stelde me voor dat Arron naast me liep, zoals we zo vaak samen in dit park hadden gelopen, en probeerde gesprekken met hem te voeren. Een tsjirpende vogel vlakbij en het geritsel van de wind in de bladeren boven mijn hoofd werden zijn antwoorden op mijn vragen.

Soms werd Arrons aanwezigheid bijna tastbaar. In mijn kantoor bij Audible rook ik op een dag, toen ik al weer een paar weken aan het werk was, opeens een sterke brandlucht. Ik ging naar de kamer naast de mijne.

'Steve, ruik jij ook rook?'

'Nee... en ik mag hopen dat de tent hier niet af fikt!' schertste hij.

Een paar dagen later rook ik het weer, deze keer in mijn slaapkamer. Ik dacht dat een van de buren een vuurtje had gestookt. Een week later rook ik dezelfde lucht in de woonkamer. Weer nam ik aan dat een haard in de buurt er de oorzaak van was. Een paar weken daarna was het weer raak op kantoor. En later bespeurde ik in slaapkamer tot mijn verbazing wéér de zwakke geur van een houtvuur.

'Weer?' riep ik hardop tegen niemand. 'Wat raar.'

En toen begon het me te dagen: Arron.

'Jesses! Rook? Is dat jouw manier om met mij te communiceren? Hoezo rook? Het is gewoon griezelig! Waarom heb je geen andere geur gekozen, eentje die me níét aan 9/11 doet denken? Mottenballen, bijvoorbeeld, of citroen.' Ik moet wel als een krankzinnige hebben geklonken, zoals ik daar in het luchtledige stond te praten, en ik huiverde. De geur was niet die van de rook van Ground Zero, die geurde naar nat pleisterwerk, beton en de misselijkmakende zoetheid van de dood. Dit was zonder meer een vriendelijker geur, zoals die van een haard.

Als Arron thuis een vuurtje stookte, vulde de kamer zich altijd met rook en begonnen onze ogen te tranen. Vervolgens zetten we de voordeur open tot we het koud kregen, nog steeds in onze ogen wrijvend.

'Die stomme haard wil niet trekken!' zei hij dan, terwijl hij nog meer krantenproppen maakte om aan het smeulende vuur toe te voegen, waardoor het alleen maar erger werd.

'Het is een prima vuur, schat! Je hebt het nu goed op gang gekregen! Maar heb je niet toevallig weer vergeten de klep open te zetten?' deed ik dan enthousiast. Op dat moment draaide hij zich om en keek me vuil aan.

'O mijn god!' zei ik nu tegen de lucht. 'Dit moet zeker jouw grap voorstellen! Zelfs als geest zit je nog vol grappen en grollen!'

En zo werd ik plezierig achtervolgd door de geur van rook, vooral wanneer ik onze slaapkamer binnenkwam. Hoewel de rooklucht me eerst van slag maakte, duidde die volgens mij op Arrons aanwezigheid. Ik voelde me er in de loop der tijd steeds meer door getroost, net als door vlinders en door lampen die vanzelf aangingen, omdat ik daaruit opmaakte dat hij vlak bij me was. Ik ging gesprekken met de geur aan. 'Is die rookgeur soms jouw manier om me te vertellen dat mijn kleren je niet aanstaan?' of 'Ha, schat. Ik heb weer een zware dag gehad zonder jou.'

Ondanks mijn eerste reactie op het omslag begon ik Maureens boek, *Awakening from Grief* te lezen, en het werd een keerpunt voor me, omdat ik voor het eerst begreep dat verdriet een positieve uitkomst kon hebben. Door verhalen te vertellen over mensen die de dood in de ogen zagen en vervolgens stierven, en door de ervaringen van degenen die om hen rouwden, hielp John Welshons zijn lezers hun angst voor de dood te overwinnen. Toen ik las over de intieme details van de situatie waarin anderen hadden verkeerd, begon ik te begrijpen dat de dood een natuurlijk onderdeel van het leven is. Ik besefte dat ik mijn leven lang bang was geweest voor verlies, voor de dood, misschien wel als gevolg van de scheiding van mijn ouders toen ik acht jaar was. Als kind laveerde ik probleemloos door alle veranderingen in mijn leven heen, waarbij ik het voor me uit schoof mijn emoties onder ogen te zien. Maar toen ik net getrouwd was, kreeg ik last van scheidingsangst als ik niet bij Arron was, en in het meer recente verleden had ik visioenen gehad van ernstige crises die de kinderen overkwamen. Nu de dood zo dichtbij was gekomen, moest ik die wel onder ogen zien.

Terwijl ik het boek las, realiseerde ik me dat Arrons dood mijn eigen angst had opgewekt. Misschien dat mijn zogenaamde uitwisselingen met hem zich alleen maar in mijn gedachten afspeelden, maar zo probeerde ik wel zijn dood te verwerken. Ik leerde zonder hem te leven. Ik weet nu dat wij allemaal het vermogen hebben om met verlies in ons leven om te gaan en om van onze verliezen te leren. Ik stelde me graag voor dat je na de dood verder leefde, dat de dood niet zomaar een eindeloos zwart gat was. Maar ook als dat wel zo was, was de wetenschap dat ik een leven had geleid vol successen en missers, dat ik had liefgehad en door anderen werd liefgehad, genoeg om mijn angsten voor de dood te verzachten.

Ik kreeg oog voor de kans die mijn verdriet me zou geven: bevrijding van angst. Vanuit die vrijheid was ik niet langer bang om de verkeerde beslissingen te nemen en kon het me minder schelen wat andere mensen dachten van mij of van mijn keuzes. Ik realiseerde me dat ik mijn hele leven bezig was dingen voor andere mensen te doen: de juiste baan zien te vinden, een goede echtgenote en moeder zijn. Nu leek ik plotseling eindeloze mogelijkheden in mijn leven te hebben. Als ik zin had, kon ik in Parijs gaan wonen, of gaan skydiven. Ik zou schrijfster kunnen worden. Ik zag de wortel van afgenomen verdriet voor mijn neus bungelen, zag in dat de intensiteit van het verdriet dat ik nu voelde uiteindelijk zou kunnen uitmonden in een frisse, positieve kijk op het leven. Ik stond tegenwoordig al meer open voor nieuwe ideeën en nam de adviezen van mensen en boeken ter harte die ik normaal gesproken uit de weg zou zijn gegaan, omdat ze te 'zweverig' of te 'gevoelig' waren.

Ik sprak met Diane, mijn buurvrouw, over mijn spirituele verkenningen en mijn interesse in het verhaal van de helderziende in Toronto. Ik wist dat ik met Diane prima over deze zaken kon praten. Ze was een wijs mens en verdiepte zich naar believen in alles, van helderziendheid en astrologie tot numerologie en alternatieve geneeskunde. Van haar wist ik dat ze me niet zou uitlachen. Ze raadde me aan haar boeken te lezen van de bekende tv-helderziende Sylvia Browne. Ik was een beetje sceptisch. Sylvia Browne was nou niet bepaald het type dat ik me bij een helderziende voorstelde. Op het eerste gezicht kwam ze nogal onbehouwen over en leek ze erg met aardse zaken bezig te zijn, en er niet vies van om flink wat geld te verdienen. Ze kwam zeer zeker niet overeen met de etherische voorstelling die ik van een echte helderziende had: een kleine, Midden-Europese, zigeunerachtige vrouw, een kalm iemand met een rijk innerlijk leven, maar heel krachtig. Niettemin verslond ik Brownes boeken als een hongerige wolf, naarstig op zoek naar informatie over Arron. Haar woorden boden me iets waarvan ik niet had geweten dat ik het zocht: een gedetailleerde beschrijving van de hemel.

Met een gezag waar ik niet omheen kon beschreef ze gebouwen en grote zalen, huizen en mensen (zielen). Haar beeldende beschrijvingen van deze oorden kwamen overeen met mijn kinderlijke ideeën daarover en boden me een setting waarin ik Arron kon plaatsen en een manier om te begrijpen waarom ons zo'n tragedie was overkomen. Ik stond er nogal van te kijken dat ik gevoelig bleek voor deze vorm van spiritualiteit, want die leek naïef en simplistisch. Maar het sloot goed aan bij die babystapjes die ik had gezet naar begrip van mijn eigen overtuigingen. Haar woorden boden me troost en ik voelde me kalmer zodra ik me begon voor te stellen dat 'geestelijke gidsen' voor Arron zorgden en dat hij bij zijn overgang naar de geestenwereld werd 'gekoesterd'.

Wanneer ik mijn gedachten liet gaan over Arrons lot, kwamen er steeds twee vragen bij me op: bepaalden we ons eigen lot, of was dat van tevoren al door een hoger wezen bepaald? Het leek erop dat het Arrons lot was geweest om op die ene dag in een van de torens te zijn. De verhalen van mensen die op 9/11 wel en niet in de torens waren geweest, lagen voor het oprapen. Een man die twintig jaar in het World Trade Center had gewerkt was op die dag gaan golfen, zodat de tragedie aan hem voorbij was gegaan; een ander die al lange tijd in het wtc werkte, kwam te laat op zijn werk doordat zijn werksters zijn huissleutel kwijt waren geraakt; een chef van het Windows on the Worldrestaurant had die ochtend vroeg zijn bril gebroken, was naar de winkels in het souterrain gegaan om hem te laten repareren en was op die manier gespaard gebleven. Velen waren net als Arron alleen die dag in de torens geweest omdat ze een ontbijtvergadering hadden of iets moesten afleveren. Had iedereen die die ochtend in de torens had vastgezeten 'besloten' zijn of haar eigen lot te ondergaan en te sterven? Dat was een belachelijke gedachte.

Dat je lot van tevoren vaststond leek meer hout te snijden. Zo was het ons keurig netjes uit handen genomen. De wil van God. Maar ik wist niet goed of ik wel in God geloofde. Maar als Hij niet bestond, wie nam dan de beslissingen, en waarom Arron? Waarom al die mensen? Waarom juist op die dag? Ik wilde niets horen van het cliché dat 'God plannen met hen had'. Ik moest er niet aan denken dat God op wat voor manier dan ook iets met die dag te maken had gehad.

Browne bood een nieuwe kijk op het lot: de gedachte dat wij allemaal ons eigen lot creëren voordat we op aarde komen. Het was een soort combi-oplossing voor mijn dilemma: een lot dat én door jezelf gestuurd wordt én van tevoren bepaald is, hoewel eerder persoonlijk dan door God. Om vooruit te komen op de spirituele ladder naar het nirwana, kiezen we ervoor een leven op aarde te leiden om emoties te voelen en beproevingen te ondergaan die de geestenwereld ons niet kan bieden. Voor onze geboorte creëren we voor onszelf een 'levenspad' voor de tijd die we op aarde doorbrengen. We kiezen de mensen die als gidsen en leraren in ons leven komen, we kiezen onze ouders, we kiezen zelfs onze eigen vertrekpunten, in totaal vijf momenten tijdens onze levensspanne waarop we de keus hebben de aarde te verlaten als we het gevoel hebben dat we hebben geleerd wat we op aarde moesten leren.

Meteen was ik helemaal vol van de romantische gedachte dat Arron en ik elkaar van tevoren als partners hadden uitgekozen. Het maakte me bijna aan het lachen als ik me voorstelde dat hij het moment van zijn verscheiden zelf had bepaald, want ik besefte dat hij het meest dramatische levenseinde dat maar mogelijk was zou hebben gewild; dat paste helemaal bij zijn non-conformistische, onstuimige karakter. 'Kom maar op!' hoorde ik hem bijna zeggen. Toch vroeg ik me af welke spirituele les hij moest hebben geleerd om er klaar voor te zijn van deze aarde weg te gaan. Misschien was de manier waarop hij was heengegaan op zichzelf wel een les geweest: het leven moest je leven, en niet op je werk doorbrengen. Het leven was méér dan alleen maar geld verdienen. Het ging om degenen die je liefhebt. Het leven was kort.

Arron had altijd geprobeerd een heel leven in een paar korte jaren te proppen. Hij was er enorm op gespitst geld te sparen. Hij stelde hoge eisen aan zichzelf en stelde ingewikkelde doelen die hij voor zijn veertigste bereikt wilde hebben. Meer lichaamsbeweging nemen, meer tijd aan gezin en familie besteden, 500.000 dollar per jaar verdienen of een eigen zaak beginnen, nog een beleggingspand kopen, zijn vrienden vaker zien, een boek schrijven. Nooit bleef hij langer dan twee jaar bij dezelfde werkgever, want als hij de vereiste vaardigheden eenmaal onder de knie had, begon hij zich te vervelen. Achteraf vroeg ik me af of al die dingen ermee te maken hadden dat hij onbewust had geweten dat hij jong zou sterven.

Arron leefde volgens het motto 'Als je je leven niet leuk vindt, breng er dan verandering in aan'. Hij verwelkomde verandering, en ik weet zeker dat als we ooit een echte discussie over het lot zouden hebben gevoerd, hij gezegd zou hebben dat hij het zijne zelf bepaalde.

Het logische, rationele deel van mijn brein waarschuwde me ervoor om te snel geloof te hechten aan Brownes simplistische, clichéachtige retoriek, maar aangezien ik toch al zo mijn vraagtekens zette bij de meer geaccepteerde vormen van religie, en omdat ik wilde weten waar Arron uiteindelijk was beland, stond ik open voor de denkbeelden van iemand die overleden mensen kan zien.

Ik besloot me te blijven openstellen, en het helderziendengebabbel gaf me een beter gevoel. Ik wilde ook graag met overleden mensen praten. Ik wilde dat Arron me kon zien, dat ik hem kon zien in zijn leven na de dood. Ik verlangde ernaar de gladheid te voelen in de welving van zijn rug of heup, de helling te voelen van zijn neus, en zijn geur in te ademen zoals ik met de koele, geurige lucht van een lenteochtend zou doen. Geleidelijk aan begon ik me dingen te herinneren die ik door mijn verdriet had onderdrukt: de twinkeling in zijn ogen en het gebulder van zijn aanstekelijke lach. In stilte praatte ik met hem en ik spitste mijn oren voor zijn denkbeeldige fluisteringen. 'Er valt zoveel te leren, Bird,' hoorde ik hem zeggen in het vogelgezang wanneer ik door het bos liep. 'Het is hier mooi,' of: 'Je doet het fantastisch met de kinderen; ik ben trots op je, Bird.' Dit soort gesprekken met Arron gaven me de kracht om de volgende dag aan te kunnen, en ik ging stapje voor stapje vooruit.

Iedereen die ik tegenkwam, elk boek dat ik las leek met ideeën te komen waar ik iets van kon leren. Terwijl het zinnetje 'Het leven is te kort' me voortdurend van de lippen rolde, boorde ik nieuwe denkkaders aan – spiritualiteit, het lot, de dood, het leven na dit leven – waar ik voorheen nooit zo bij had stilgestaan. Ik werd spontaner – ik kocht een bed, nam een baan aan, boekte een vakantie – en zat niet langer vast in de status-quo. Het leven was in beweging en ik leerde flexibel te zijn.

Het was aan mij om mezelf, door de keuzes die ik maakte en door de manier waarop ik in het leven stond, te verlossen uit mijn verdriet. Ik voelde mijn lichaam uit de knoop komen en was minder terneergedrukt naarmate de droefheid steeds meer uit mijn lichaamscellen verdween. Ik leerde dat als ik me ontspande en toeliet dat mensen me hielpen, in wat voor vorm dan ook, het mogelijk moest zijn weer geluk en plezier te ervaren.

11

Een turbulente kerst

Mijn spirituele ontdekkingen in de late herfst moesten wijken voor het naderende kerstfeest, en ik kwam weer terecht in een aan de aarde gebonden verdriet. Het leek wel of iedereen in 2001 de feestdagen extra uitbundig wilde vieren, als in een poging om de gevoelens van altruïsme en goede wil die de maanden sinds 11 september hadden gekenmerkt levend te houden. Iedereen om me heen leek zich vast te hebben voorgenomen dat jaar een grootse kerst te vieren – misschien om mij door mijn ellende heen te helpen – en het was dringend noodzakelijk om plannen te maken, want ik werd overspoeld met uitnodigingen voor etentjes en feestjes. In elke winkel waar ik kwam, werd ik belaagd door kaneel- en dennengeuren, en oude kerstliedjes riepen herinneringen op: Arron en ik die op de avond voor kerst cadeautjes voor de kinderen zaten in te pakken, terwijl hij de koekjes opat en de melk opdronk die zij voor de Kerstman hadden neergezet; in het donker op de parkeerplaats van de poolclub een boom kopen, en Arron, eenmaal thuis, zien vloeken terwijl hij hem in de standaard probeerde te krijgen; Arron in zijn blauwe badstof badjas op kerstochtend, terwijl hij luisterde naar bluesachtige oude kerstdeuntjes, mimosalimonade dronk en worstelde met de verpakking van het speelgoed; Arron die op eerste kerstdag bij mijn vader thuis in Port Hope ontspannen de gebruiksaanwijzing van zijn nieuwste hebbedingetje zat te lezen, terwijl hij garnalen at en bier dronk. Elke herinnering stemde me droevig.

Ik kocht me suf aan cadeautjes voor de kinderen, voor leraren, voor buren. Ik had de afgelopen maanden zoveel vriendelijkheid ondervonden dat ik vond dat ik daar in de vorm van kerstcadeautjes iets voor terug moest doen. De meeste cadeautjes bestelde ik bij Amazon.com en liet ik op kantoor afleveren, maar doordat ik per ongeluk op de KOPEN-knop had gedubbelklikt, kreeg ik van alles twee exemplaren. 's Avonds zat ik ze in mijn eentje in de slaapkamer in te pakken en te huilen.

Op 22 december zou Arron veertig geworden zijn. Ik vroeg me af hoe we het gevierd zouden hebben als hij nog had geleefd. Door chic uit eten te gaan? Een weekendje weg? Een grote surpriseparty? Ik dacht eraan hoe leuk ik het zou hebben gevonden om achter zijn rug om iets te regelen. Hij was heel verschrikkelijk als het om verrassingen ging en vond altijd wel een manier om roet in het eten te gooien. Ik had met mezelf te doen dat ik het nu nooit zou kunnen proberen.

Selena was een paar dagen eerder met het vliegtuig naar New Jersey gekomen om samen met mij de tien uur durende autorit naar Port Hope te ondernemen, waar we met mijn vader en Sheilagh Kerstmis zouden vieren. Het leek toeval dat Selena op Arrons verjaardag bij ons was, ook al betekende dat extra druk om een manier te zoeken om het te vieren die haar ook iets zou zeggen. Zijn verjaardag viel samen met een kerstvoorstelling op Olivia's school, wat een prima afleiding leek.

Ik was afgelopen juni voor het laatst in de schoolaula geweest voor Olivia's kleuterschooloptreden. Arron en ik hadden de trotse ouders gespeeld en hadden verwoed zitten zwaaien vanaf het balkon van de grote zaal elke keer dat we dachten dat Olivia onze kant op keek. Nu was ik er met Selena en Janet, die had aangeboden me te komen helpen met de kinderen. Carter had ik op mijn schoot en we zaten op dezelfde stoelen waarop Arron en ik in juni hadden gezeten. Ik verwachtte Arron door de mensenmassa heen te zien komen, zwetend omdat hij had gehold vanaf de bus, met zijn das losgetrokken, blij dat hij nog net op tijd was.

De voorstelling begon en elke klas gaf een gedeelte van het toneelstuk ten beste, dat over verschillende landen ging. We verbaasden ons erover hoe schattig alle kinderen waren en spitsten onze oren om te horen wat ze zeiden en zongen. Olivia's klas was het laatst aan de beurt en liet een Chinese drakendans zien: een rij kinderen die al hopsend en huppelend over het podium golfde. Olivia hoefde, omdat ze deel uitmaakte van de staart, niets anders te doen dan met de rest van haar klas mee te zingen en te dansen, maar toch was ik trots op haar dat ze zich zo goed hield na alles wat ze had moeten doormaken en nadat ze zoveel repetities had moeten missen. Het enige waar ik aan kon denken was dat Arron ook apetrots zou zijn geweest en dat hij toen het afgelopen was hard zou hebben geklapt en zou hebben gejuicht en op zijn vingers zou hebben gefloten.

Die avond voelde ik me zowel blij als verscheurd. Het zou een prachtig verjaarscadeau voor Arron zijn geweest om Olivia te zien dansen. Ik probeerde mezelf voor te houden dat hij het allemaal had zien gebeuren, maar dat werkte niet. Ik wilde dat Arron mijn hand een kneepje gaf. Ik wilde me gegeneerd voelen bij zijn luide gefluit en geroep. Ik wilde dicht bij hem zijn en hem aanraken. Toen de zaal uitbarstte in een slotapplaus, moest ik mijn tranen bedwingen.

We kwamen laat thuis en wisten nog steeds niet goed hoe we Arrons verjaardag nou moesten vieren. Ik had een bescheiden ijstaart gekocht. Terwijl ik een jovialiteit voorwendde die ik helemaal niet voelde, verzamelde ik de kinderen en Selena rond de keukentafel, zodat we 'Er is er een jarig' konden zingen. De kinderen zongen er lustig op los, maar Selena en ik waren bijna in tranen en kregen de woorden amper over onze lippen. Ik deelde flinke stukken taart rond, de kinderen likten het ijs snel op, en dat was dat.

'Mogen we nu gaan spelen?' vroeg Olivia.

Het stoorde me dat ze kennelijk niet begrepen hoe belangrijk dit moment was. Ik wilde het nog wat rekken, wilde verhalen over Arron vertellen, hem keer op keer gedenken en nooit meer vergeten. Maar de kinderen konden hun aandacht er niet lang bij houden en moesten naar bed. En ik moest me voorbereiden op ons vertrek de volgende ochtend vroeg, wat inhield dat ik koffers en cadeaus moest inpakken. Dus gooide ik de maar half opgegeten taart zonder pardon in de vuilnisbak.

In Carters kamer haperde mijn stem terwijl ik de gebruikelijke slaapliedjes voor hem zong. In stilte biggelden de tranen over mijn wangen en drupten van mijn kin. Met niets wat ik deed leek ik ooit Arron de juiste eer te kunnen bewijzen.

Toen we de dag daarop in Port Hope het huis van mijn vader binnenkwamen, ging dat met de gebruikelijke chaos gepaard. Harley blafte opgewonden en de kinderen, die eindelijk de autozitjes uit mochten, renden rond. Die avond zat ik met mijn vader en Sheilagh aan een late maaltijd met een glaasje wijn. Het was een vrij normale avond. Ik had al vele keren aan deze tafel gezeten, zowel voordat ik Arron leerde kennen als daarna, met een glas wijn, pratend over politiek of architectuur; die oude, vertrouwde patronen hadden een kalmerende uitwerking op me. Behalve dan dat er één stoel onbezet bleef.

Ik wilde dat Jill en Dan dit jaar ook hadden kunnen komen, maar nu Jill bijna zeven maanden zwanger was, was het niet raadzaam om nog te vliegen. Jill zou me hebben opgevrolijkt met haar doldwaze humor. Zij was een van de weinige mensen die me steevast aan het lachen konden maken tot de tranen me over de wangen liepen. En op dat moment kon ik wel een flinke lachbui gebruiken.

Ik zag de kerst met angst en beven tegemoet, omdat ik niet precies wist wat voor emoties er dan door me heen zouden gaan. Ik besloot me geheel en al te wijden aan het maken van *tourtière*, een Frans-Canadese vleespastei die we op kerstavond altijd aten. Met hulp van Selena hield ik Carter bezig, zorgde dat hij geen kattenkwaad uithaalde, dat hij zijn dutje deed en werd verschoond, en de twee dagen vlogen voorbij.

Opeens was het kerstavond. We waren uitgenodigd voor twee feestjes, het ene bij een van mijn vaders vrienden thuis. De vele kleinkinderen van het echtpaar renden opgewonden rond. Het was een leuke, levendige groep mensen, maar alle drukte overviel me. In de filmwereld bestaat er een effect waarbij de hoofdpersoon scherp in beeld is, terwijl de rest om hem heen beweegt en vaag te zien is; ik voelde me ook alsof ik scherp in beeld was, terwijl mensen die ik niet kende in een waas aan me voorbijgingen. Ik maakte hier en daar een praatje, me verschuilend achter Carters aanhankelijkheid, zonder te weten wat ik nou eigenlijk zei.

Algauw verzamelde iedereen zich in de woonkamer; de kinderen gingen op de grond zitten, de ouderen zochten de meer comfortabele fauteuils op en de rest nam plaats op het puntje van een stoel of bleef staan. Er werden groezelige en verkreukelde vellen met liedteksten rondgedeeld en iedereen begon kerstliedjes te zingen. Ik was daar niet voor in de stemming. Iedereen leek zo gelukkig, zonder te beseffen hoe verdrietig ik was. Ik wilde hier dolgraag weg en hoopte dat Carter de kamer uit zou rennen, zodat ik achter hem aan kon gaan en kon ontsnappen. In plaats daarvan kroop hij naar Olivia en pakte tot haar grote ergernis haar tekstblad af. Het leek wel een eeuwigheid te duren voordat ik mijn vader zag rondkijken naar ons groepje om aan te geven dat het tijd was naar het volgende feestje te gaan.

Daar, in een huis dat Blue Stone heette en dat alleen met kaarsen was verlicht, voelde ik pas goed hoe moe ik was. De kinderen hadden vrijwel alleen kerstkoekjes als avondeten gehad en waren uitgeput en opgewonden. Met Carter en Olivia achter me aan dwaalde ik door het historische pand, onder de indruk van de zorgvuldige renovatie, en probeerde een praatje te maken met een paar van de vrienden van mijn ouders, terwijl ik mijn best deed de blik van mijn vader of Sheilagh te vangen. Ik wist dat het had gewerkt toen ik Sheilagh zachtjes in mijn vaders oor zag praten.

Toen we die avond om halftien eindelijk thuiskwamen, bracht ik de kinderen naar bed en ging daarna naar beneden voor een souper van tourtière, die ik amper proefde. Vervolgens vulde ik kerstkousen, ook voor mijn vader, Sheilagh en Selena, in de hoop dat ze er de volgende dag een beetje plezier aan zouden beleven. Uitgeput viel ik in slaap.

De volgende ochtend waren de kinderen al om halfacht op om te kijken wat er in hun kerstkousen zat, en liepen daarna rond met grote rode waslippen en malle brillen. Ook Selena stond vroeg op, om maar niets te missen. Uiteindelijk kwamen ook mijn vader en Sheilagh, en mijn pogingen om de kinderen ervan te weerhouden de kerstcadeautjes open te maken gingen in alle drukte verloren. Er lag een grote cirkel van pakjes onder de boom, meer dan we ooit eerder hadden gehad. Iedereen, vooral ik, had zich uitgeleefd om cadeautjes voor de kinderen te kopen, alsof meer spullen konden voorkomen dat ze verdrietig zouden zijn. We keken allemaal toe hoe Carter en Olivia verpakkingen openscheurden en cadeautjes naast zich neerlegden om er nog meer open te maken. Ze hadden iets maniakaals, leek het wel. Ik voelde me opgelaten en zei halfhartig dat ze kalmer aan moesten doen, hoewel ik niet in de stemming was om de discipline te handhaven. Het zou niet elke keer met Kerstmis zo gaan. Ieders aandacht leek op de kinderen gericht en we slaakten overdreven blije kreten.

Ik zat op de bank en keek toe hoe Olivia een pakje met een pop openmaakte. Ze zag er verloren uit, alsof ze Arron miste, maar ze zei niets. Ik kon bijna voor me zien hoe hij daar zat, zoals al die jaren daarvoor, terwijl hij met veel moeite pakjes openmaakte met een heleboel touw eromheen gedraaid of aan karton vastgezet haar van de barbiepop moest lospeuteren. Ik herinnerde me zijn enthousiasme en zijn vrolijkheid als hij zijn eigen cadeautjes openmaakte. Hij werd zelf weer een kind als hij de kinderen hielp om voor Kerstman te spelen en hun de cadeautjes aangaf met de opdracht ze aan de juiste persoon te geven. Nu was ik degene die de kinderen regisseerde; ik maande hen rustig te wachten tot anderen hun pakjes hadden opengemaakt voordat er weer een nieuw pakje werd uitgedeeld; nu was ik degene die moeite had met het barbiepophaar. Maar ik keek niet zo vrolijk als hij en voelde me net zo stijf als de pop: aan alle kanten ingekapseld, vastgebonden met draadjes, niet in staat te bewegen.

's Middags kwamen mijn tantes, ooms en neven en nichten binnendruppelen, wat elke keer weer aanleiding was voor een nieuwe ronde pakjes. Meestal hielp ik mee met de voorbereidingen voor het diner, maar nu moest ik Carter zien bezig te houden terwijl ik voortdurend poppen en ander speelgoed uit geseald plastic moest bevrijden, er batterijen in moest doen en ingewikkelde gebruiksaanwijzingen moest ontcijferen. Arron was altijd degene geweest die speelgoed in elkaar zette. Arron was altijd met de kinderen naar buiten gegaan voor een wandelingetje of ritje op de slee zolang ik in de keuken hielp met het eten. Hij had altijd meer met het kinderspeelgoed gespeeld dan de kinderen zelf.

Aan tafel deed iedereen zijn best een vrolijk gezicht op te zetten, maar het lag er te dik bovenop. We trokken aan elkaars knalbonbons tot ze met een harde klap opensprongen, waar ik van schrok. Er vloog een klein speeltje door de lucht en Carter dook onder tafel om het te gaan zoeken. Ik zette het verplichte hoedje van roze vloeipapier op mijn hoofd. Dat van Carter was gescheurd en door op hem in te praten voorkwam ik dat hij in snikken uitbarstte. Sheilagh wierp ons een blik toe, geërgerd over alle verwennerij van de kinderen die dag. Ik besefte ook wel dat ze veel te veel verwend waren, maar het kon me niet schelen en ik had de fut niet om ze iets anders te laten doen dan wat ze zelf wilden.

Het diner werd opgediend en de gebruikelijke gesprekken kwamen op gang. Het weer. Wat andere familieleden deden met kerst. Iemands nieuwste project of een grappige anekdote op het werk. Ik probeerde herinneringen op te halen aan Arrons pogingen om hints te spelen, waaraan deze zelfde groep vorig jaar had meegedaan, maar niemand was in de stemming om te lachen en het onderwerp bloedde dood. Verder had niemand een verhaal over Arron te vertellen.

Carter kon niet stil blijven zitten en gleed steeds van zijn stoel af, onder tafel. Olivia schopte hem en hij zette een keel op. Ik trok hem op mijn schoot, waar hij met een touwtje van een knalbonbon begon te spelen, zodat die opnieuw openknalde. Hij trok er iets te hard aan en gooide bijna een glas wijn om, dat ik nog net op tijd wist op te vangen. Toen ik zijn hand pakte moest hij even huilen, waarna hij weer onder de tafel sprong om met Olivia te zoeken naar speeltjes die uit een knalbonbon waren gevallen. Hij ging staan en stootte zijn hoofd tegen de onderkant van het tafelblad, waarop hij weer begon te jammeren.

Na het diner waren de kinderen rusteloos, oververmoeid en vervelend. Carter moest naar bed, maar ik had willen helpen met afruimen. Ik bracht Carter tot bedaren en pakte nog wat borden van de tafel, maar Sheilagh nam ze van me over en zei: 'Moet hij niet naar bed?' Ze zei het op de honingzoete toon die ik zo goed kende uit mijn eigen jeugd, met opeengeklemde kaken. Ze had het helemaal gehad met jengelende kinderen en wilde dat die in bed werden gestopt. In mijn zorgvuldig opgebouwde façade verscheen een barst en ik probeerde uit alle macht mijn tranen te bedwingen. We waren aan het eind van ons Latijn. Ikzelf verlangde ook naar mijn bed.

Kwaad en gekwetst door wat aanvoelde als kritiek bracht ik Carter naar boven, blij dat ik aan de drukte beneden kon ontsnappen. Ik huilde en wenste dat ik thuis was. Tot zwijgen gebracht door mijn tranen kroop Carter gehoorzaam zijn bed in. Ik ging naast hem zitten en vroeg hem wat hij wilde dat ik voor hem zou zingen. Het vaste repertoire bestond uit het wiegelied van Brahms, 'I Gave My Love a Cherry', en 'Slaap, kindje, slaap'.

'Dat liedje over engelen,' zei hij prompt. Het duurde even voor ik wist wat hij bedoelde: 'Stille Nacht' – met op het eind 'sluimer zacht, d'engelen houden de wacht'. De tranen begonnen weer te prikken, mijn keel werd dichtgeknepen.

'Hemellied van papa,' zei Carter, alsof hij mijn gedachten kon lezen. Stelde hij zich Arron zo voor: slapend in de hemel? Ik kon me niet herinneren dat ik dit lied eerder voor hem had gezongen, maar op de een of andere manier moest hij het gehoord hebben en de tekst hebben begrepen. Op de een of andere manier had hij de woorden 'd'engelen houden de wacht' met Arron in verband gebracht.

Met moeite kreeg ik de tekst over mijn lippen, die ik opdiepte uit mijn herinneringen aan al die voorbije jaren van kerstliedjes zingen. Eerst zong ik haperend, maar naarmate ik me meer ontspande verdween mijn woede, zong ik met meer kracht en begon ik het leuk te vinden. We bevonden ons in de 'bruine kamer' van mijn vaders victoriaanse huis, dat Sheilagh en hij in de afgelopen tien jaar met veel moeite in zijn vroegere glorie hadden hersteld, en het was er donker, op een nachtlichtje van witte plastic tulpen in een hoek na. Bij het bed lag een stapel uit het cadeaupapier bevrijd speelgoed, grotendeels nog in de dozen. Aan de andere kant van het grote raam scheen de volle maan helder op de verse sneeuw die de hele dag door zachtjes was gevallen. Het blauwe licht wierp zijn gloed de kamer in en het leek net alsof het als een spotje op ons gericht was. Het was heel vredig en mooi.

Carter keek me met zijn plechtige gezichtje aan en het lied begon me te verwarmen; ik kalmeerde door de cadens ervan. 'Stille nacht, heilige nacht, slaap gerust, sluimer zacht...' Het leek precies een beschrijving van het betoverende tafereel buiten. De nacht voelde inderdaad aan als door de hemel gezonden, heilig. Ik voelde dat Arron bij ons was, of het op de een of andere manier had weten te regelen dat het buiten zo mooi was, en die gedachte troostte me. Carter viel in slaap en terwijl ik een kus op zijn voorhoofd drukte, fluisterde ik zowel tegen Carter als tegen Arron: 'Zalig kerstfeest.'

Mijn moeder, Margot, en mijn broer, Matt, waren beide op tweede kerstdag 's middags uitgenodigd bij mijn vader en Sheilagh thuis. Dat was nog nooit eerder gebeurd. In de achtentwintig jaar dat mijn ouders nu gescheiden waren, ik was toen acht, was mijn moeder zelden bij mijn vader thuis uitgenodigd. Ik wist dat mijn vader en mijn moeder er in de loop der jaren in waren geslaagd hun animositeit tegenover elkaar te laten varen en vrienden te worden, maar in mijn jeugd was er bijna geen contact tussen mijn moeder en Sheilagh geweest, en dat was in de loop der jaren niet veranderd. In de vreemdsoortige emotionele toestand waarin ik verkeerde, voelde ik me net een kind dat het niet kan verdragen dat de twee soorten eten op haar bordje elkaar raakten. Ik kon niet tegen de stress die ontstond doordat de leefwerelden van mijn ouders elkaar raakten.

Op de ochtend van tweede kerstdag voelde ik de aloude lichte misselijkheid bij het vooruitzicht dat mijn moeder straks in hetzelfde huis zou zijn als mijn vader en Sheilagh. De linkerkant van mijn nek deed al pijn en ik had hoofdpijn gekregen. Ik snauwde tegen de kinderen dat ze niet zo moesten gillen, rondrennen en kibbelen. Carter wilde telkens weer gedragen worden. Sheilagh zag er gespannen uit. Ik wist dat zij zich zenuwachtiger maakte dan ik vanwege de komst van mijn moeder. Ze was verlegen en vond sociale situaties heel erg moeilijk. Tijdens feestjes trok ze zich liefst boven in een slaapkamer terug. Ik werkte de kinderen naar een andere kamer en zette een video voor ze op in een poging wat rust en vrede te krijgen.

Selena belde en ik sprak met haar af om met de kinderen bij haar langs te komen, zodat Sheilagh even rust zou hebben. Ik was nog steeds wrokkig tegenover haar en zocht naar een uitweg.

'Ik wil alleen weten of Sheilagh wil dat ik vandaag gehaktpasteitjes meeneem,' vroeg Selena. Sinds ze een paar jaar geleden naar Port Hope was verhuisd, had Selena elke kerstavond, elke eerste kerstdag, elk kerstdiner en elke tweede kerstdag met mijn vader en Sheilagh doorgebracht.

Mijn vader kwam de keuken in net op het moment dat ik Sheilagh de vraag stelde en haar de telefoon overhandigde.

'Nee, nee, nee,' zei mijn vader nors. 'Het lijkt me geen goed idee als Selena vanmiddag komt. Met Margot en Matt is het hier druk genoeg.' Hij meende dat het al genoeg stress zou opleveren om mijn moeder en Matt op bezoek te hebben zonder dat Selena daar ook nog eens bij kwam. Selena en mijn moeder konden wel met elkaar overweg, maar de spanning tussen hen was de afgelopen maanden toegenomen. Dat mijn vader zich daar bewust van was verraste me; ik dacht dat ik de enige was die dat voelde. Het raakte me dat hij nu zijn best deed om het bezoek van mijn moeder soepel te laten verlopen, maar ik benijdde Sheilagh niet, die nu voor de vervelende taak stond om Selena af te zeggen. Ze wierp me een zenuwachtige blik toe.

'Eh... Selena, het lijkt me beter als je vanmiddag niet komt.' Ik kromp in elkaar, want ik wist dat Selena beledigd zou zijn. En nu ging ik naar haar toe en zou ze tegen mij het hele verhaal breed uitmeten.

In tranen stond ik bij Selena op de stoep, zwelgend in zelfmedelijden. Het leek wel of ik Sheilagh voortdurend ontriefde, en ik wist dat Selena kwaad en beledigd zou zijn. Ik voelde me klemgezet door mijn familie, hulpeloos en gefrustreerd, zonder dat ik de emotionele kracht bezat om zelf rustig te worden. Ik kon wel gillen.

'Ik moet hier weg! Ik snap niet waarom Sheilagh zo vervelend doet! Ziet ze dan niet dat ik mijn best doe om de kinderen in de hand te houden? Maar ze helpt me absoluut niet.'

'Het is niet te geloven hoe ze met je omgaat. En met mij!' zei Selena toen we bij haar op de bank zaten terwijl Carter en Olivia naar een nieuwe video keken. 'Sheilagh heeft me weken geleden nota bene gevráágd om te komen. Ze maakte zich druk over het bezoek van je moeder en wilde dat ik er zou zijn om haar morele steun te bieden!' Ik begreep heel goed waarom ze zo kwaad was. Het was een rotstreek.

Het verdriet veranderde de dynamiek in mijn familie. Niemand gedroeg zich normaal. Sinds Arrons dood was mijn moeder closer geworden met mijn vader, terwijl Selena nu op gespannen voet met hem stond. Sheilagh zat ertussenin. Ik was niet langer in staat om voor buffer te spelen, zoals ik altijd had gedaan, en om gekwetste ego's te sussen, als een soort intermediair tussen ongelijksoortige partijen. Mijn vader was niet langer de joviale gastheer die uitging van het motto 'hoe meer zielen, hoe meer vreugd'. Sheilagh was in haar schuchterheid afhankelijk van een zorgvuldig gecontroleerd sociaal leven en schoot in de stress nu al haar sociale regels leken te zijn veranderd. Selena kon niet meevoelen met andermans verdriet en vatte in haar wankele emotionele staat elke vorm van ongerijmd gedrag persoonlijk op. Dat ze haar zoon had verloren stond op haar voorhoofd geschreven en ze leek te genieten van de aandacht die de inwoners van Port Hope haar schonken. Maar mijn vader en Sheilagh vonden dat soort aandacht een gruwel en waren er helemaal niet blij mee dat ze door Arrons dood zo in de kijkerd liepen. We gingen allemaal anders met onze emoties en met het openbare gegeven van Arrons dood om, en allemaal probeerden we ergens vaste voet aan de grond te krijgen, maar dat lukte niet goed. Ik wilde dat Selena begreep dat iedereen op zijn eigen manier om Arron rouwde. Nu mijn ongenoegen over Sheilagh plaatsmaakte voor ongenoegen over Selena, merkte ik dat ik mijn vader zat te verdedigen.

'Volgens mij wilde mijn váder niet dat je vandaag zou komen, niet Sheilagh. Ik denk dat hij er niet gerust op is dat mijn moeder op bezoek komt.'

'En hoe precies zou ik dat erger kunnen maken?'

'Ik heb geen idee,' zei ik, hoewel dat niet helemaal waar was. Maar ik kon Selena net zomin de subtiliteiten rond het verdriet van mijn familie uitleggen als ik de oprechtheid van haar verdriet tegenover hen nader kon verklaren. Doordat we verdriet hadden, lapten we allemaal de sociale beleefdheidsregels aan onze laars. Ik begon me te realiseren dat mijn nieuwe, hechtere relatie met Selena op de een of andere manier mijn ouders had gestoken, want zij wilden óók een rol spelen bij de verwerking van mijn rouw, maar ik wist niet hoe ik het dilemma moest oplossen. Ik moest gewoon van ieder van hen pakken wat ik nodig had. Het valt niet mee om je te verplaatsen in de pijn van anderen als je zelf pijn lijdt.

'Nou, ik snap niet waarom Sheilagh zo bot moest zijn!' zei Selena.

Ik was nog steeds in tranen. Ik was woedend op Sheilagh, Kerstmis was een en al stress, en nu was Selena ook nog boos – het werd me domweg te veel. 'Misschien moet ik maar weggaan. Morgen weer terug naar New Jersey,' zei ik bitter.

'Als jij weg wilt, ben ik er klaar voor,' zei Selena. Het idee leek haar bijna plezier te doen. Ik kon wel merken dat ze het heel fijn zou vinden als ik in de auto zou springen om weer naar huis te rijden. Ik was van plan geweest om te blijven tot de dag na Nieuwjaar, maar dat leek onmogelijk lang. Helaas had ik al ingepland dat diverse vrienden ons de komende week in Port Hope zouden komen opzoeken. Mijn vriendin Kim zou met haar dochtertje van drie met de auto uit Montréal komen om oud en nieuw met ons te vieren. Als ik nu vertrok, zou ik geen van hen zien.

'Ik vind dat je weg moet gaan,' zei Selena. 'Je kunt hier niet blijven.'

'Ik weet het, ik weet het...' wist ik uit te brengen.

'Natuurlijk zou ik het heerlijk vinden als je híér bleef...'

Ik was wel gewend aan Selena's speldenprikjes en vroeg me af of ze wist hoe schuldig ik me daar altijd onder voelde. Ze wilde graag dat we allemaal in haar kleine huisje zouden komen logeren, maar ik zou niet tegen zoveel drukte opgewassen zijn en wilde na alle tijd die we de afgelopen maanden met elkaar hadden doorgebracht niet wéér op haar lip zitten. Het was belangrijk voor me om bij mijn vader en Sheilagh te zijn, maar ik had niet verwacht hoe emotioneel dit bezoek zou worden. Het leek wel of ik gevangenzat tussen onbuigzame familieleden die geen idee hadden wat voor invloed hun gedrag op mij had. Ik racete heen en weer tussen hun huizen, deed mijn best om Selena's woede-uitbarstingen tot bedaren te brengen en verdroeg mijn vaders stilzwijgen en Sheilaghs dubbelzinnige voorstellen. Ik wilde kwaad worden, een keel opzetten, maar het enige wat eruit kwam waren nog meer gevaarlijke tranen.

'Ik weet wel dat ik hier kan komen...' Ik vouwde mijn tissues op tot vierkantjes, overmand door frustratie en mijn onvermogen om ieders gekwetste gevoelens te sussen, zoals ik dat gewend was.

Een uur later, toen ik mijn gezicht had gewassen en maar hoopte dat mijn ogen niet al te opgezet waren, waren de kinderen en ik weer terug in het huis van mijn vader om mijn moeder en Matt welkom te heten. Ik was blij om hen te zien en opgelucht dat ik een excuus had om weg te vluchten van Selena's gekwetstheid en woede. De kamer was vol glimlachjes, gelach en warmte. Matt liet Carter rondzwieren aan zijn armen, terwijl Olivia op Matts rug sprong. Ik merkte wel aan zijn joviale stemming dat mijn vader oprecht blij was dat mijn moeder en Matt er waren. Matts vader was mijn stiefvader, Larry; hij had Port Hope bij eerdere gelegenheden weleens bezocht en kon goed met mijn vader overweg. Er leek een soort vader-zoon-camaraderie tussen hen te bestaan. Al mijn zorgen over het feit dat mijn moeder zich in hetzelfde huis bevond als mijn vader en Sheilagh vervlogen. Ons gezamenlijke verdriet leek de angel uit dergelijke oude animositeit te halen. Nu mijn moeder in de kamer stond, bedacht ik dat dit niet de eerste keer was dat mijn twee werelden met elkaar in botsing waren gekomen. Ik dacht terug aan de tijd toen mijn zus en ik waren afgestudeerd en getrouwd. Wat leek dat allemaal lang geleden. Mijn moeder was nog maar twee jaar geleden ook in dit huis geweest, voor de bruiloft van mijn zus. Hoe kon ik dat nou zijn vergeten? Waarom staken de oude angsten uit mijn jeugd nú de kop op en toen niet?

Sheilagh leek ongevoelig voor de warmte van de hereniging van mijn ouders in de woonkamer. Ze maakte zich keer op keer uit de voeten naar de keuken, om borden weg te brengen, om nog meer koekjes te gaan halen, of om aan tafel te gaan zitten roken. Ik had met haar te doen. Ze kon er niet goed mee omgaan dat mijn vader het overduidelijk leuk vond dat mijn moeder er was. Misschien rouwde zij ook wel. Ik probeerde de wrok die ik eerder tegen haar had gekoesterd te verzachten door haar te helpen met opruimen. Ik wilde dat ik iets kon bedenken om te zeggen, dat ik haar kon laten weten dat het me speet – dat het me speet dat ik kwaad op haar was geweest, dat het me speet dat Arron dood was. Maar ik ging helemaal op in mijn eigen pijn.

In de loop van de middag leek iedereen zich te ontspannen. Zelfs Sheilagh begon te genieten en moest lachen om Matts grappen. Het avondmaal verliep soepel, en toen mijn moeder en Matt waren vertrokken, bleven mijn vader, Sheilagh en ik aan de keukentafel zitten, terwijl zij nog een sigaret rookten.

'Nou, dat liep volgens mij gesmeerd!' zei mijn vader, duidelijk in zijn nopjes. Hij was erin geslaagd iedereen tot één grote *happy family* samen te smeden. Had hij die generositeit en dat begrip nu ook maar uitgestrekt tot Selena. Kon hij maar inzien dat mijn bezoek stukken ingewikkelder was geworden doordat Selena er niet bij had mogen zijn.

De rest van de week sjouwde ik met de kinderen heen en weer tussen het huis van mijn vader, de cottage van mijn moeder en Selena's huis, terwijl ik ook nog mijn eigen vrienden probeerde te zien. Het voelde alsof iedereen een stukje van me wilde hebben, en weer was ik alleen maar bezig iedereen te geven wat hij wilde hebben: het gevoel dat ze me hadden geholpen door met mij en de kinderen op te trekken. Ik vond het heerlijk om mijn vrienden te zien, maar toch kwam ik mezelf ook voor als een terminale patiënt die het niet aankan om te veel mensen tegelijk te zien. Ik had behoefte aan rust en kalmte – dingen die volkomen buiten mijn bereik lagen. De gesprekken die ik voerde werden voortdurend onderbroken door gevraag om snoep, koekjes, flessen, aandacht. Uit alle macht probeerde ik de dagindeling van dutjes en maaltijden voor de kinderen in stand te houden, terwijl ik in een huis verbleef waar niemand voor halftien 's ochtends opstond of voor halftien 's avonds aan tafel ging.

In de loop van de week werd ik steeds vermoeider en gestrester, en dat leek zijn weerslag te hebben op de kinderen. Carter huilde meer doordat hij te weinig sliep en hing meer aan me, chagrijnig en ellendig. Ik gaf te vaak toe als hij vroeg om zuurstokken uit de kerstboom, wat alles nog erger maakte. Olivia kreeg genoeg van de video's die ik had meegenomen. Ze had hulp nodig bij de diverse knutselpakketten die ze als kerstcadeau had gekregen, en Carter besloot dat hij geknipt was als assistent, wat tot veel gegil en gedrens leidde. Olivia kon je nog naar buiten lokken om in de sneeuw te gaan spelen, maar Carter, die een hekel had aan zijn dikke winterkleren, zorgde er steevast voor dat ik met de ene arm een krijsend bundeltje sneeuwpak in bedwang probeerde te houden, terwijl ik met de andere een narrige zesjarige op de schommel heen en weer duwde, en dat bij vijftien graden onder nul.

Ondanks alle moeite die ik moest doen om het huishouden met de kinderen vlot te laten verlopen, waren er ook mooie momenten. Sheilagh hielp Olivia geduldig om de ingrediënten te mengen voor koekjes en pasteien, zoals ze jaren geleden ook had gedaan met Jill en mij. Mijn vader ging met Carter een ritje maken op de 'tractor' – een grasmaaimachine – waar Carter weken later nog niet over uitgepraat was. Met veel geduld luisterde mijn vader naar hen allebei wanneer ze hem gehaast verhalen vertelden, vaak met Carter onhandig op zijn schoot geplant. Mijn vader keek me dan niet-begrijpend aan, dus moest ik vertalen. Door een ziekte in zijn jeugd was mijn vader deels doof geworden en om alles goed te kunnen verstaan, moest je hard tegen hem praten en hem aankijken. Hij had er moeite mee het kromme taaltje van een tweejarige te volgen.

Op oudejaarsavond kwamen mijn vriendin Kim en haar dochtertje Liane bij ons, terwijl mijn vader en Sheilagh de avond bij vrienden doorbrachten. De kinderen speelden en vochten met elkaar, helemaal hyper van alle suiker van de regenboogkleurige lolly's waar ze op zogen; Kim en ik zaten in de keuken rode wijn te drinken en probeerden elkaar bij te praten, terwijl we ondertussen ons kroost te eten gaven, standjes uitdeelden, hen achterna renden en vertroetelden. Ik had Kim leren kennen in Verbier, Zwitserland, toen ik achttien en zij twintig was. Ik kon niet skiën nadat ik mezelf had gesneden toen ik met mijn nieuwe Zwitserse zakmes een salami in plakken had willen verdelen, en zij had haar ski's net teruggestuurd naar haar zus in Canada. Na twee lange dagen van theedrinken en praten besloten we in de zes weken daarop onze theeleuterij voort te zetten op een reis door Frankrijk en Spanje, en belandden uiteindelijk in Portugal. Hoewel we elkaar maanden en soms jaren niet zagen of spraken, was onze vriendschap toch in stand gebleven. Toen ik Arron aan Kim voorstelde, konden ze goed met elkaar overweg en in de loop der tijd werden ze erg dol op elkaar. Kim kon, net als Arron, niet tegen dwazen. We hadden haar in het weekend van Labour Day nog ontmoet, dus had ze hem een week voor zijn dood nog gezien. Ik wist dat ook zij Arron heel erg miste. Kim was onlangs gescheiden van haar man Dean, en deze kerst was voor ons allebei moeilijk: onze eerste als alleenstaande moeders. Allebei hadden we het zwaar.

Om tien uur zeiden we tegen de kinderen dat het 'tijd was om het oude jaar uit te luiden' en vierden we het met hen door 'champagne' te drinken uit wijnglazen en te 'proosten' op het nieuwe jaar, waarna we ze alle drie in bed legden.

Daarna vierden wij samen een melancholiek feestje. We haalden herinneringen op aan het oud en nieuw dat we drie jaar geleden met onze echtgenoten erbij in ditzelfde huis hadden gevierd. Ik had boeuf bourguignon gemaakt en we hadden dure champagne opengetrokken. Arron en Dean waren dronken geworden en gek gaan doen, maar ik was toen zwanger van Carter en Liane was nog maar vier maanden oud, dus waren Kim en ik ver voor twaalven al naar bed gegaan. Ons beider verlies was nu voelbaar terwijl we in de keuken nog een fles van diezelfde dure champagne soldaat maakten. Ik was blij dat we maar met z'n tweetjes waren.

De volgende dag keek ik ernaar uit om naar huis te gaan. Selena zat naast me in de auto weer oude koeien uit de sloot te halen: 'Waarom wilden Phil en Sheilagh niet dat ik ook kwam toen Margot op bezoek was?'

Ik greep het stuur steeds steviger vast. Ik kon haar geen verklaring geven die ze bereid was te accepteren. 'Mensen kunnen soms heel raar doen als ze verdriet hebben.' Ik wist niet wat ik moest zeggen, want de redenen waarom mijn vader zo had gehandeld, waren voor mij ook moeilijk te achterhalen, hij was niet iemand die je zomaar doorzag. Op de achterbank begonnen de kinderen te kibbelen.

'Ophouden!' riep Selena. In de stilte die daarop volgde werd ik steeds verdrietiger en mijn nek raakte weer verkrampt. Alle kwaadheid en vermoeidheid van deze reis dreigden ons allemaal de das om te doen. Uiteindelijk kwamen we thuis. Selena en ik laadden de auto uit, terwijl de kinderen door het huis renden en hun speelgoed en kamers herontdekten. Ik bracht hen naar bed en schonk daarna een glas wijn voor Selena en mezelf in. Een gesprek gingen we uit de weg door de tv aan te zetten. Er viel niets meer te zeggen.

12

Kinderen in de knel

Toen Selena was vertrokken, blafte ik in de weken daarop de kinderen telkens bevelen toe. Als ik de vaatwasser leegruimde, voelde ik me wrokkig dat ik dat in mijn eentje moest doen. Ik viel tegen ze uit als ze elkaar in de haren vlogen. Bij vlagen ging ik ontzettend tekeer tegen Carter, gefrustreerd omdat hij met zijn twee jaar zo brutaal was, en dan sleepte ik zijn kronkelende lijfje naar boven en gooide hem neer op zijn bed, waar hij half snikkend en half huilend bleef liggen. Ik sloeg met deuren. Ik probeerde me als ik moest huilen terug te trekken in mijn slaapkamer, maar Carter wist me altijd te vinden en bleef dan staan drenzen en gebaren dat ik hem moest optillen. Ik voelde me opgesloten in mijn eigen huis.

'Ik wil nu even alleen zijn!' blafte ik hem dan toe.

'Optillen! Optillen!'

'Nee. Ga zelf maar iets doen!'

Als hij dan nog harder begon te huilen, pakte ik hem op het laatst toch op – ruw. Hij had geleerd dat hij door te jammeren en te dreinen zijn zin kreeg, en ik had de slechte gewoonte aangenomen om hem die te vaak te geven. Ik was te zwak om het anders aan te pakken.

Olivia had nog steeds moeite met het huiswerk dat ze kreeg en ik begon me daar ontzettend aan te ergeren. 'Dit is makkelijk. Ik weet zeker dat je het kunt als je er je best voor doet,' fleemde ik.

'Ik kan het niet!' riep ze dan uit. 'Ik ben veel te dom! Ik háát school!' Ze hikte van het snikken. Op zulke momenten was ik het liefst de deur uit gerend, om nooit meer terug te komen.

Ik was nog steeds boos over Kerstmis en over het feit dat mijn ouders kennelijk totaal niet in de gaten hadden wat voor invloed hun gedrag op de kinderen en mij had. Ik was ervan overtuigd dat ik niet zo nijdig tegen Carter en Olivia zou hebben gedaan als de kerst wat soepeler was verlopen. Ik voelde nu een woede die ik niet wist te reguleren of verklaren. Mijn frustraties reageerde ik af op de kinderen. Alweer. Ik vond mezelf de slechtste moeder die er op de wereld rondliep, zoals ik tekeerging tegen mijn kleintjes die net hun vader hadden verloren. Hoe kon ik zo wreed zijn?

Half januari vertelde een van de weduwes uit Montclair me over Comfort Zone Camp, een werkkamp van een dag voor kinderen die een verlies hadden geleden. In Virginia bestond dit programma al een paar jaar; het was opgezet door een vrouw die op jonge leeftijd haar ouders had verloren, en na 9/11 ondernamen vrijwilligers van het kamp pelgrimstochten naar New York en New Jersey om voor 9/11-kinderen eendaagse sessies te houden. Ze hielden er een maar een straat verderop, dus besloot ik Olivia en Carter ernaartoe te brengen, omdat het me goed voor hen leek om andere kinderen te ontmoeten die op 11 september een of beide ouders hadden verloren.

Toen we aankwamen, werden we naar de gymzaal van de school geleid, waar tafels met knutselspullen waren neergezet. Volwassenen, tieners en jongere kinderen waren in een hoek een balspel aan het spelen, en we werden uitbundig en met veel geglimlach begroet. Olivia bleef dicht bij me in de buurt, verlegen omdat ze ineens zoveel aandacht kreeg. We maakten een naambordje voor haar. Carter zat op zijn gebruikelijke plekje – weinig toeschietelijk: op mijn arm – en dronk met zijn handje aan zijn oor uit zijn flesje.

Een van de vrijwilligers kwam naar ons toe. 'Hallo. Welkom. We zijn net aan het knutselen. Olivia, vind jij het leuk om een doos te versieren? Dan kun je daar speciale dingetjes in bewaren die van je vader zijn geweest.' Ik kon wel aan Olivia zien dat ze haar ogen uitkeek bij de gigantische hoeveelheden knutselmateriaal op de tafel. Ze trok aan mijn jas en sleepte me naar de tafel. We gingen allemaal zitten en zowel Olivia als Carter viel aan op de viltstiften, lijm, glitters en stickers. Ik wierp een paar moeders een glimlach toe; zij zagen er net zo ongemakkelijk uit als ik. Na een halfuurtje werd er aangekondigd dat de ouders met z'n allen naar de bibliotheek zouden gaan. Olivia had een vriendinnetje gevonden en vond het prima dat ik wegging. Ze was al koekjes etend lekker bezig met de lijm en de glitters.

Ik bracht Carter naar het crèchegedeelte en bleef even bij hem, maar de vrouw die toezicht op de kleintjes hield was iemand met ervaring en gebaarde dat ik weg moest gaan. Voordat hij zich weer huilend aan me vast kon klemmen, pakte ze hem beet en begon hem onmiddellijk af te leiden met koekjes en speelgoed. Terwijl ik achter de andere moeders aan naar de bibliotheek liep, hoorde ik hem jammeren.

Zo'n dertig mensen namen plaats op de stoelen. Allemaal vrouwen. Allemaal 9/11-weduwes. Deze keer kwamen ze niet alleen uit Montclair. Ze waren afkomstig uit het hele driestatengebied: New York, New Jersey en Connecticut. Voor in het vertrek zat een panel van vier vrijwilligers ons toe te glimlachen terwijl we een plekje zochten. Het duurde niet lang of de leden van het panel staken van wal. Een echtpaar vertelde hoe ze hun dochter hadden verloren bij een auto-ongeluk en wat voor invloed dat op hun andere kinderen had gehad. Ze lieten ons weten hoeveel ze aan Comfort Zone hadden gehad om ervoor te zorgen dat hun kinderen zich konden uiten. Een andere vrouw had vier jaar geleden haar man verloren toen hij tijdens het joggen in het park door een hartaanval dood was neergevallen. Ik vond haar fascinerend: een vrouw die al vier jaar lang weduwe was en die haar leven op de rails had, ook al liep het dan misschien niet allemaal op rolletjes. Ze vertelde dat haar drie dochters nog steeds bij haar in bed sliepen. Inwendig kreunde ik; ik had er grote moeite mee Carter en Olivia 's nachts in hun eigen bed te houden. Zij had dat soort pogingen opgegeven en vertelde ons dat haar dochter van veertien de ergste was. Ik schrok ervan dat ook tieners nog bij hun ouders in bed kropen. Deze vrouw leek na vier jaar nog steeds zo verdrietig dat ik me afvroeg of dat voor mij over vier jaar ook zou gelden. Toch was ze niet ingestort in de zin zoals ikzelf verwachtte elk moment in te storten.

Toen het panel was uitgesproken, stonden er diverse 9/11-vrouwen op om hun eigen verhaal te doen; ze vertelden waar hun man precies in het gebouw was geweest, of ze wel of niet nog hadden kunnen bellen, en hoe ze nu in hun eentje het gezin draaiende hielden. Er werden dozen met tissues doorgegeven en ik moest een paar keer mijn eigen tranen wegvegen. Onze wonden waren nog zo vers. Door naar verhalen van anderen te luisteren werd het eigen verdriet weer opgerakeld.

Na de lunch splitsten we ons op in groepjes voor gesprekken in kleinere kring.

'Het lijkt wel of ik voortdurend boos op de kinderen ben,' merkte ik op een gegeven moment schuchter op.

'Ik ook!' klonk het rondom me en hoofden knikten bevestigend.

Onze gespreksleider, de moeder van het meisje dat bij een auto-ongeluk was omgekomen, zei meelevend: 'Dat komt heel veel voor. Het is niet erg om kwaad te zijn. En ook normaal. Je zult manieren moeten zien te vinden om er met je kinderen over te praten, en ook manieren om je boosheid te uiten. Het helpt om iets lichamelijks te doen, zoals op kussens stompen. Zoek een manier om je af te reageren en help je kinderen om dat ook te doen.'

De middag vloog voorbij, en ik was doodmoe van alle tranen die ik had moeten wegslikken, maakte me zorgen hoe het Carter was vergaan en probeerde vriendschap te sluiten met andere weduwes die emotioneel net zo gebroken waren als ik. Ik haastte me terug naar het crèchegedeelte. Daar zat Carter rustig te spelen.

'Hij heeft maar heel even gehuild, toen je net weg was,' zei de leidster. Carter sloeg onmiddellijk zijn armpjes stijf om mijn nek.

We gingen naar de andere ruimte, waar Olivia met een grote glimlach op haar gezicht bij een groepje andere kinderen zat. Cindy, Olivia's nieuwe hartsvriendin, overhandigde me een brief die vastzat aan een heliumballon: 'Lieve papa. Ik mis je. Ik hoop dat je het fijn vindt in de hemel. Liefs, Olivia.'

De groep verzamelde zich op het schoolplein en liet alle ballonnen met een luid *woesj* los, waarna we weer naar de gymzaal gingen om een tranentrekkende uitvoering van 'Lean on Me' ten beste te geven.

Toen we naar huis liepen sneeuwde het, en ik voelde me bibberig en slap, alsof mijn energie uit me was weggelekt en ik me alleen nog als een robot kon voortbewegen. Toen we binnenkwamen, riep Olivia: 'Ik mis papa!'

Daar was ik niet op voorbereid, had er de reserves niet voor. 'Ik weet het, lieverd. Ik weet het.' Iets anders wist ik niet te zeggen. Ik probeerde haar te knuffelen terwijl Carter zich koppig aan me bleef vastklemmen.

Na een poosje bedaarden haar snikken. We hadden een rustige avond en de kinderen gingen vlot slapen. We waren allemaal moe. Maar de volgende dag was onze woede terug. Olivia schreeuwde telkens tegen Carter of barstte in tranen uit. Ze begon weer over buikpijn te klagen en het werd weer een hele uitdaging om haar naar school te krijgen. Op een ochtend had ik weinig mededogen met haar. 'We moeten nú gaan!' riep ik haar stampvoetend toe. Olivia huilde zolang we in huis waren, maar slikte haar tranen in zodra we naar buiten stapten. De hele weg naar de bushalte weigerde ze iets tegen me te zeggen.

Op een dag kort na Comfort Zone liep Carter naar Olivia toe en sloeg haar zomaar zonder enige aanleiding op haar hoofd terwijl ze tv zat te kijken. Olivia begon hard te huilen om deze onrechtvaardigheid en ik kromp in elkaar bij het lawaai. 'Er is niets met je aan de hand,' zei ik ongeduldig, maar in werkelijkheid wilde ik zeggen: 'Schiet op zeg! Hou op met janken, nú!'

Maar weldra werden haar snikken heftiger, en ik realiseerde me dat ze een kind was dat haar vader miste. Dat vermurwde me en ik drukte haar dicht tegen me aan. Carter kwam naar ons toe en duwde ons uit elkaar; hij probeerde op mijn schoot te klimmen.

'Ik moet nu even Olivia knuffelen,' zei ik tegen hem.

'Nee!' riep hij uit, en hij zette meer kracht, zodat Olivia van mijn schoot viel. Ze keek me even verbijsterd aan, waarna ze nog harder begon te huilen. Ik pakte Olivia op en probeerde op elke knie een kind te zetten, maar dat stond Carter niet aan.

'Carter, ik ben nu even met Olivia bezig. Waarom kom je niet naast me zitten?' Mijn geduld werd zwaar op de proef gesteld. Carter wilde van geen wijken weten en graaide naar mijn oor, waar hij zich altijd aan vasthield.

'Carter, wegwezen. Nu! Dit is niet eerlijk tegenover Olivia. Soms heeft zij me ook nodig. Ik weet dat je jaloers bent, maar jou geef ik zo meteen een knuffel.' Nu duwde Olivia Carter van mijn schoot, want mijn terechtwijzingen versterkten haar wrok tegen hem.

'Néééé!' jengelde Carter, net zo hard als Olivia.

'Ik kan dit niet!' brulde ik terug terwijl ik opstond. Carter klemde zich nog wanhopiger aan me vast, zodat ik bijna stikte; hij hing aan mijn nek als een ketting van vijftien kilo. Ik trok zijn handen van me af en liep naar de keuken, met twee snikkende kinderen achter me aan. Nu was ik ook in tranen, trekkend aan mijn eigen haar. Ik zat vast. Voelde me verloren. Wist niet wat ik moest doen. Carter kwam de keuken in en gebaarde dat ik hem moest optillen. In de woonkamer hoorde ik het gepraat op tv doorgaan, en Olivia's snikken bedaarden. Er was niets opgelost.

Later die week klaagde ik tegen Janet: 'Het lijkt wel of de kinderen en ik de hele tijd ruzie hebben. Ik weet niet wat er aan de hand is!'

Nog voordat ik mijn zin had afgemaakt, besefte ik heel goed wat er aan de hand was: de woede die op bijzondere gebeurtenissen volgt. Op mijn meer heldere momenten was ik in staat een patroon te ontwaren in mijn aanvallen van woede en frustratie. Elke herdenkingsdienst, elk bezoek aan Ground Zero of het Family Assistance Center, onze trouwdag, mijn verjaardag, Kerstmis en nu Comfort Zone Camp waren allemaal met woede geëindigd. Ik zette me schrap om die evenementen door te komen, en als ze voorbij waren, moest ik al die opgepotte energie ergens op afreageren. De kinderen deden hetzelfde. Lichaamsbeweging hielp wel, maar was niet genoeg. Eigenlijk zouden we een boksbal in de kelder moeten hebben, waarop we ons allemaal uit konden leven. In plaats daarvan reageerde ik mijn woede en frustraties af op Carter en Olivia, en zij reageerden zich op hun beurt af op elkaar, wat weer effect had op mij, totdat we allemaal in een gevaarlijke spiraal terechtkwamen.

Dat we kwaad waren omdat Arron met kerst niet bij ons was geweest en dat we na Comfort Zone Camp van slag waren, leek zowel voor de hand te liggen als belachelijk, maar ik begon te begrijpen dat verdriet net een kind van twee is: de manier waarop het zich gedroeg raakte vaak kant noch wal. Verdriet vereiste dat je je er onmiddellijk om bekommerde en het wist niet van wijken voordat het de aandacht had gekregen die het nodig had. Verdriet kon bij de minste of geringste provocatie de kop opsteken en kon een spoor van vernieling achterlaten. Het goede nieuws was dat toen ik mijn woede eenmaal tegenover Janet had geuit, die afnam en het iets vrediger werd in huis. Maar die vrede was van korte duur.

In het nieuwe jaar had Olivia nog steeds moeilijkheden op school en was het nog steeds een heel gedoe om haar erheen te krijgen. De schoolverpleegster en ik hadden lang geleden al besloten dat ik niet meer gebeld hoefde te worden als Olivia zich bij haar meldde, want dat gebeurde heel vaak. Ze legde uit dat Olivia alleen maar op zoek leek naar zekerheid en een beetje rust, en als ze die had gekregen, ging ze weer terug naar de klas. Ik vroeg Olivia of ze wilde proberen niet zo vaak naar de zuster te gaan, tenzij het echt niet anders kon, en daar stemde ze in toe.

Thuis kon ze nog steeds helemaal over de rooie gaan als ze huiswerk moest maken, en ze weigerde te lezen. Ik kocht allerlei boeken voor haar om haar belangstelling te wekken, en ik las haar elke avond voor, maar als ik haar aanspoorde zelf te gaan lezen, begon ze te huilen en gooide haar kont tegen de krib. Mijn wanhoop en de spanning tussen ons namen toe, en steeds vaker weigerde ze naar school te gaan, hoewel ik daar elke keer op stond. Olivia deed echt haar best met haar schoolwerk en ik begon me af te vragen of ze misschien een leerstoornis had. Als het me lukte om haar hardop te laten lezen, bleek dat ze moeite had de letters te onderscheiden en kleine woordjes, zoals 'de', 'van' en 'en' over het hoofd zag. Bovendien had ze moeite instructies op te volgen. Wanneer ik tegen haar zei dat ze zich moest aankleden, haar tanden moest poetsen en haar lunchtrommeltje moest pakken, raakte ze in paniek en werd ze huilerig, en werkte ze maar een van die taken af, of helemaal geen. Ik leerde haar te vragen één ding tegelijk te doen.

Ook sliep ze niet goed. Haar moeizame, luidruchtige ademhaling 's nachts baarde me zorgen. Soms dacht ik dat ze helemaal gestopt was met ademhalen. Mijn vriendin Cornelia vertelde me over de slaapapneu van haar eigen kind. Bij haar dochter waren de vorige zomer met groot succes haar amandelen weggehaald. Ze gaf me de naam van haar arts in Manhattan, die zei dat Olivia sterk vergrote amandelen en weefselwoekeringen had, waardoor ze vooral 's nachts moeite had met ademhalen, en dat haar oren verstopt zaten met oorsmeer, waardoor haar gehoor niet goed was. Hij opperde dat deze kwesties waarschijnlijk bijdroegen aan haar problemen op school en raadde voor Olivia dezelfde operatie aan als voor Cornelia's dochter. Ik was blij dat we iets konden doen om haar te helpen en besloot haar op de wachtlijst te laten zetten voor de operatie, maar was tegelijk ook bang dat die de ellende voor haar alleen maar zou vergroten.

Tussen het rouwen, haar moeilijkheden op school en haar slaapproblemen door deed Olivia erg haar best. Ik voelde me schuldig, ervan overtuigd dat ik te weinig voor haar deed. Carter eiste het merendeel van mijn aandacht op. Olivia was gelaten en leek me niet nodig te hebben. Ik liet haar aan haarzelf over, opgelucht dat ze geen groter beslag legde op mijn tijd en energie. Maar in werkelijkheid had Olivia me harder nodig dan ooit.

Eind januari ging ik naar school voor een gesprek met haar lerares, om de ouderavond in te halen die ik in de herfst had overgeslagen. Ik was benieuwd of de lerares ook iets had gemerkt van wat ik als ernstige leermoeilijkheden beschouwde. Ze legde uit dat Olivia problemen had in de klas doordat ze veel miste vanwege de veelvuldige bezoekjes aan de schoolverpleegster. Daar keek ik van op. 'Ik dacht dat ze niet zo heel vaak meer ging. Vraagt ze of ze naar haar toe mag?'

'Soms. Olivia heeft gewoon veel aandacht nodig. Maar er zijn een heleboel andere kinderen die ook mijn aandacht vragen, dus dan zeg ik tegen haar dat ze naar de zuster mag.' Ik vroeg haar of Olivia had geklaagd over kwalen, en de lerares begon met haar vinger tegen haar neus te tikken en zei dat Olivia soms klaagde dat ze pijn had aan haar neus. Wat had dat te betekenen? Als ze een loopneus zou hebben of verkouden zou zijn, kon ik dat nog begrijpen, maar hoe kon haar neus 'pijn doen'? Kennelijk vroeg Olivia daarmee om snelle geruststelling en troost. Maar in plaats daarvan werd ze weggestuurd naar de verpleegster. Mijn kind leerde op school te weinig, doordat deze schandelijke vrouw niet eens een paar minuten de tijd wist te vinden om iets aardigs tegen Olivia te zeggen en haar even te knuffelen. Ik was verbijsterd.

Terwijl ik daar zo zat op het krappe stoeltje, met mijn knieën tegen de tafel gedrukt, kon ik het wel uitgillen. Ik wilde dat Arron naast me zou zitten en deze dame eens haarfijn zou uitleggen hoe hij erover dacht. Hij zou hebben doorgevraagd, duidelijk zijn woede hebben laten blijken, die boudweg hebben uitgesproken. Hij zou uit alle macht voor Olivia zijn opgekomen, wat ik ook zou moeten doen. Maar in plaats daarvan kon ik niets anders bedenken dan proberen mijn tranen te bedwingen, in de wetenschap dat de lerares zou denken dat die voortkwamen uit mijn verdriet. Dat was ook zo, maar ik was ook gefrustreerd en kwaad dat ik me tegenover deze lerares niet sterk kon maken voor Olivia. Het verlies van haar vader betekende dat ze haar beste pleitbezorger kwijt was, haar grootste steun, haar trouwste bondgenoot. En ik had het gevoel dat ik de kracht niet had om een van die dingen voor mijn dochter te zijn.

Het was nu wel duidelijk hoe hard Olivia haar best deed om de andere kinderen bij te houden, om net zo te zijn als zij, terwijl ze dat niet was. Olivia kon niet over haar verdriet praten, en als ze het even moeilijk had, werd ze weggestuurd. Hoewel er op school twee leerlingen waren die op 9/11 hun vader hadden verloren, had men besloten niet met de kinderen over 9/11 te praten. Olivia zweefde rond in een vacuüm waarin haar gevoelens en de gevoelens van de andere kinderen over die dag, hun angsten en hun verdriet stilletjes onder het tapijt werden geveegd. Toen ik in september het schoolhoofd naar dit beleid had gevraagd, had ze me verteld dat de kinderen nog te klein waren om goed te begrijpen wat er was gebeurd, ook al omdat de school alleen uit een kleuterschool en groep 1 en 2 bestond.

'Daar ben ik het helemaal niet mee eens,' zei ik tegen haar. 'Deze kinderen weten dat er iets aan de hand is, en het lijkt mij jullie verantwoordelijkheid om hun een uitweg te bieden voor hun angsten. Wij krijgen quilts en kaarten toegestuurd die door kinderen uit het hele land zijn gemaakt. Denkt u niet dat het verwarrend voor Olivia is dat haar eigen school niets aan zulke dingen doet? Denkt u niet dat het bevrijdend voor de kinderen zou kunnen zijn om iets te doen om te helpen?'

'Nou, we zijn door vrij veel ouders gebeld die ons uitdrukkelijk hebben gevraagd op school niet over de kwestie te praten.'

'Wat verschrikkelijk! En volgens mij bewijst u uw leerlingen daar bepaald geen dienst mee,' was het enige wat ik kon uitbrengen. Ik was des duivels.

Nu moest ik aan dat gesprek denken, en uiteindelijk zette mijn woede me tot actie aan. In gedachten zag ik Arron naast me zitten, die me aanspoorde. 'Volgens mij moet u ermee stoppen haar zo vaak naar de verpleegster te sturen. Ze heeft alleen maar behoefte aan een beetje geruststelling, een knuffel, een schouderklopje. Dat is het enige waar ze op uit is.'

'Goed. Dat moet wel lukken,' zei de lerares gedwee.

Vervolgens merkte ik op dat Olivia zoveel problemen had doordat ze misschien een leerstoornis had. Ze keek me onnozel aan. Ik noemde een paar voorbeelden van Olivia's moeilijkheden: het verhaspelen van b's en d's, van zessen en negens.

'Ja, dat is mij ook opgevallen, maar ik dacht dat dat kwam doordat ze zoveel lessen had gemist,' zei ze.

'Dus u kwam niet op het idee dat zulke dingen op een leerstoornis kunnen wijzen?' Ik kon het mens wel door elkaar rammelen. Was ze nou echt zo dom? Waarom moest ík haar vertellen dat Olivia misschien een leerstoornis had, terwijl háár de problemen kennelijk ook waren opgevallen? Ik besefte dat ik er hard voor zou moeten knokken om ervoor te zorgen dat Olivia niet zomaar als 'een kind met verdriet' zou worden bestempeld om andere ernstige kwesties te verdoezelen.

Toen ik weer in de auto zat, liet ik mijn tranen de vrije loop. Arron, amandelen, nu een mogelijke leerstoornis... Ik wilde Arron bellen, zijn kalme, verstandige stem horen zeggen: 'Het is in orde, Bird. We vinden wel een oplossing. Met Olivia komt het helemaal goed.'

Toen ik thuiskwam, schreef ik een brief aan het schoolhoofd met het verzoek Olivia te laten testen, waarbij ik me er met moeite van kon weerhouden te schrijven wat ik vond van die belachelijke beleidslijn om over 9/11 te blijven zwijgen. Daarna trad de molen in werking.

De week daarop moest ik Olivia vertellen dat ze uit de klas zou worden gehaald om wat testjes te doen. Ik wilde niet dat ze daarover in de stress zou schieten.

'Luister eens, Liv, het kan zijn dat je af en toe uit de klas wordt gehaald om wat spelletjes te spelen met een andere juf of meneer.'

'Hoezo?'

'Je weet toch hoe moeilijk je het vindt om te lezen en zo? Nou, ze gaan proberen erachter te komen waarom dat is.'

'Is dat omdat ik dom ben?' Olivia keek me met droeve ogen aan.

'Nee, liefje, natuurlijk niet. Iedereen leert gewoon op verschillende manieren, en we moeten nagaan wat jouw manier is, zodat ze je op school beter les kunnen geven.' Ik zag wel aan haar dat ze dit even moest laten bezinken.

'Waarom hoeven de andere kinderen dan niet net als ik van die spelletjes te spelen?' Olivia had er altijd al een handje van gehad om lastige vragen te stellen. 'Dat is omdat ik dom ben, zeker?'

'Nee. Dat is niet zo, Liv. Het is juist omdat je heel slim bent. Waarschijnlijk slimmer dan een heleboel andere kinderen in je klas. Maar er is iets wat het voor jou moeilijker maakt om te leren, en we moeten kijken hoe dat zit, oké?'

'Oké,' zei ze stuurs.

'Kom op, het wordt vast leuk!' Ik probeerde zo opgewekt mogelijk te klinken, maar ik wist wel dat ik haar niets op de mouw kon spelden.

In de daaropvolgende weken maakte Olivia van tijd tot tijd een opmerking over de tests. 'Vandaag moest ik weer een van die stomme testjes doen.'

'Hoe ging het?' Weer deed ik mijn best een luchtige toon aan te slaan.

'Goed wel. Geloof ik.'

In februari had Olivia een week vakantie, en ik besloot dat de warmte en de zon van een Club Med-oord precies was wat we nodig hadden na alle narigheid van de afgelopen tijd. De tropische warmte zou ook de pijn wegschroeien van mijn eerste Valentijnsdag zonder Arron. Ik haalde me beelden voor de geest van luieren bij het zwembad terwijl Olivia, aangegord voor de trapeze, hoog boven het strand zweefde en Carter met andere kleuters lekker aan het pootjebaden was onder het toeziend oog van een animatieleider die Marco heette. Ik verkeerde in de veronderstelling dat Valentijnsdag in het buitenland niet gevierd zou worden, en een feest dat niet gevierd werd, zou me vrijwaren van de pijnlijke herinneringen die me vast en zeker zouden overspoelen als ik hier bleef zitten kwijnen onder de grauwe winterluchten van New Jersey.

De werkelijkheid was dat ik de eerste nacht van onze trip doorbracht in een benauwde hotelkamer in de Dominicaanse Republiek, terwijl ik mijn koortsige dochter paracetamol gaf. De dag daarop liet ik Carter achter bij de 'Babyclub', om met Olivia naar de vriendelijke arts van de ziekenboeg te gaan, die prompt de diagnose keelontsteking stelde en haar penicilline gaf. Ik had erg met Olivia te doen, die er bleek en zielig uitzag. Twee uur later haalden we Carter op bij de Babyclub, waar hij ontroostbaar zat te snikken, zonder dat de kletsende pubers die geacht werden hem bezig te houden zich om hem bekommerden. Vanaf dat moment verloor hij me niet meer uit het oog. Bij elke maaltijd werkte ik me zwoegend met een kind van twee op mijn heup door het zelfbedieningsrestaurant, wat betekende dat ik veel heen en weer moest lopen: een bordje pasta, een hotdog, een glas melk. Tegen de tijd dat ik kon gaan zitten, was mijn eten koud.

De ochtenden brachten we door bij het zwembad en 's middags deden we een dutje in onze kamer. Olivia voelde zich af en toe sterk genoeg om met het kinderprogramma mee te doen; ze zwaaide aan de trapeze of ging knutselen. In het vliegtuig vanuit New York hadden we een groep van drie gezinnen uit Manhattan ontmoet die met elkaar reisden. Nadat ze mijn verhaal hadden aangehoord, namen ze de kinderen en mij in hun gezelschap op. De vaders gooiden Carter met veel gezwier in het zwembad. Olivia werd uitgenodigd om bij haar nieuwe vriendinnetje op de kamer te slapen. Ik had volwassenen om me heen met wie ik kon praten, maar ondanks hun gezelschap voelde ik me eenzaam. Het was om gek van te worden om de vaders in het zwembad met hun kinderen te zien spelen. Moeten toekijken hoe stellen elkaars rug insmeerden met zonnebrand vond ik heel moeilijk nadat ik Carter de mijne had laten insmeren; toen ik later met veel pijn mijn badpak uittrok, ontdekte ik kleine witte handafdrukken op mijn voor de rest verbrande rug.

Het lukte me Valentijnsdag te vergeten, totdat we die ochtend toen we wilden gaan ontbijten zagen dat er roodkartonnen harten op onze deur waren geplakt. Ik kneep mijn ogen stijf dicht in de hoop dat Valentijnsdag zou verdwijnen. In het restaurant raakte ik de enkele rode rozen die op elke tafel stonden aan. Na het ontbijt togen we naar het zwembad. Geen harten. Geen rozen. Blauw. Zon. Kokosnoot. Maar de lege stoel naast me was als een gapend gat, als een ontbrekende tand. Toen het tijd was om een dutje te gaan doen, keek ik in onze turkooiskleurige kamer, die als finishing touch was voorzien van schelpen-en-zeesterrenbehang, naar de tv terwijl de kinderen sliepen. Bij *Oprah* werden geslaagde datingverhalen verteld; op elke zender zag ik verliefde stellen. Verhit en plakkerig ging ik op bed liggen luisteren naar de diepe ademhaling van Carter en Olivia, doelloos zappend langs de zenders. Er drupten tranen van mijn kin en ik zette de tv uit.

De laatste keer met Valentijnsdag had ik voor Arron inderhaast een kaart gekocht met Romeo en Julia erop, waarop ik had geschreven dat ik tot het einde der tijden van hem zou blijven houden, plus de belofte een halfuur lang zijn rug te masseren, 'met antiklaaggarantie'. De kinderen had ik allebei een speelgoedje gegeven. Ik had extra lekker gekookt, en toen de kinderen in bed lagen, hadden we op de krukken aan het kookeiland gegeten. We nipten van onze wijn, glimlachten elkaar over de rand van ons glas toe.

Daaraan terugdenkend snikte ik zachtjes in mijn hotelkussen, om Carter en Olivia niet wakker te maken. Hoe kon ik zo stom zijn geweest, zo naïef, om te denken dat deze vlucht troost zou bieden? Of ik nu wel of niet meedeed, de tijd ging door, en deze dag vormde daar geen uitzondering op. Toen de kinderen wakker waren, ging ik weer met ze naar het zwembad, maar toen het happy hour aanbrak, zat ik aan de bar pina colada's te hijsen – twee voor de prijs van één.

Die avond zou er in het restaurant een speciaal Valentijnsdiner worden gegeven, en ik had afgesproken met onze New Yorkse vrienden. Ik trok de enige jurk aan die ik had meegenomen. Voor het restaurant deelden twee in het rood geklede personeelsleden enkele rode rozen uit. Ik knarsetandde toen ik de mijne in ontvangst nam, gaf vervolgens mijn vaste nummertje balanceren-met-dienblad-en-Carter ten beste, en wist met mijn kalfsvlees scaloppini de tafel te bereiken zonder het op de grond te laten vallen. Ik kletste wat met mijn nieuwe vrienden en verbaasde me erover dat ze zo lief voor me zorgden.

Wat gold voor de rest van mijn leven, gold ook voor Valentijnsdag: ik moest mijn verwachtingen bijstellen. Nooit meer zou ik de liefde ervaren die Arron en ik voor elkaar hadden gevoeld. Maar toen ik naar mijn kinderen en mijn nieuwe vrienden keek, realiseerde ik me dat ik me minder verdrietig voelde.

Later, na het eten, was er een optreden. Niet bijster van harte wapperde ik met mijn handen in de lucht en zong mee met het Club Med-lied: 'Hands up, baby, hands up. Gimme your heart, gimme, gimme your heart, give it, give it.' Daarna plantte ik Carter weer op mijn heup en pakte Olivia bij de hand, en terwijl we 'Hands up, baby, hands up, gimme your heart...' zongen liepen we terug naar onze kamer.

De dag daarna bracht Olivia het er voor het eerst aan de trapeze goed van af en na haar dag in de kinderclub kwam ze naar me toe rennen. 'Ik heb helemaal alleen aan de trapeze gezwaaid!' vertelde ze terwijl ze neerplofte op mijn ligstoel. Later kwam ze aanzetten met Balloo, een animator uit Québec, om hem te laten kennismaken met Carter en mij.

'Olivia heeft het vandaag aan de trapeze fantastisch gedaan,' zei Balloo met een grijns. 'En wie is dit?' vroeg hij terwijl hij Carter kietelde. Het duurde niet lang of hij holde met hem op zijn schouders rond het zwembad. Op de een of andere manier was de vakantie gered.

Op de dag dat we vertrokken renden de kinderen naar Balloo en besprongen hem bij wijze van afscheid. Ik mimede 'Dank je wel' terwijl hij rondliep met een kraaiende Carter op zijn rug. Hij gaf me een knipoog terug.

Het was een opluchting om weer thuis te zijn, maar nu moesten we ons voorbereiden op Olivia's operatie twee weken later. Een week voor die tijd belde ik Encompys om te informeren naar onze ziektekostenverzekering, want die stond nog steeds op Arrons naam en ik was bang dat dat in het ziekenhuis problemen zou geven. Kathleen vertelde me dat mijn verzekering was stopgezet op 30 september 2001. 'Ik heb je een brief gestuurd om te zeggen hoe je je moest opgeven voor Cobra,' zei ze.

'Ik dacht dat dat een formaliteit was. Ik had geen idee dat ik me bij Cobra moest inschrijven, omdat Encompys drie jaar lang premie voor me zou betalen. Dat had je toch gezegd?'

'Nee, Cobra zou achttien maanden lang alle kosten voor je dekken. Het was nooit de bedoeling dat wij je drie jaar lang verzekerd zouden houden.'

'Dus je wilt zeggen dat ik het afgelopen halfjaar zonder ziektekostenverzekering heb ronggelopen? Ik ben in die tijd naar de dokter geweest, maar ik heb nooit een rekening gekregen.'

'Ik moet kijken wat er aan de hand is, maar voor zover ik weet heeft Encompys je per 30 september 2001 uitgeschreven. Het spijt me heel erg, Abby.'

Ik schrok me wild. Waarom kwam ik daar nu pas achter? Kathleen had me letterlijk gezegd dat ik drie jaar verzekerd zou blijven, maar niet dat dat via Cobra was, een verzekering die iedereen kreeg die de afgelopen anderhalf jaar een baan had gehad en vervolgens werkloos werd. Maar ik zou de hoge premies zelf moeten betalen. Dat was wel een belangrijk deel van het verhaal om achterwege te laten.

Dit was al de tweede keer dat Kathleen me in de steek liet. Nog maar een maand geleden had ze me laten weten dat de gratis overlijdensadvertentie van een halve pagina die in september in het voorste katern van de *New York Times* was verschenen in werkelijkheid zesduizend dollar kostte.

'Maar je had gezegd dat er geen kosten aan verbonden waren!'

'Abby, toen Selena me vroeg hem te plaatsen, heb ik gezegd dat dat mísschien gratis zou kunnen.'

'Nou, als we geweten hadden wat het kostte, hadden we hem nooit geplaatst. Waarom heb je ons niet gezegd dat we er zesduizend dollar voor zouden moeten betalen?'

'Ik heb de rekening nog maar net binnen. Maar ik heb je opgegeven bij het Robin Hood Fund. Van hen krijg je vijfduizend dollar, dus dan is hij al bijna betaald,' zei ze. Ik dacht dat ze iets speciaals had gedaan om de kosten te dekken. Pas later kwam ik erachter dat alle 9/11-familieleden dit bedrag konden krijgen van het Robin Hood Fund, een New Yorkse liefdadigheidsinstelling. Het duurde niet lang of de *New York Times* belde me om te vragen waar het geld bleef. Kathleen had hun mijn nummer gegeven. Het kwam niet in me op om tegen ze te zeggen dat Arrons vroegere werkgever de advertentie had laten zetten en er daarom verantwoordelijk voor was.

Ik sprak met Jim, Arrons baas, en slaagde er niet in mijn woede te verbergen. Dankzij een gelukkige samenloop van omstandigheden had de verzekeringsmaatschappij de wijzigingsgegevens niet ontvangen, dus had Encompys zonder het te weten mijn verzekering betaald. Jim stemde erin toe door te betalen tot 1 april, want eerder kon ik me niet bij Audible tegen ziektekosten verzekeren, en op die manier zou Olivia's operatie tenminste gedekt zijn. Later vertelde Jim me dat toen hij Kathleen aansprak op de overlijdensadvertentie en de verzekeringskwesties, ze in woede was uitgebarsten en stante pede haar baan had opgezegd.

Ik was ontzettend van slag. Mijn werk kreeg ineens een heel nieuw belang.

Op de dag van Olivia's operatie kwam mijn buurvrouw Diane ons helpen. We kwamen vroeg in het ziekenhuis aan, maar moesten drie uur in een wachtruimte zitten voordat Olivia bij de chirurg aan de beurt was. Ze droeg een schattig kinderoperatiehemd met konijntjes erop en een paar pluizige roze huissokken, waar ze zich enigszins voor geneerde. Opeens leek ze heel kleintjes, zoals ze daar zat in een bovenmaatse stoel van blauw vinyl. Toen Olivia's naam werd omgeroepen, liep ze dapper de operatiekamer in en werd op de tafel getild. Ik bleef bij haar tot er een masker over haar mond en neus werd gezet en ze tot drie moest tellen voordat ze onder narcose ging. Ik wierp een blik achterom toen ik het vertrek uit liep – naar haar kleine lijfje op de tafel, met haar armen naar opzij alsof ze gekruisigd was – en pinkte een traantje weg.

Later, toen Olivia naar de verkoeverkamer werd gebracht, zag ze er onder het dunne laken bleek en magertjes uit. Ik hield haar hand vast tot ze zich versuft overeind wist te werken. Uiteindelijk mocht ze naar een kamer waar ze tv kon kijken. Ze leek de operatie verrassend goed te hebben doorstaan en at zelfs een beetje ijs.

Een paar uur nadat we thuis waren gekomen, raakte de verdoving uitgewerkt. De dokter had haar aangeraden zo vaak mogelijk wat te eten en te drinken, opdat haar keel sneller zou genezen, maar Olivia wilde dat niet omdat het te veel pijn deed. Ik raakte gefrustreerd door haar gebrek aan medewerking en toen de dagen zich aaneenregen tot een week werd ik steeds kwader.

'Je moet echt eten, liefje. Alleen op die manier kan je keel beter worden. De dokter zei dat het allemaal veel langer duurt als je niets eet.' Ze schudde alleen maar haar hoofd.

De voorjaarsvakantie was nu afgelopen, maar Olivia was nog niet voldoende opgeknapt om naar school te kunnen. De lerares stuurde haar huiswerk, maar dat weigerde ze te maken.

'Ik weet niet meer wat ik moet doen,' klaagde ik tegen de dokter, die regelmatig langskwam om te kijken hoe het ging. 'Dit duurt heel veel langer dan u had gezegd.'

'U moet haar echt aan het eten zien te krijgen. Dat is het allerbeste voor haar.' Hij klonk bedaard.

'Maar dat wil ze niet! Ze zit de hele tijd te huilen en staat eindeloos onder de douche. Dat lijkt het enige te zijn wat helpt.'

'Wil ze ook geen ijs eten? Of kauwgom?'

'Nee, niets.'

'Nou, sommige kinderen zijn nou eenmaal zo; bij hen duurt het gewoon wat langer voor ze beter zijn. Probeer geduld te hebben.'

'Ik ben bang dat mijn geduld een week geleden al is opgeraakt,' zei ik, en mijn stem haperde doordat ik de zoveelste huilbui probeerde binnen te houden.

Ik had zoveel dagen vrij genomen van mijn werk als maar kon. Gelukkig was Martha er. Zij leek over heel wat meer geduld te beschikken dan ik. Ik had de kracht niet om de strijd aan te binden met een onwillig kind.

'Mama, mag ik nog een keer onder de douche?' fluisterde Olivia me op een avond toe vanaf haar nestje op de bank.

'Nee, liefje, je hebt vandaag al vier keer lang onder de douche gestaan. Ik maak wel een smoothie voor je.'

'Nee! Ik wil onder de douche!' Meteen barstte ze in tranen uit.

'Nou, de dokter zegt dat je moet eten. Dát is het enige waar je je beter door gaat voelen!' zei ik met stemverheffing.

Olivia schudde haar hoofd en kneep haar lippen op elkaar. 'Het doet pijn!' piepte ze.

'Je zult het toch moeten proberen. Hoe vaker je het probeert, hoe makkelijker het wordt! Ik heb hier schoon genoeg van! Je moet eten om beter te worden. Je ligt de hele dag maar te mokken en tv te kijken en gaat tig keer onder de douche. Ik heb het helemaal gehad! Ik ga een smoothie voor je maken en die ga je opdrinken!' Ik had mijn breekpunt bereikt.

'Nee!' Olivia sprong op en rende huilend naar haar kamer. Ik bleef achter met een schuldgevoel en probeerde me voor te stellen hoe moeilijk het moest zijn om zoveel verdriet en pijn te hebben als zij kennelijk had. Ik sloop naar boven en tikte zachtjes op haar deur. Ik kon haar horen snikken.

'Mag ik binnenkomen?' Het gesnik ging door, dus deed ik de deur maar open en ging bij haar op bed zitten. Ik nam haar in mijn armen en liet haar huilen.

'Het spijt me. Maar het duurt zo lang voor je beter wordt, ik word er moedeloos van, en het enige wat helpt is eten, maar dat wil je niet.'

'Maar dat doet píjn!'

'Dat weet ik, liefje. Maar soms moet iets eerst pijn doen voordat het beter kan gaan.' Ik doelde op haar amandelen, maar het had het net zo goed op ons verdriet kunnen slaan.

13

Eb en vloed

Op een avond begin maart kreeg ik terwijl ik uien stond te snijden voor de spaghettisaus het telefoontje van Jill waar ik op had zitten wachten. 'Het is een meisje!'

'Een meisje? Nee toch? Ik dacht dat je een jongen zou krijgen. Je zou hem Arron noemen.'

'Nou, het is een meisje. Ik zat er naast.'

Het blije nieuws had een droef randje, niet omdat de baby een meisje was, maar omdat de geboorte een nieuw begin betekende in een wereld die werd getekend door eindes en 'nooit weer'. Het verbaasde me dat ik er niet meer door werd aangegrepen. Ik kon me niet herinneren of Arron voor zijn dood had geweten dat Jill zwanger was, maar ik wilde deze vreugde met hem delen: er was een nieuw lid van zijn dierbare familie geboren. Ik stelde me voor dat het kind een klein deeltje van hem bevatte, of hem kende uit een andere wereld.

Ik wilde graag bij Jill en Dan en hun nieuwe baby zijn, want als ik dicht bij hen was kon ik misschien hun blijdschap voelen. Maar ik was ver weg en de gebeurtenis leek onwerkelijk. Carter en Olivia waren opgetogen toen ze het nieuws hoorden. 'Hoe heet ze? Wat voor kleur haar heeft ze?'

Mijn moeder kwam aan de lijn, nu voor de derde maal oma. Ik bespeurde een welbekende vlakheid in haar stem: vreugde vermengd met een spoortje verdriet, en ik werd er bang van om haar zo mat te horen praten. Toen ze de telefoon weer teruggaf aan mijn zus, luisterde ik aandachtiger. Een kersverse moeder zou toch dolblij moeten zijn. Maar nee, daar was het weer: in Jills stem ontbrak de blijdschap die ik had verwacht. Ik hield mezelf voor dat dat kwam door vermoeidheid, opluchting, angst – de rauwe emoties van alle nieuwe moeders. Wilde ik soms graag dat andermans emoties een weerspiegeling waren van de mijne? Was ik misschien een heel klein beetje blij met dat verdriet? Of niet? Ze zouden op dit moment toch zeker ook wel een beetje treurig zijn, want de omvang van mijn eigen verdriet vroeg daarom, eiste dat. Maar was de reikwijdte van verdriet voor de andere leden van mijn familie wel hetzelfde? Ik wist het niet zeker, maar voor mij voelde verdriet goed.

Toen zei Jill: 'En ze heet Caelin Hannah Nash.' Op de een of andere manier werd ze echter voor me toen ik haar naam hoorde, en vanbinnen verschoof er iets in me.

'Wat een mooie naam, Jill. Ik popel om haar te zien,' zei ik, oprecht blij.

Twee dagen later zat ik met een glas wijn naar PBS te kijken, toen de camera opeens een zwieperd maakte om de lucht te filmen, net op tijd om het eerste vliegtuig toren 1 van het World Trade Center te zien binnenvliegen, het gebouw waarin Arron had gezeten. Het kwam aan als een mokerslag. Ik keek naar de montage van zestig seconden, gefilmd met een in de hand gehouden camera: brandweermannen die de lobby van het gebouw binnenrenden, de cameraman die wegrende van de ineenzakkende toren en zijn schokkerige beelden van een wit niets, en vervolgens de wazige shots van de ingestorte torens. Ik kreeg amper adem. Meteen was ik weer terug op die ochtend dat ik op tv de torens had zien instorten, met Carter op mijn heup, die het scherm aanraakte. Zo begon de stortvloed aan televisieprogramma's om te herdenken dat 9/11 nu een halfjaar geleden was.

Dit filmpje was het werk van twee Franse filmmakers die op die rampzalige ochtend aan een documentaire werkten over nieuwbakken brandweerlieden. Een halfuur later zag ik het weer, gefascineerd door de bijna misselijkmakende zwaai van de camera van grondniveau naar een haperend beeld van de lucht terwijl het vliegtuig overvloog en zich in het gebouw boorde. Deze shots waren de enige momenten van het eerste vliegtuig dat toren 1 raakte die op film waren vastgelegd. Ik sloot mijn ogen, maar het beeld stond op mijn netvlies gegrift. Arron had tegen me gezegd dat het om een bom ging; nu kon ik zien dat hij zich toen het vliegtuig doel trof aan de tegenoverliggende kant van het gebouw moest hebben bevonden, de kant die naar toren 2 toe was gekeerd. Als hij uitzicht had gehad op de stad, zou hij het vliegtuig hebben gezien zoals ik het nu zag.

Ik begreep niet waarom het nodig was te herdenken dat 9/11 een halfjaar geleden was. Misschien schortte er iets aan de kijkcijfers of was de overweldigende aandacht voor 9/11 zo ver weggezakt dat de media het tijd vonden worden voor een herdenking. Of misschien wilden de mensen nog steeds proberen te begrijpen wat er die dag was gebeurd. Ik had het eerste jaar niet gerekend op zoveel televisie-programma's, krantenartikelen, films en commentaren. Ik kreeg niet de tijd om me schrap te zetten, om de tv en radio uit te zetten, om de artikelen te vermijden in de kranten die bol stonden van '9/11' en '11 september'.

Toen ik naar de preview zat te kijken, niet in staat de tv uit te zetten, voelde ik me trillerig en slapjes, alsof ik net was hersteld van een koortsaanval. Ik begon nog maar net de duistere verdoving van mijn verdriet te boven te komen. Mijn ademhaling werd oppervlakkig en ik wilde dat ik het potje met pillen tegen angst nog had, maar daarvan had ik onlangs de laatste ingenomen.

'Wat walgelijk!' zei Selena over de media-aandacht. 'Ik zet mijn tv pas weer aan als het voorbij is!'

Maar ik wilde de documentaire graag zien. Ik wilde meer weten, meer zien, een duidelijker beeld krijgen van wat er die dag was gebeurd. Ik kon maar niet besluiten of ik er nou wel of niet naar moest kijken.

'Doe het niet. Het is vast heel verschrikkelijk,' zei Selena. 'Ik ben in elk geval niet van plan ernaar te gaan kijken.' Ik vroeg me af of ze het meende. Ze was verslaafd aan nieuws, en ik had zo'n idee dat zij om dezelfde redenen zou willen kijken als ik. Om te weten. Om zin te ontdekken in wat er was gebeurd. Ik wilde weten waarom de gebouwen het zo rampzalig hadden begeven, ik wilde de realiteit zien van wat er was gebeurd, of het echt zo erg was geweest als ik me in gedachten voorstelde. De gedachte aan Arrons laatste momenten liet me maar niet los. Waarom waren de torens ingestort? Waarom had Arron niet naar buiten weten te komen? Wat was er in die anderhalf uur door hem heen gegaan? Had hij overwogen naar buiten te springen? Had hij gehuild? Had hij pijn gehad? Wist hij op dat moment dat hij zou sterven?

Dus keek ik.

Weer zag ik het eerste vliegtuig op Arrons toren afvliegen. Ik keek hoe de kopstukken van de brandweer een commandocentrum opzetten in de lobby van toren 1, terwijl brandweermannen ijlings met de liften omhooggingen. De beelden waren wazig van de rook. De voice-over van Robert de Niro legde uit dat het gedreun op de achtergrond dat af en toe te horen was, werd veroorzaakt door lichamen die door de glazen luifels heen vielen die de toegang van de gebouwen op straatniveau afschermden. Opeens klonk er diep gerommel en werd het beeld wit. De cameramannen renden door het wit heen, terwijl ze niets anders zagen dan de schimmen van de mensen die ze passeerden. Toren 2 stortte in en boven het geluid van sirenes, geschreeuw en gekreun uit hoorde je de cameraman zich hardop afvragen of hij misschien zojuist gestorven was.

Geboeid en vol afgrijzen keek ik toe, verbijsterd over het gebrek aan vooruitziendheid bij de brandweerlieden, die een commandopost in de lobby van een brandend gebouw hadden opgezet. Ik vond het teleurstellend dat ze er niet aan hadden gedacht iemand naar de tv-beelden te laten kijken, want ik was ervan overtuigd dat ze, als ze contact hadden gehad met iemand die had gezien dat toren 2 door het vliegtuig werd geraakt, wel zouden hebben begrepen hoe onstabiel de klap het gebouw had gemaakt. Dan hadden ze kunnen nagaan dat toren 1 waarschijnlijk even onstabiel was en hadden ze hun commandocentrum kunnen verplaatsen. Ze hadden meer kunnen doen om mensen te redden als ze hadden geweten dat er ook maar enige kans was dat de gebouwen zouden instorten. Toen ik op die bewuste septemberochtend had gekeken hoe het gebouw werd getroffen, wist ik zeker, gezien het feit dat het vliegtuig dramatisch dwars door drie van de vier gevels van toren 2 was gevlogen, dat de bovenkant van het gebouw zou losraken en naar beneden zou storten. Later op de dag legde mijn vader, die architect was, uit hoe de constructie van het gebouw was.

'Vergeet niet dat het is gebouwd om een inslag van een 737 te weerstaan,' had hij gezegd. 'Het is gebouwd met alle ondersteunende structuren aan de buitenkant, zodat het, als er een vliegtuig tegenaan mocht vliegen, implodeert en niet hele stratenblokken wegvaagt.'

Dat klonk zinnig. Maar de brandweermannen leken zich niet bewust van deze veiligheidsmaatregel in de constructie. Uit de film werd duidelijk dat de brandweermannen niet goed met elkaar hadden kunnen communiceren. Iedereen leek in radio's te praten en vervolgens gefrustreerd te raken dat er geen reactie kwam. Brandweerlieden renden zonder enige coördinatie rond. De beelden waren verpletterend. Er was voor Arron geen hoop op redding geweest, er waren alleen chaos en verwarring. Voor mij was deze film een bewijs van de overmoed van de brandweer van New York, maar uiteraard deed dat er niet toe. Arron was nog steeds dood, maar ik wilde graag geloven dat hij in de laatste momenten van zijn leven althans enige hoop had gehad. Maar nu ik naar de film keek, deed het me verdriet dat de brandweermannen met falende apparatuur hadden moeten werken en kennelijk waren uitgegaan van de overmoedige gedachte dat iets zo verschrikkelijks nooit in de VS zou kunnen plaatsvinden. Iedereen in het gebouw was bedrogen. De mensen hadden zich laten sussen door een vals gevoel van veiligheid omdat het gebouw overal tegen bestand heette te zijn. Op de een of andere manier had elk systeem dat zo'n catastrofale aanval had moeten voorkomen gefaald: de luchtvaartmaatschappijen, de Amerikaans regering, het leger, de torens zelf, George Bush. Terwijl ik zat te kijken, werd ik kwaad op de brandweermannen dat ze Arron en al die andere onschuldige mensen niet hadden gered. Ik was kwaad dat techneuten een gebouw hadden ontworpen dat bedoeld was om te imploderen. Ik was kwaad dat de deur naar het dak op slot had gezeten, zodat er geen hoop op ontsnapping was geweest. Ik was kwaad dat zelfs áls er mensen op het dak hadden weten te komen de helikopters niet hadden kunnen landen vanwege de dikke wolken zwarte, giftige rook. Ik was kwaad op het Amerikaanse leger, dat te traag had gereageerd op de berichten over gekaapte vliegtuigen – ook al wist ik dat daarmee Arron nog niet gered zou zijn. Gek genoeg kon ik nog steeds niet kwaad worden op de mensen die de misdaad hadden begaan. Osama bin Laden. De taliban. De Saudi's. Wie had er eigenlijk schuld? Ze leken gezichtsloos en anoniem. Ofwel ze waren dood, ofwel ze waren ver weg. Ze hadden deze aanslag gepleegd om redenen waar ik me niets bij kon voorstellen, al begreep ik die diep vanbinnen misschien toch wel. De grootste gebouwen ter wereld stonden voor het epicentrum van Amerika's rijkdom, voor democratie, vrijheid en wereldmacht: een ideaal doelwit.

Die avond kon ik de slaap niet vatten. Selena had gelijk gehad. Ik had niet naar de documentaire moeten kijken. Ik was meer te weten gekomen over Arrons laatste minuten, en de gruwelen die hij had moeten doorstaan leken echter. Nu kreeg ik die beelden niet meer uit mijn hoofd. Ik huilde opnieuw om hem, terwijl ik me een voorstelling probeerde te maken van zijn angst en spijtgevoelens. In de film zag ik de glanzende lobby van het World Trade Center en de batterij liften die hij die ochtend moest hebben gebruikt. Ik zag honderden geluksvogels met liften de lobby in komen en vervolgens naar buiten lopen, begeleid door brandweermannen, en speurde hun gezichten af of Arron erbij was. Ik hoorde de lichamen door de glazen luifel heen vallen en probeerde maar niet te denken aan die opperste wanhoop die hen ertoe moest hebben aangezet om van zo'n enorme hoogte naar beneden te springen. Ik zag Arrons nachtmerrie van dichtbij, en nu was die de mijne geworden.

In de weken die volgden op de documentaire was ik weer helemaal terug in de begindagen van mijn rouw. Ik kon de welbekende dofheid bezit voelen nemen van mijn lichaam en ik deed alles op de automatische piloot, niet in staat mijn emoties te uiten. Met de nadelige effecten die de documentaire op me kon hebben, had ik geen rekening gehouden. De gedachte aan Arrons laatste momenten boven in de toren liet me maar niet los, en ik begon levendig over hem te dromen, maar in die dromen zag ik nooit zijn gezicht.

Op een middag, ongeveer een maand nadat ik de film had gezien, zat ik op kantoor uit het raam te staren. Tot mijn verrassing zag ik dat er jadegroene nieuwe knoppen aan een boom verschenen. Eronder schoot een stukje fel geelgroen gras tussen de barsten in het plaveisel omhoog. Was het lente geworden? Had ik dat niet in de gaten gehad? Toen raakte ik in de war: was het lente of nog steeds herfst? Het weer deed denken aan die bewuste septemberdag: mooi, zonnig, warm. Opeens kon ik kleuren zien, en na mijn lange, ononderbroken dagen vol grijsheid verblindden die me. Op de een of andere manier had ik niet gemerkt dat de winter voorbij was. De dagen waren simpelweg in elkaar overgelopen, steeds even grauw als mijn stemming.

Als uit een droom werd ik plotseling wakker, gedesoriënteerd, met het gevoel alsof ik maanden van mijn leven kwijt was. Het was een van de vreemdste, verdrietigste momenten die ik me uit mijn hele leven kon herinneren. Ik bleef uit het raam staren, met tranen in mijn ogen, en mijn verlies blies als een koude wind door mijn uitge-holde borstkas. Op de plek waar eerst dofheid had gezeten, kwam nu pijn naar binnen. Ik haalde weer voor het eerst adem en de wond deed ontzettend pijn toen er frisse, schone lucht door mijn lichaam stroomde.

Misschien had ik naar buiten moeten stuiven om het naar lente geurende briesje door mijn haar te voelen waaien of het aroma van stralend, goudkleurig gras op te snuiven, maar dit ontwaken voelde zo niet aan. Ik stond simpelweg bol van het verdriet. De zomer kwam eraan en zou de ene herinnering na de andere brengen. De zomer was de tijd dat je met je gezin herinneringen maakte: vakan-ties, barbecues, zwemmen, tuinieren. Warmte. Zonneschijn. Licht. Kleur.

Het drong tot me door dat ik me niet langer achter mijn verdoofd-heid kon verstoppen en het niet langer kon toestaan dat die me afschermde tegen pijnlijke herinneringen aan Arron. Ik moest ermee stoppen mijn emoties te ontkennen en de pijn echt gaan doorvoelen.

Ik was bang dat als ik uit mijn verdoving ontwaakte, mijn herinneringen aan Arron nog meer pijn zouden doen en me rauw zouden achterlaten, of dat mijn band met hem verder weg zou lijken; maar wakker zijn voelde beter dan verdoofd zijn, want dan was je net een zombie. Ik hoopte dat dit ontwaken zou betekenen dat ik weldra weer plezier zou krijgen in de frisse tinten die me nu omringden. Ondanks mijn angsten kreeg ik toch een beetje hoop dat verdriet niet alleen maar droefenis hoeft te zijn, maar misschien het volledige spectrum aan emoties zou kunnen omvatten, zowel positief als negatief.

14

De vogel uit zijn kooi

Er was iets in mijn binnenste verschoven en ik voelde me alsof er een waas voor mijn ogen was weggehaald, waardoor ik nu duidelijker kon zien. Terwijl ik 's nachts in bed lag te tobben, voelde ik me geroepen om de chaos die mijn leven leek te zijn op orde te brengen. De kinderen hadden nog steeds veel aandacht nodig en ik bleef me zorgen maken om Arron – dat zijn geest niet tot rust kon komen omdat hij zich zorgen maakte om de kinderen en mij, of op wraak zon om zijn dood. Ik moest nu ook mijn financiën eindelijk eens echt goed regelen. De slachtofferhulp was eindelijk op gang gekomen en de formulieren, die nog steeds in hun manila-envelop in een hoekje van mijn kantoor lagen, wachtten erop te worden ingevuld. Op aandringen van Liz, een andere 9/11-weduwe, zat ik korte tijd later in het met donker eikenhout gelambriseerde kantoor van een beleggingsfirma naar het fluorescerende blauwe water van een enorm aquarium met tropische vissen te kijken. Ik had mijn ene jaar met Jennifer, de financieel adviseur die ter beschikking was gesteld door de verzekeringsmaatschappij, laten verstrijken. Nu voelde ik me eindelijk opgewassen tegen de klus om mijn financiën goed te gaan regelen en had ik hulp gezocht.

Toen mijn naam werd afgeroepen, draaide ik me om en zag een vrouw in een kek groen pakje op me af stappen. Ze wierp me een duizelingwekkend witte glimlach toe en ik stak mijn hand uit, om die door haar kwiek te laten schudden.

'Hallo, ik ben Debra! Wat fijn om u eindelijk te zien!'

Toen we hadden plaatsgenomen op de zwartleren directiestoelen, wist ik zeker dat ik een betrouwbaar bedrijf had benaderd, terwijl ik me tegelijkertijd niet op mijn plek voelde omdat ik wist dat het kantoor uitsluitend de beleggingen behartigde van cliënten die in goeden doen waren.

'Ik wil graag doornemen wat u me hebt gegeven en een paar dingen uitleggen.' Ik had Debra het financieel overzicht gegeven dat Jennifer een halfjaar tevoren had opgesteld. Er was niet veel veranderd sindsdien, op het groeiende trustfonds na. Evenals Jennifer schetste Debra me diverse scenario's om mijn geld te beleggen, allemaal met wisselende opbrengsten. Ze deed voorstellen voor hoeveel ik waarin zou kunnen investeren. Het duizelde me van de percentages en rentevoeten, details van small cap funds en aandelenkoersen. Ze lichtte toe hoeveel het kantoor aan onkosten inhield... en dat was niet gering.

'Wat ik eigenlijk wil weten,' vroeg ik Debra aan het eind van onze bespreking, 'is of ik wel genoeg geld heb.'

'Nou, ik zou u graag een positief, vlot en rechtstreeks antwoord geven, maar het hangt ervan af hoe u uw geld belegt. Het lijkt mij in uw geval verstandig het over diverse beleggingen te verspreiden, zodat u er het meeste rendement uit kunt halen. U zou het trustfonds van de kinderen kunnen beleggen, zodat ook dat meer oplevert. Maar al met al staat u er volgens mij niet slecht voor.'

Toen ik bij Debra de deur uit stapte, had ik voor het eerst het gevoel dat ik een duidelijk beeld van onze financiële situatie had. 'U staat er niet slecht voor' klonk het maar steeds in mijn hoofd. Maar mijn angst maakte plaats voor een andere: stel nou dat ik het verzekeringsgeld van Arron ook bij deze vrouw, dit kantoor belegde? Zou ik dan niet te veel op één paard wedden? Ik zocht het bedrijf en Debra op op Google. Ik ging naar de website van Better Business Bureau, vond gloedvolle artikelen uit tijdschriften, zoals *Money* en *Smart-Money*, en ontdekte dat veel van de financieel adviseurs die daar werkten regelmatig op CNN verschenen en te gast waren in financiële programma's van andere zenders. Het deed me goed dat ze kennelijk solide waren, maar ik vond het nog steeds niet niks om mijn geld toe te vertrouwen aan een kantoor dat ik niet kende. Die beslissing moest ik alleen nemen. Ik wendde me tot datgene waar ik naar mijn idee steeds meer op begon te vertrouwen: mijn onderbuikgevoel. Intuïtief voelde ik dat Debra een goed mens was, die alles wilde doen om me te helpen. We lagen elkaar en ik begreep dankzij haar heldere, beknopte uitleg zelfs de meer ingewikkelde geldzaken.

Op maandag belde ik Debra en meldde haar dat ik er klaar voor was om bij haar en haar bedrijf te gaan beleggen. Het voelde goed om in mijn eentje mijn eerste grote financiële beslissing te nemen. Ik hoopte maar dat het iets zou opleveren, dat het Arrons goedkeuring zou hebben kunnen wegdragen.

Op aandringen van mijn pro-Deoadvocaat, Lenore, de zus van mijn baas Rob bij Audible, begon ik zogenaamd 'eenvoudige' formulieren in te vullen om me aan te melden bij het September 11th Victim Compensation Fund, het fonds voor slachtoffers van 11 september. De formulieren telden 24 pagina's en gingen vergezeld van een 45 pagina's tellend *Helping Handbook* en een *Rules and Regulations*-boekje van 17 pagina's. Via een website en telefoonnummer kon je, indien nodig, hulp krijgen.

Ik had het geluk dat ik Lenore had om me te helpen. Pro-Deo-advocaten, die geacht werden beschikbaar te zijn voor elke 9/11-familie, waren in werkelijkheid moeilijk te vinden, en veel families moesten hun advocaten toch nog forse bedragen betalen.

Andere 9/11-nabestaanden protesteerden bij de beheerder, Kenneth Feinberg, dat het fonds niet eerlijk was. Ze waren niet tevreden over het feit dat uitkeringen van verzekeringen, de sociale voorzieningen, ongevallenverzekeringen en pensioenen werden afgetrokken van de eindbetaling. Zij en de deskundigen die ze hadden ingeschakeld, vonden de 250.000 dollar per slachtoffer die families kregen uitbetaald bij wijze van schadevergoeding voor 'niet-economisch verlies', als emotionele schadevergoeding dus, te laag. Als ze toestemming hadden gekregen om hiervoor naar de rechter te stappen, redeneerden deze families, zou dit bedrag automatisch veel hoger zijn geweest. Aan de hand van ingewikkelde tabellen konden familieleden berekenen hoeveel ze ongeveer zouden krijgen op basis van de leeftijd, het salaris en het aantal kinderen van het slachtoffer.

Volgens die tabellen had ik recht op een behoorlijk hoge uitkering, want Arron viel in de hoogste schaal die in de tabellen voorkwam. Als hij meer had verdiend dan het maximumbedrag op de tabellen, zou de uitkering minder zijn geweest dan zijn salaris, wat gebeurde bij veel van degenen die een miljoen hadden verdiend.

Op een avond, toen de kinderen al in bed lagen, zat ik aan de keukentafel zorgvuldig de vele formulieren in te vullen met zwarte inkt, waarbij ik Arrons sofinummer keurig in het kader boven aan elke pagina zette. Ik zocht belastinggegevens op uit 1998, maakte kopieën van Arrons overlijdensakte en allerlei (jaar)opgaves van verzekeringsuitkeringen, sociale voorzieningen, pensioenen enzovoort. Ik maakte in Excel spreadsheets die een beeld gaven van 'latente verliezen': bedragen die ik moest betalen nu Arron er niet was om bepaalde dingen te doen, zoals gras maaien, financiële investeringen doen, klussen in en om het huis. Ik moest kiezen tussen twee manieren om mijn aanvraag in te dienen. Op manier A zou de uitkering behandeld worden op basis van de aanvraaggegevens, en als de ontvanger het bedrag onvoldoende vond, kon die naderhand een gesprek krijgen. Manier B hield in dat je zo'n gesprek direct aanvroeg en de uitkering zou dan ter plekke worden bepaald. Leonore raadde me manier B aan.

Ik wachtte tot het allerlaatst voor ik mijn handtekening zette onder deel III, de verklaring van afstand van rechten. Mijn pen bleef boven het papier zweven. Ik was niet iemand om processen aan te spannen. Tenslotte was ik Canadese. Maar na zes jaar in de Verenigde Staten te hebben gewoond, had ik wel geleerd dat je in Amerika moest procederen om iets gedaan te krijgen en om beleid of procedures te veranderen. Door zwakke plekken in de beveiliging van luchthavens hadden vijftien terroristen met messen vliegtuigen binnen weten te dringen. De deur naar het dak van het World Trade Center had op slot gezeten. De trappen waren geblokkeerd door puin en onbruikbaar geweest. De gebouwen waren ingestort, ondanks het feit dat ze waren gebouwd om te pletter vliegende vliegtuigen te weerstaan. Door de afstandverklaring te ondertekenen zou ik nieuwe bouwontwikkelingen die bescherming konden bieden tegen toekomstige rampzalige missers misschien verhinderen. Misschien werkte ik zo wel in de hand dat vliegmaatschappijen gewoon door bleven draaien met een haperende veiligheid, omdat zij het winstoogmerk belangrijker vonden dan de zorg voor de veiligheid van hun passagiers. Maar als ik weigerde mijn handtekening te zetten, kon ik niet anders dan naar de rechter stappen: een onzekere, tijdrovende en kostbare onderneming. Hier was de financiële zekerheid van mij en mijn kinderen in het geding. Ik haalde diep adem en zette mijn handtekening. Het voelde alsof ik ondertekende met bloed.

Dankzij het geld van het fonds zou ik kunnen stoppen met werken en fulltime voor Olivia en Carter kunnen gaan zorgen. Ik zou me geen zorgen hoeven te maken over mijn uitgaven: de opleiding van de kinderen, ziektekosten, de hypotheek, eten en drinken. Maar anderzijds hield ik mijn hart vast om zo'n grote som geld aan te nemen. Ik was bang dat ik er niet verstandig mee om zou gaan, zoals mensen die de loterij gewonnen hebben het geld over de balk gooien en uiteindelijk armer eindigen dan ze voordien waren geweest. Ik was bang dat het geld ongenoegen zou oproepen bij mijn familie of bij de kinderen als ze ouder zouden zijn. De verantwoordelijkheden die ik voor onze toekomst droeg vielen als een loden deken over me heen.

Op een zonnige zaterdag in mei zag ik twee buurvrouwen, Diane en Jennifer, naar mijn huis toe lopen. Ze kwamen vragen of ik zin had om over een maand mee te gaan naar een optreden van een plaatselijke helderziende, Concetta geheten. Ik was geïntrigeerd. Ik was druk bezig Arrons nalatenschap af te wikkelen en alles te regelen voor ons gezin; hij kon dus gerust zijn en hoefde zich niet meer druk te maken om de kinderen of mij. De woorden van de helderziende uit Toronto – 'ze is heel verloren, koel' – stonden me nog helder voor de geest. Ik was nog steeds bang dat Arron ook verloren was, als een vogel die vastzit in een schoorsteen. Ik had hard gewerkt om onze financiën op orde te krijgen en een aanvraag in te dienen voor slachtofferhulp. Ik lette erop dat de kinderen gezond bleven en iemand hadden met wie ze over hun verdriet konden praten, en maakte plannen om hun een gelukkige zomer te bezorgen. Maar ik had nog steeds niet het idee dat ik Arrons angsten van gene zijde had weggenomen, misschien omdat ik niet zeker wist of hij me nog steeds als 'verloren' beschouwde. De uitnodiging van Diane en Jennifer kwam dus precies op het goede moment. Misschien zou een helderziende me kunnen helpen om deze gevoelens van onrust tot bedaren te brengen, me kunnen vertellen of Arron het goed maakte, of ík het goed maakte. Ik was bereid om aan het altaar van de helderziende een offer te brengen als die me kon geruststellen hoe het met Arron in het leven na dit leven ging. Maar ik maakte me ook zorgen dat ik te veel belang aan zo iemand hechtte, in een wanhopige poging me aan mijn overleden echtgenoot vast te klampen.

De boodschap van de helderziende uit Toronto, waar ik niet om had gevraagd, had, of die nu echt was of niet, voor mij een keerpunt betekend en had mijn tumultueuze gedachten over de plek waar Arron zou kunnen zijn tot rust gebracht. Ik was erdoor gaan geloven in een leven na dit leven, wat op zijn beurt mijn angst voor de dood verlichtte. De boodschap was simpel geweest, en toch had die me bevrijd van mijn eigen gedachten aan de laatste momenten van Arrons leven; ik was er kalmer door geworden. Het sprak voor zich dat ik mijn verkenningen wilde voortzetten, dat ik meer wilde weten over het hiernamaals, op welke manier ik maar kon.

Ik schreef een cheque van veertig dollar voor het toegangskaartje uit aan Jennifer en hoopte maar dat mijn verlangen naar communicatie niet met mijn gezonde verstand op de loop was gegaan.

Een maand later reden we met z'n drieën naar een buurthuis in New Jersey. Toen ik binnenkwam, maakte mijn maag een sprongetje. Een vrouw die bij de deur stond, overhandigde Diane, Jennifer en mij een lootje dat ze van een enorm rad vol van zulke lootjes trok en legde uit dat de nummers die erop stonden met vijf tegelijk zouden worden afgeroepen voor een reading van vijf minuten bij Concetta. Ik wist heel zeker dat mijn nummer aan de beurt zou komen.

Na een korte en bevlogen introductie door haar jeugdvriendin verscheen Concetta ten tonele, die met een soort sprong bijna in het midden van de zaal belandde. Ze was lang, met keurig gekapt blond haar en gekleed in een broekpak van blauw polyester, en als een kind borrelde ze over van giechelige opwinding.

'Als jullie deze zaal door kijken,' begon ze, 'denk je misschien dat we hier maar met een man of zestig zitten, maar jullie moeten weten dat jullie dierbaren hier ook aanwezig zijn. Ze omringen ons. Als ik de zaal door kijk, zie ik duizenden mensen.' Haar New Jersey-accent maakte haar nog charmanter.

De eerste vijf nummers werden afgeroepen en opgewonden sprongen er mensen op, alsof hun zojuist was verteld dat ze 'naar voren mochten komen' bij het *Rad van Fortuin*. Iedereen nam met een stralend gezicht plaats. Concetta liet geen tijd verloren gaan. 'Ik krijg een Martha of een Muriel door.' Vrijwel alle keren beschreef ze hoe de persoon in kwestie was overleden. 'Was het een hartaanval?' vroeg ze dan, met haar hoofd in haar handen. 'Ze wil me met een hoofdgebaar iets laten zien...' Vaak was de informatie heel nauwkeurig. 'Ze laat me een baby zien – heeft ze een miskraam gehad?' 'Ja!' riep de cliënt dan uit. 'Maar daar weet niemand van.'

Tijdens de pauzes liep Concetta, die niet te stuiten leek, tussen het publiek door om minireadings te geven. Bij een daarvan had ze het over twee mannen die op elkaar leken maar verschillende uniformen droegen. 'Het ene is van de marine en het andere lijkt meer op een legeruniform.' Een man sprong op. 'Mijn vader en oom waren tweelingen!' verkondigde hij. 'De een zat bij de landmacht en de ander bij de marine!' Na bijna drie uur zei Concetta dat de volgende vijf nummers die zouden worden afgeroepen voor die dag de laatste zouden zijn. Ik klemde mijn lootje vast in mijn handen. Toen het laatste nummer werd afgeroepen, zat ik er maar één cijfertje naast. Ik keek op en zag dat Diane zich omdraaide om mij haar lootje te geven.

'Dit is voor jou,' zei ze alleen maar.

'Weet je het zeker?' stamelde ik.

'Ga nou maar.'

Ik nam plaats op de laatste stoel, met mijn gezicht naar het publiek. Concetta begon aan de andere kant van de rij. Van de readings hoorde ik niks; mijn hart hamerde in mijn borstkas. Eindelijk was ik aan de beurt. Conchetta was inmiddels duidelijk uitgeput. Haar gezicht zag bleek en van haar gegiechel was niets meer over. Ze streek met een hand door haar haar, trok een krukje naar mijn stoel en ging daarop zitten – de eerste keer in drie uur dat ze dat deed. Vol verwachting keek Conchetta me aan.

'Ik ben Abigail Carter en ik wil graag contact met mijn man.'

'Wie is "A"?' begon ze.

'Mijn man heette Arron.'

'Oké. Ik zie hem voor me. Hij is een heel leuke man. Ik zie hem omgeven door dieren.'

Bij dat beeld moest ik glimlachen. Arron had zich aangetrokken gevoeld tot elk dier dat we ooit hadden gezien, omdat hij vond dat ze allemaal op Harley leken.

'Wie is Tom, Thomas, Tim?'

'Dat zal Tim zijn. Hij was een vriend van mijn man en hij overleed kort voordat mijn man stierf,' zei ik verbaasd.

'Oké. Goed. Wie is Nicole, Nicky?'

'Dat weet ik niet.'

'Dat geeft niet. Misschien bedenk je dat later nog. Ziezo, schat. Ik wil je niet beledigen, maar hij wil je een boodschap doorgeven. Je zult iemand leren kennen. En dat is prima. Je moet verder met je leven. Hij houdt van je en wil echt dat je dit goed begrijpt.'

In zekere zin was het leuk om dit te horen, maar het had ook iets van een cliché. Ik was kennelijk te jong om weduwe te zijn, en dat was iets wat ik vaak te horen kreeg. 'Ik snap het.'

Concetta legde haar hand op haar borst. 'Ik voel dat hij een probleem had met zijn borst. Hij stopte met ademhalen, kreeg geen lucht...?'

'Ik weet het niet.'

Concetta bleef op haar borstkas tikken, haar ogen gesloten en haar gezicht naar het plafond gekeerd. Opeens deed ze haar ogen open en keek me aan. 'O mijn god. Was het 9/11?'

Het publiek hapte naar adem.

'Ja,' fluisterde ik. Had ze die conclusie uit zichzelf getrokken? Ik was te jong om weduwe te zijn en we woonden in de omgeving van het wtc. Zo gek was het dus niet.

'O, lieverd. Het spijt me!' Ze begon te huilen, laste een korte pauze in en fluisterde me dat 9/11 haar diep had aangegrepen. Vervolgens keerde ze zich naar het publiek en vertelde hun hetzelfde. Ze wilde net met mijn reading doorgaan toen ik uitriep: 'O! Ik weet al wie Nicole is! Zij is de vrouw van de man met wie Arron die dag samen was. Het schiet me ineens te binnen.' Ik had Nicole maar één keer gesproken en wist heel weinig van haar.

'Mooi zo,' antwoordde Concetta, in het geheel niet van de wijs gebracht door mijn interruptie. 'Ze zijn heel snel gestorven. Ik heb het gevoel dat ze niet eens hebben beseft wat er gebeurde. Volgens mij was iedereen die dag uitgekozen voor dit lot. Ze wisten dat het zo zou aflopen.' Hoe kon zij weten dat ik me had lopen afvragen hoe het zat met het lot? '... Hij laat me een vis zien en een of ander soort tafel. Een forel misschien?'

Een jaar daarvoor had Arron voor mij een 'vistafel' gemaakt, zoals hij het noemde, om me te feliciteren met mijn promotie bij Audible.

'Dat is de vistafel,' zei ik haar. 'Die heeft hij afgelopen zomer voor me gemaakt.' Ze had iets heel authentieks over zich, iets heel innigs. Ik wist dat ik kwetsbaar was, maar ze onthulde niets wat kwaad leek te kunnen. Ik hunkerde naar meer en barstte van de vragen. 'Hoe is het nu met hem?' vroeg ik.

'Oké. Hij zit aan die tafel. Hij is dicht in de buurt. Hij geeft je een heleboel tekenen dat hij vlakbij is. Hij geeft je tekenen dat hij dichtbij is en over je waakt. Hij houdt heel veel van je.'

Concetta vertelde me wat ik zo graag had willen horen. Arrons geest was ongeschonden gebleven en zond mij boodschappen: hij was vlakbij, hield nog steeds van me en verzekerde me dat ik een nieuwe liefde zou vinden. Ik was opgelucht te horen dat ik niet langer 'verloren' of 'koel' was, dat hij me weer als benaderbaar beschouwde. Of het nou echt was of verlakkerij kon me niet schelen.

Nog een tikje wankel liep ik na mijn reading het buurthuis uit en draaide mijn hoofd naar de lucht om me te koesteren in de lentezon. Ik voelde me verkwikt, klaar voor mijn volgende uitdaging.

15

Opstijgen

Mijn ontsnappingen aan het verdriet begon ik 'opstijgen' te noemen. Ontsnappingen naar de fysieke wereld, waarbij de innerlijke vermeden werd. Ik nam elke uitnodiging voor etentjes, feestjes, weekendjes weg, barbecues en middagen aan het zwembad aan. Ik plande mijn agenda helemaal vol met verjaardagen, vieringen en feestdagen, tot ik er uitgeput van dreigde te raken. Een hectische levensstijl schermde me af voor mijn gemis.

Voor mij begint de zomer altijd met Olivia's verjaardag, op 2 juni. Haar zevende verjaardag zou de eerste zonder Arron worden. Ze wilde het vieren bij de plaatselijke kunstopleiding, waar we ook haar vijfde verjaardag hadden gevierd. Ik zag Arron en Bruce nog zó tegen de muur van de school geleund staan, een biertje drinkend in het spikkelige zonlicht dat door de ramen viel. Ik hoopte maar dat we niet een prachtige goede herinnering door een akelige zouden gaan vervangen.

Ik belde de beheerder en maakte afspraken. Ik bestelde de ijstaart. In hetzelfde groene spiraalschrift waarin mijn familie en vrienden telefoonboodschappen hadden genoteerd in de dagen vlak na 11 september stelde ik een lijst op van kinderen die moesten worden uitgenodigd en van de spullen die ik voor het feestje nodig zou hebben. Ik printte uitnodigingen uit en verstuurde ze. Iedereen beloofde te komen. Ik neem aan dat niemand de uitnodiging voor een feestje van een 9/11-wees wilde afslaan, en zodoende kwamen er negentien kinderen opdagen.

Op de dag van het feestje kwam mijn moeder helpen en daar was ik blij mee. Ze heette de gasten welkom, ging met de kinderen aan de slag (en was daar beter in dan het personeel van de kunstopleiding), deelde taart uit, overhandigde kleine tasjes met cadeautjes en lekkers, en ruimde op. Ze dolde met de kinderen terwijl ik met een glimlach op mijn gezicht geplakt verdwaasd rondliep. Elk kind had een kartonnen doos gemaakt met erbovenop een kikker of uil van klei, in overeenstemming met het Harry Potterthema. Ik keek naar Olivia, een bleke zevenjarige bij wie er amper een glimlachje af kon toen ze de kaarsjes op de taart uitblies, en naar Carter, een aanhankelijk jongetje van twee dat veelvuldig huilde en jammerde, waarmee hij zijn toch al zo uitgeputte moeder nog verder uitputte. Hoewel het een zonnige dag was, leek het binnen donker. Ik miste de trotse grijns die Arron me op verjaardagspartijtjes altijd schonk, die blik van 'Geloof je dat nou?'

Het feestje eindigde ermee dat ik een vette cheque uitschreef voor de kunstopleiding en me getild voelde. Maar toen ik weer in de auto zat, zag ik in de achteruitkijkspiegel Olivia mij met haar schuine ogen aankijken en scheef grijnzen. Het was de moeite waard geweest. Zelfs die halve glimlach had ik in geen tijden gezien.

Schooltoneelstukken, eindejaarscadeautjes voor de leraren, zomerkampen, zomerlessen, rapporten, nog meer verjaardagsfeestjes, barbecues in de achtertuin, straatfeesten.

Opstijgen.

Op de middag van 4 juli zette ik, nadat we naar de jaarlijkse optocht voor Onafhankelijkheidsdag in Montclair waren geweest, de airco in de auto hoger en scheurden we over de I-5 naar Scituate, Massachusetts, om een bezoek te brengen aan onze vrienden Beth Ann en Donald en hun twee kinderen, Tess en Dean. Arron en ik hadden daar toen Olivia net was geboren een idyllische tijd doorgebracht en ik zette me al schrap voor een emotioneel tochtje vol herinneringen. Maar toen we er eenmaal waren, verbaasde het me hoezeer ik me op mijn gemak voelde. Ook al was Arron er niet bij, ik vond het heerlijk om terug te zijn in Scituate. Het voelde veilig. Toen alle opwinding van de begroeting achter de rug was en de kinderen waren weggerend om te gaan spelen, overhandigde Beth Ann, die haar donkere haar nu kort droeg, maar wier levendige lach nog niets was veranderd, me een glas ijskoffie en begon me alle nieuwtjes te vertellen over mijn oude woonplaats. Die middag gingen we met de kinderen naar het strand, waar de jongens ronddartelden in het zand en heremietkrabben vingen, die ze in het kommetje van hun handen hielden en waarmee ze naar ons toe renden terwijl wij op het strand nog meer ijskoffie zaten te drinken. De meisjes klommen op de hoge rotsen en lieten zich op hun hurken zakken om zeeschelpen te vergelijken. We liepen de stad in voor een ijsje en dronken later glazen rode wijn terwijl we toekeken hoe de kinderen in de achtertuin met de sproeier speelden. Donald grilde steaks. We hadden het non-stop over Arron, over onze gemeenschappelijke vrienden, over de kinderen. Heel even was ik de vrouw die ik was geweest toen ik hier nog woonde: een kersverse jonge moeder, zonder ook maar enige zorg. Ik was blij dat ik gekomen was. En het verraste me dat ik niet overspoeld werd door droeve herinneringen aan Arron. Scituate bleef mijn geluksplek, misschien omdat daar zoveel herinneringen lagen aan de eerste keer dat ik moeder was geworden, of omdat Arron en ik er een eenvoudig leven hadden geleid. Ik had me ook vast voorgenomen niet op de verdrietige toer te gaan, maar bezig te blijven, naar het strand te gaan, wijn te drinken en aan één stuk door te praten.

Voordat we de lange rit terug naar New Jersey aanvaardden, brachten we een kort bezoekje aan onze vroegere buurvrouw Sheila. De kinderen renden vrolijk door haar tuin; Olivia herkende haar oude huis niet, dat we vanaf Sheila's oprijpad konden zien, want al vlak na haar tweede verjaardag waren we verhuisd. De nieuwe bewoners hadden een groter stuk land vrijgemaakt en ik schrok ervan hoe groot het perceel eigenlijk was. Ik lachte, omdat ik in gedachten Arron al hoorde klagen hoeveel gras er nu gemaaid moest worden. Terwijl we daar stonden, kwam de nieuwe eigenaar naar buiten, die me herkende en ons binnen vroeg. Het was gek om weer in het huis te zijn, vooral omdat Arron er niet bij was. De muren waren in smaakvolle tinten blauw en groen geschilderd en onze felblauwe keukenkastjes waren nu wit, wat de ruimte een fris en schoon aanzien gaf, maar verder was het interieur niet veranderd.

Gelukkige herinneringen overspoelden me: Olivia in haar kinderstoel in de keuken, helemaal ónder de spaghetti, Olivia die heen en weer zwaaide in haar Jolly Jumper die in de woonkamer aan een bout in het plafond was vastgemaakt. Ik had het gemist in dit huis en in deze stad te zijn, miste het zorgeloze leven dat we hier hadden geleid. Toen we vertrokken wierp ik nog één laatste blik op onze kei, die nog steeds aan de rand van de tuin lag op de plek waar wij hem hadden neergelegd, nadat we uren bezig waren geweest hem op te graven uit de grond. Het was een van de vele stukken steen waaruit het lage muurtje dat het perceel omgaf was opgetrokken. Voor het eerst vroeg ik me af welk verhaal achter elk van de andere stenen in de muur zou zitten – wat voor gezwoeg er wel niet nodig was geweest om ze stuk voor stuk op hun plek te leggen. Zij hadden het allemaal overleefd, wat misschien niet gold voor degenen die ze op elkaar hadden gestapeld.

Even later suisden we weer over de snelweg terug naar huis. Met moeite had ik afscheid genomen. Daar, op die plek, had ik me tussen mijn zorgzame vrienden thuis gevoeld. Scituate was een plek waar Arron levenslustig en gelukkig was geweest. Nu koersten we weer naar Montclair, de plek waar hij was gestorven. Toen we bij Merritt Parkway in Connecticut in de file terechtkwamen, begonnen de kinderen te klieren. Het was laat, ze waren doodmoe en hadden honger, en we schoten maar niet op. Ik reageerde mijn frustraties op hen af: 'Wees eens rustig!' 'Geen gejengel!' 'Hou op met dat gekibbel!'

De kinderen waren de daaropvolgende week volkomen uitgeput. Olivia werd elke ochtend met een grauw en moe gezicht wakker en wilde niet naar het dagkamp. Een oude dame van zeven jaar. Het dagkamp putte haar uit. Ze ging er gemiddeld drie dagen per week heen en ik had het hart niet om haar tot de volle vijf dagen te dwingen. De oprichter van het kamp had Olivia een gratis zomerkamp cadeau gedaan. Ik was hun iets verschuldigd en voelde me schuldig dat ze maar zo weinig kwam. Kon ik maar de hele zomer vrij nemen van mijn werk om met de kinderen dingen te ondernemen. Daar hadden we allemaal behoefte aan. Maar ik had er ook behoefte aan bezig te blijven.

Opstijgen.

De volgende dag hield ik mijn adem in toen Arrons pick-up de oprit op kwam. Het zonlicht streek er op een bekende manier overheen. Ik verwachtte al niet anders dan dat Arron zou uitstappen, maar het was Bruce met zijn brede grijns. Ik had de pick-up aan Bruce en Jacquie gegeven, en in ruil daarvoor had Bruce aangeboden ons dak te komen repareren. Het was een goed idee geweest om Bruce de pick-up te geven. Ik had hem niet nodig en Bruce reed in een busje dat eruitzag alsof het elk moment spontaan in brand zou kunnen vliegen. Bruce en Jacquie gingen weer naar Toronto na een lange opdracht in Manhattan, en ik wist zeker dat ze een extra voertuig konden gebruiken, vooral nu er een baby op komst was. Ik was blij dat Arrons pick-up goed terechtkwam. Het sloeg nergens op, maar ik zou het onverdraaglijk hebben gevonden hem aan een vreemde te verkopen.

Arron was trots geweest op zijn pick-up. Hij vond het heerlijk om de kinderen op de klapstoelen achterin te laden en naar de bouwmarkt te rijden. Voor hem stond de pick-up voor een leven dat niet binnen zijn bereik lag: een ruige mannenwereld vol tochten buiten de gebaande wegen, beladen met vracht, een wereld van concrete beloningen. Hij bedacht graag klusprojecten voor in huis, zodat hij aan het eind van de dag kon zien en aanraken wat hij had gemaakt. In zijn leven als zakenman kwamen er alleen virtuele zaken uit zijn handen, waar niet het eelt op zat van handenarbeid. In mijn ogen vertegenwoordigde de pick-up deze aspecten van Arron.

Toen Bruce arriveerde, sprongen de kinderen meteen op en in de pick-up; lachend gingen ze op de kleine aan de zijkant geplaatste klapstoelen achterin zitten. Voor hen riep de auto een heleboel gelukkige herinneringen op, maar mij lukte het niet ernaartoe te lopen.

Algauw ontstond er grote drukte om het huis toen Bruce aan het werk toog. Met hulp van een van mijn buren bracht hij een zootje ongeregeld aan bouwvakkers bij elkaar. Bruce om me heen hebben had veel weg van Arron om me heen hebben. Ze hadden hetzelfde oneerbiedige gevoel voor humor, ze hadden allebei hun hamer een bijnaam gegeven en allebei konden ze spontaan losbarsten in 'hamerliedjes'. Die vertrouwdheid deed vreemd aan. Carter begon Bruce als een hondje achterna te lopen.

In de drie daaropvolgende weken bakte ik steaks op de grill en maakte salades, die we met z'n allen op de patio opaten met een glas wijn erbij, terwijl we gesprekken voerden over de boeken die we hadden gelezen of over de films die we hadden gezien, zoals we altijd hadden gedaan. Allebei waren we ons ervan bewust hoe vreemd deze maaltijden waren, terwijl we voor de buitenwereld man en vrouw leken en één stoel altijd leeg leek te blijven. Aan Bruce vertelde ik op een avond over Encompys, Arrons werkgever, dat vanwege een faillissement zijn deuren zou sluiten. 'Het voelt als wéér een sterfgeval,' zei ik tegen hem.

'Ja, wat jammer zeg,' leefde Bruce mee.

De julihitte was verzengend; het was vaak wel tegen de veertig graden. Bruce en zijn mannen waren op twaalf meter hoogte op heet zwart teer aan het werk. Omdat hij zo'n lichte huid had, moest hij een spijkerbroek en flanellen shirts met lange mouwen dragen, en tegen de tijd dat het dak klaar was, was hij zo afgevallen dat zijn kleren om zijn lijf slobberden.

Toen we op een avond op de bank tv zaten te kijken, zei Bruce ineens: 'Ik heb Arron vandaag op het dak gezien.' Hij zei het alsof het de normaalste zaak van de wereld was.

'Heb jij even mazzel. Ik wilde dat ík hem kon zien.' Ik zag Arron voor me, zoals hij daar in de hoogte met zijn benen aan weerskanten van de nok zat. Ik zag de grijns op zijn gezicht en was blij voor Bruce maar tegelijk jaloers op hem.

'Ik weet niet of ik hallucineerde door de hitte of zo, maar hij zat me daarboven meesmuilend aan te kijken. Het was net of hij me kwam controleren, of hij kwam kijken of ik het wel goed deed.' Bruce was niet iemand die veel van zijn emoties prijsgaf, maar op dat moment kon ik zien hoe erg hij Arron miste.

'Dat zou echt iets voor hem zijn,' zei ik lachend. 'Hij wilde altijd per se weten of klussen wel goed werden gedaan!'

Toen hij ons dak af had, vertrok Bruce naar een ander karwei van een paar weken in Californië, en zolang hij weg was liet hij de pick-up op onze oprit staan. Op een dag moest ik hem verplaatsen, en voor het eerst sinds Arrons dood zat ik ineens op de hoge bestuurdersplaats. Ik hield het stuur in mijn handen en stelde me zijn handen daarop voor. Arron wás deze pick-up: opgewekt, sterk, taai, praktisch, cool, grappig, ruig. Ik reed de wagen de oprit af en parkeerde hem op straat. Vervolgens bleef ik even zitten om in stilte afscheid te nemen. Ik klapte de zijspiegel naar binnen, zoals hij me had geleerd, zodat het verkeer dat door onze straat scheurde er niet tegenaan zou rijden.

Opstijgen.

Op 7 augustus vierden we Carters derde verjaardag. Er renden kinderen door de tuin die in het zwembadje aan het spelen waren en ik maakte hotdogs. Omdat Carter zo dol was op Thomas de Stoomlocomotief, was ik op zoek gegaan naar een taart die versierd was met een speelgoedtreintje. Dat was een succes en het treintje werd zijn lievelingsspeeltje, nog favorieter zelfs dan de driewieler die ik hem had gegeven. De paar kinderen die op bezoek kwamen speelden samen, terwijl mijn buren en vrienden wijn met me dronken en hun best deden om het gapende gat van Arrons afwezigheid die dag te vullen. Ik stond aan de barbecue hotdogs te grillen, iets wat Arron anders altijd deed, met een biertje erbij. Ik droeg de taart naar de tafel en keek toe hoe Carter de kaarsjes uitblies, terugdenkend aan andere jaren, toen Arron maar al te graag met uitblazen had 'geholpen'. Ik kon hem voelen toen ik de boel opruimde, hem naar me zien kijken alsof hij wilde zeggen: 'Geloof je dat nou, dat hij al drie is? Waar blijft de tijd?' of, als Carter erg drensde: 'Wanneer wordt hij vier?'

Opstijgen.

Eerder die zomer had ik een telefoontje gekregen van CBC Television, waarin me werd gevraagd of ik een interview met hen wilde doen ter gelegenheid van het feit dat 11 september een jaar geleden was. Aanvankelijk had ik nee gezegd. Ik was bang dat ze nauwkeurig zouden nagaan hoe ik het er afbracht, of ik al gestopt was met rouwen, of ik verder was gegaan met mijn leven, weer met andere mannen uitging, of hertrouwd was. Ik was bang dat ik beschouwd zou worden als iemand die het niet goed redde, of het juist te goed redde. Ik was bang dat mensen zouden denken dat ik alleen maar speciale aandacht kreeg vanwege de manier waarop mijn man was overleden. In gedachten zag ik de camera al inzoomen op mijn betraande gezicht. Anderzijds, redeneerde ik, kon een interview deel gaan uitmaken van een archief voor de kinderen, een tijdcapsule. Zo van: hier zie je mama toen het een jaar geleden was. Maar ik maakte me zorgen om de tol die zo'n interview van me zou eisen. Ik hield mijn hart vast voor de droesemachtige emoties die op de bodem van de pot zouden worden losgewoeld, en voor het rimpeleffect dat het op familie en vrienden zou kunnen hebben als ik die onder woorden zou brengen.

De uitzending zou in heel Canada te zien zijn. Als ik eerlijk was, was ik best een beetje blij met deze nieuwe bekendheid. Het voelde goed om me speciaal te voelen, om een speciale behandeling te krijgen, om mensen belang te laten stellen in wat ik zei. Het was verleidelijk, en voor het eerst begreep ik waarom al die 9/11-weduwes en -familieleden het zo heerlijk vonden om in de schijnwerpers te staan. Onwillekeurig vroeg ik me af hoe zij zich zouden voelen als het licht ineens zou doven en iedereen genoeg kreeg van 9/11. Hoe zou ík me voelen?

Toch was dit niet de manier waarop ik me wilde onderscheiden. Als ik erkenning kreeg, wilde ik die krijgen voor mijn prestaties, niet voor iets wat mij was overkomen en waar ik geen controle over had.

Ik stemde niettemin in het interview toe.

Een week na Carters verjaardagsfeestje arriveerde de filmploeg. Het was nog steeds bloedheet. De interviewster, Sylvène, stelde me op mijn gemak terwijl de crew de camera's opstelde. Ze had op Jarvis Collegiate gezeten, Arrons middelbare school, en hoewel ze hem niet persoonlijk had gekend, kende ze wel veel van zijn vrienden. Dat vond ik een troostrijke gedachte.

Toen alle apparatuur klaarstond, stuurde ik de kinderen met zachte dwang naar het koele heiligdom van het souterrain om daar te gaan spelen. Sylvène ging tegenover me zitten, buiten beeld, en begon met de vraag: 'Hoe hebben jullie elkaar leren kennen?' En dus praatte ik over Arron. Gelukkig. Het ging niet over mij. Ik praatte over de instorting van de toren en hoe onwaarschijnlijk het was dat hij die zou hebben overleefd. Ik huilde niet; dat had ik me vast voorgenomen. Ik wilde dat het een leuk interview zou worden, humoristisch zelfs. Ik wilde dat mensen Arron erdoor zouden leren kennen; ik wilde niet als wenende weduwe geportretteerd worden. Een paar keer kwamen de kinderen kijken en moest ik ze sussen. Hun nieuwsgierige gezichtjes maakten het moeilijk om me te concentreren en ik kon een giechel amper bedwingen.

Later gingen we allemaal naar buiten, zodat de crew ons bij 'normale' activiteiten kon filmen. De kinderen klommen op hun fietsjes en ik hielp Carter op zijn nieuwe driewieler te rijden door het stuur voor hem vast te houden. Ik vond het goed dat de kinderen op de rug gefilmd werden, en de opnames eindigden ermee dat ik Carter hielp de straat door te rijden, weg van de camera.

Opstijgen.

Welbewust had ik in de laatste week van augustus een vakantie geboekt om op bezoek te gaan bij Jill, Dan en Caelin aan de westkust, waar we bij Tyax Lodge een huisje hadden gehuurd aan het Tyaughton Meer in Gold Bridge, British Columbia, bij Whistler. Ik wilde niet bereikbaar zijn als de media serieus contact met me zouden gaan zoeken. De kranten en radio en nog meer televisiezenders zouden op zoek gaan naar verhalen om hun kolommen en zendtijd mee te vullen nu 9/11 een jaar geleden was en ze daar uitgebreid aandacht aan wilden besteden. Ik wilde niet nog meer interviews geven.

Het vakantiehuisje dat we hadden gehuurd stond aan de oever van een diepblauw meer, omgeven door weelderig bos. Hoewel het huisje deel uitmaakte van een complex, leek het afgelegen, diep in de bossen verscholen. Toen we er aankwamen renden de kinderen rond, eindelijk uit hun autostoelen bevrijd.

Bij de eerste aanblik van mijn nichtje, een lief, rozeblond, blauw-ogig poppetje van een baby, begonnen de kinderen en ik te kibbelen over wie haar het eerst mocht vasthouden. Ze liet blijken hoe blij ze was om haar nichtje en neefje te zien door schattige babylachjes te laten horen, diep vanuit haar buik. Beide kinderen aanbaden haar. Carter ging trots in de grote stoel zitten met zijn kleine nichtje voorzichtig in zijn armen, terwijl hij haar met de zorgzaamheid van een grote jongen op haar wangetje tikte.

De week verliep zonder bijzondere gebeurtenissen, zoals ik al had gehoopt. Er was geen tv en de rust was heerlijk. Dan en de kinderen gingen vissen op de steiger, terwijl Jill en ik in de zon zaten en om de beurt Caelin vasthielden. Ook al werd ik af en toe overvallen door verdriet, toch was ik aan het eind van de week kalmer dan ik in maanden was geweest. Ik voelde me zelfs vredig. Mijn slaap werd zelden verstoord door de angstaanvallen die me eerder zo regelmatig wakker hadden gehouden. Voor het eerst kon ik stil blijven zitten, in plaats van om de paar minuten op te springen. Vier hele dagen lang dacht ik niet één keer aan 9/11.

Maar toen we over onverharde wegen terughotsten naar de bewoonde wereld, keerde ook mijn agitatie terug. Tegen de tijd dat we bij Whistler waren had ik een lekke band, die Dan voor me verwisselde. De dag daarop namen we afscheid van Jill, Dan en Caelin, en vervolgden de rit. Terwijl ik voortraasde over de voorstedelijke snelwegen van Seattle, na vijf uur rijden met de kinderen kibbelend op de achterbank, probeerde ik de routeaanwijzingen te lezen die ik verfrommeld in mijn hand hield. Toen ik met mijn handen om het stuur geknepen uitkeek naar de afrit die ons naar het huis van een oude schoolvriendin zou voeren, ving ik in mijn achteruitkijkspiegel een blik op van politiezwaailicht.

'Shit,' zei ik.

'Moeten we nou naar de gevangenis?' Olivia's stem klonk paniekerig. Carter begon te huilen. De agent moest even voor het raampje aan de passagierskant blijven staan voordat ik me herinnerde hoe ik het open moest maken. Aan mijn kant was niet genoeg ruimte voor hem, omdat daar de andere auto's voorbijraasden.

'Weet u wel,' zei hij, 'dat u mij zojuist hebt ingehaald?'

'Nee. Ik had geen idee,' zei ik, en ik probeerde de trilling uit mijn stem te weren.

'U reed ruim honderdtien kilometer per uur op een weg waar je maar negentig mag rijden.'

'Echt waar?' Achterin begonnen de kinderen weer te klieren. Carter huilde nog steeds. 'Stil allebei!' zei ik, iets te hard.

'Wordt u ergens door afgeleid?' zei de agent. Ik moest mijn uiterste best doen om een lachbui te onderdrukken.

'Ja, misschien wel, agent,' wist ik uit te brengen met wat naar ik hoopte een neutraal gezicht was.

Hij moest de verwilderde blik van een wanhopige alleenstaande moeder hebben herkend, want hij boog zich de auto in en zei tegen de kinderen: 'Jullie moeten je de rest van de rit rustig houden. Jullie moeder moet op de weg letten.'

Achterin viel een geschrokken stilte.

'Dank u wel,' prevelde ik. De politieagent toonde me waar ik was en liet me toen gaan zonder me een bon te geven.

'Kalm aan. En rustig rijden!' zei hij terwijl hij wegliep.

'Zal ik doen, beloofd!' Maar ik wist dat ik die belofte zou breken.

Opstijgen, opstijgen, opstijgen.

16

Het leven gaat verder

In de maanden voorafgaand aan de eerste gedenkdag van 9/11 verzocht het kantoor van Michael Bloomberg, burgemeester van New York City, familieleden om ideeën voor de wijze waarop de herdenking gevierd zou kunnen worden. Ik kreeg een beeld voor ogen waarbij we allemaal een enkele rode roos vasthielden terwijl we om de kuil liepen waar ooit het World Trade Center had gestaan; op een gegeven moment zouden we onze rozen daar dan in gooien. Ik wilde Arron in herinnering brengen op de manier waarop ik dat had gedaan bij mijn eerste bezoek aan Ground Zero. Per mail diende ik mijn idee in.

Misschien dat ik Arron op de eerste gedenkdag eindelijk zou kunnen loslaten. Ik stelde me voor dat de rozen in duiven zouden veranderen en in vrijheid weg zouden vliegen. Ik wilde een slot als in een sentimentele film. Ik wilde het afsluiten. Hoeveel herdenkingen ik ook bijwoonde, hoeveel tranen ik ook vergoot en wat ik ook deed, mijn verdriet kon ik niet van me afschudden. Mijn angst om Arron te vergeten hield me eraan vast. Misschien zou de herdenking me in staat stellen hem te laten zien hoeveel ik om hem gaf, hoezeer ik hem respecteerde, zodat ik verder kon met mijn leven. Ik zou een plek hebben om heen te gaan, waar ik bij hem kon zijn. Ground Zero zou een soort heiligdom worden om in de geest bij elkaar te komen, net als een kerkhof waar ik mijn roos kon gaan neerleggen.

Uiteindelijk kondigde burgemeester Bloomberg zijn plannen voor de ceremonie aan: de familieleden zouden een bloem krijgen en de put in lopen om die daar neer te leggen. Er zouden door nabestaanden namen worden voorgelezen, in groepjes van vijf. We werden allemaal uitgenodigd om ons vrijwillig voor het namen voorlezen aan te melden. Ik voelde me gevleid; misschien hadden ze mijn idee voor de bloemen wel overgenomen. Maar de kans was groter dat meer familieleden hetzelfde hadden bedacht, al dacht ik op dat moment dat ik de enige was. Gezien mijn vorige ervaringen op Ground Zero was ik niet van plan geweest daar ooit nog een voet te zetten, maar toen deze plannen werden aangekondigd, zag ik dat als een teken. Wie weet zou de herdenking zoals ik die voor me zag werkelijkheid worden.

Ik overlegde bij mezelf of ik de kinderen mee zou nemen naar de ceremonie. Op een dag zou het belangrijk voor hen zijn om Ground Zero te zien, maar ze waren nog erg klein en ik was bang dat ze het nu nog te eng zouden vinden. Ook maakte ik me zorgen om de mensenmassa. Op de uitnodiging stond dat elke familie tien personen mocht meenemen, dus zou er een menigte van dertigduizend mensen kunnen komen. Ik besloot Olivia zelf te laten kiezen of ze mee wilde of niet, maar ik vermoedde dat ze nee zou zeggen. Ze zei me dat ze op die dag graag naar school wilde. Janet had aangeboden haar vroeg in de ochtend mee te nemen naar de 9/11-ceremonie in Montclair, voordat ze haar naar school zou brengen, en daar zei Olivia grif ja op. Carter zou naar de peuterschool gaan. Geen van beiden leek enig benul te hebben van de betekenis van de gedenkdag, maar Carter voelde wel dat er iets aan de hand was en begon meer aan me te klitten. Olivia wilde niet dat ik erover praatte.

Selena liet weten dat ze bij me wilde zijn, wat ik op de gedenkdag ook wilde gaan doen. Toen ik haar vertelde over mijn plan om Ground Zero te bezoeken, zag ze dat niet zo zitten, al was ze wel bereid mee te gaan. Ik was blij dat ik op mijn pelgrimage gezelschap zou hebben. Ik koos nooit zelf de mensen uit met de vraag of ze met mij een herdenking wilden bijwonen; ik ging met wie zich aandiende. Het kwam geen moment in me op mijn familie te vragen met me mee te gaan, omdat ik er niet bij stilstond dat ik hen daar nodig zou kunnen hebben. Ik stond op eigen benen en was het niet gewend om om gunsten te vragen. Mijn moeder bracht die dag door in ons huisje in Québec samen met haar nicht Barbara. Mijn zus ging in Pemberton naar een herdenkingsdienst. Het leek wel of ze zich verre hielden van mijn relatie met Selena, en ik wist niet of dat uit respect of uit wrok was. Mijn vader en stiefmoeder hadden ervoor gekozen de gedenkdag maar helemaal te vermijden door drie weken naar Europa te gaan. Ik probeerde begrip op te brengen voor hun verlangen om 'verder te gaan' en alles wat aan 9/11 deed denken uit de weg te gaan, maar het viel niet mee om het gevoel dat ze aan me wilden ontkomen van me af te zetten.

Het Canadese consulaat, dat samenwerkte met de Ontario Victims of Crime-unit in Toronto, had geregeld dat de andere families uit Toronto naar New York konden komen en daar in het Empress Hotel bij Central Park konden logeren. Selena en ik besloten in de middag van 10 september naar New York te gaan en daar te overnachten, zodat we aanwezig konden zijn bij de receptie voorafgaand aan de gedenkdag en niet 's ochtends vroeg naar Ground Zero hoefden af te reizen. Ik vroeg Martha of ze die nacht bij de kinderen wilde blijven.

Toen Selena en ik afscheid namen van de kinderen, werd ik ineens verdrietig. Ik besefte dat zij de afgelopen paar weken de vreemde stemming in huis moesten hebben aangevoeld. Ik probeerde zo luchtig mogelijk afscheid te nemen. 'Lief zijn voor Martha', 'Geef mama maar een kusje', 'Ik hou van jullie.' Ik wist niet zeker of ik me schuldig voelde omdat ik hen alleen liet op zo'n belangrijke dag, wanneer ze me misschien meer nodig zouden hebben dan ooit, of dat ik me zo verdrietig voelde omdat ik wist dat ík degene zou zijn die hén nodig zou hebben. Toen ik wegreed en keek hoe ze ons vanuit de tuin uitzwaaiden, moest ik mijn tranen wegslikken.

We arriveerden bij het hotel, een prachtig gebouw uit de jaren twintig met uitzicht op Central Park, en hadden net tijd genoeg om ons klaar te maken voor de borrel ten huize van Pamela Wallin, een voormalige Canadese tv-journaliste, die kortgeleden bij het Canadese consulaat-generaal in New York City was aangesteld.

We verzamelden ons in de hotellobby met andere families die we bij voorgaande herdenkingen hadden ontmoet en begroetten elkaar met sombere hartelijkheid. We zouden niet uit onszelf voor een andere gelegenheid bij elkaar gekomen zijn. De valse intimiteit in onze groep was gebaseerd op macabere discussies over teruggevonden stoffelijke overschotten, laatste telefoontjes en liefdadigheidsinstellingen.

'Ze hebben Peter gevonden,' vertelde een van de weduwes me toen we van het hotel naar het feestje liepen, doelend op haar man.

'Echt waar?' Mijn reactie was aarzelend. Ik wist dat er nog meer aan zat te komen.

'Ja. Bijna zijn hele lichaam. Er ontbrak alleen een been. Ze hebben hem geïdentificeerd aan de hand van het merk broek dat hij droeg. Daar had ik iets over gezegd op het formulier voor vermiste personen.'

'Fijn voor je.' Ik kon niet zeggen of ik het afschuwelijk vond of jaloers was.

We kwamen aan bij het appartement van Pamela Wallin, een vrolijke, lichte ruimte boven in een pand aan de Upper East Side. Het was smaakvol ingericht met schilderijen van bekende Canadese kunstenaars en was heel geschikt om er mensen te ontvangen, wat duidelijk een belangrijk deel uitmaakte van haar nieuwe functie. Diverse hoogwaardigheidsbekleders, onder wie Michael Kergin, de Canadese ambassadeur voor de Verenigde Staten, en de personeelsleden van het consulaat die ons hadden geholpen waren er ook, evenals de vertegenwoordigers van het Ontario Attorney General's Office for Victims of Crime, John en Tracy. Selena en ik konden goed overweg met deze ovc-vertegenwoordigers en hadden bewondering voor hun verbazingwekkende vermogen om ons aan het lachen te maken. Ondanks de lange, droeve dagen dat hij met de families van misdaadslachtoffers had gewerkt, twinkelden Johns ijsblauwe ogen altijd, en Tracy had steevast een vrolijke lach op haar gezicht. We klampten ons vast aan iedereen die magie te bieden had.

Ik had me vast voorgenomen bij deze gelegenheid niet te veel te drinken, maar het was een lekker gevoel om mijn emoties te verdoven en me schrap te zetten voor de paar moeilijke dagen die nog zouden komen. Ik maakte een praatje met andere familieleden, van wie ik sommigen voor het eerst ontmoette, maar ik vond het helemaal niet erg om Selena het hoogste woord te laten voeren en moedigde haar later aan te flirten met een oudere heer. Na twee uur kwamen Selena en ik allebei een beetje los. Ik voelde een blos naar mijn wangen stijgen.

We zochten John en Tracy op, met wie we zouden gaan eten, en met het gevoel dat we ons aan hen vastklampten voor steun namen we afscheid van mevrouw Wallin (inmiddels Pamela), en vertrokken met onze nieuwe vrienden stevig verankerd aan onze ellebogen. We dwaalden door de straten rond Central Park om een geschikte eetgelegenheid te zoeken, besloten tot een sportcafé en zaten algauw kippenvleugeltjes en nog meer drank te bestellen. Diverse andere familieleden waren met ons meegegaan. Naarmate we onszelf meer forceerden om plezier te maken, werd het gezelschap luidruchtiger. We lachten te hard om elkaars grappen. We hadden behoefte aan een uitlaatklep, iets waardoor we onze tragedie konden vergeten. Of misschien was het toch wel een soort viering en vierden we dat we de rouw achter ons lieten en verdergingen met iets nieuws, net als wanneer je afstudeert.

De volgende ochtend werden we enigszins brak wakker en probeerden ons snel aan te kleden. We hadden kleren bij ons voor vrij warm weer, maar het tv-nieuws liet ons weten dat het ondanks de zon niet warmer zou worden dan een graad of vijftien. Omdat ik niet goed wist wat je moest dragen naar de eerste jaarherdenking op de plek van een ingestort gebouw, had ik in eerste instantie gedacht aan een zwarte cocktailjurk en een grote, slappe hoed, zoals weduwes in oude films droegen. Als ik een donkere filmsterrenzonnebril opzette, kon ik zo doorgaan voor Jacqueline Kennedy. Maar ik wist dat we 's ochtends door stof en gruis zouden banjeren en 's middags een premier zouden ontmoeten, dus koos ik voor een zwarte broek, degelijke schoenen en de enige trui die ik bij me had. Deze outfit leek bepaald niet op het modeplaatje van een weduwe en Arron zou hem 'onsexy' hebben genoemd.

Toen de bus zich op de vroege ochtend een weg baande door de straten van New York City, was iedereen stil, in gedachten verzonken. Om zeven uur werd de stad net wakker, maar er zinderde al iets van spanning in de lucht. De mensen op straat leken geagiteerd; ze bewogen te snel, toeterden te hard, zelfs voor New York. Overal hoorde je sirenes en zag je flitslichten. De sfeer van gespannen verwachting was angstaanjagend. Ik was nooit zo dol geweest op New York als op andere steden – Parijs, Londen, Boston. Die steden waren groen en mooi, met schitterende oude gebouwen en bloemen die sjofele straathoeken opvrolijkten. New York had voor mij niets betoverends. Ik zag alleen maar afval, lelijke rolluiken voor winkelpuien, kuilen in de weg. Af en toe zag ik een klassieke *brownstone*-veranda of een zorgvuldig beplant tuintje van een vierkante meter, maar deze kleine oases waren niet genoeg. Voor Arron had New York pure macht uitgestraald. Hij hield van de drukte, de agressie, de ambitie die ervoor nodig was om het hier te maken. New York gaf mij altijd het ongemakkelijke gevoel dat ikzelf nooit goed uit de verf zou komen. Misschien kwam dat doordat de hele stad te groot leek. Er hing een aanmatigend sfeertje. Die ochtend vervloekte ik New York, alsof ik een stad kon beschuldigen van de dood van mijn man.

Toen we dichter bij Ground Zero kwamen, hielden we halt. Langzaam reden de bussen een voor een langs een checkpoint van de politie. Dranghekken hielden de mensenmassa's tegen die naar de ceremonie waren komen kijken. Ik begon spijt te krijgen van mijn ontbijt; ik voelde me misselijk. Ik was er niet op voorbereid om zo te kijk te staan. Ik vond het dom van mezelf dat ik daar niet aan had gedacht. Onze bus werd vlak bij de ingang voor nabestaanden geparkeerd, en we stapten allemaal uit en mengden ons in het gedrang. Bij de ingang werd onze identificatie gecontroleerd, P-nummers werden gecheckt, en dat alles ten overstaan van het publiek. Het voelde alsof ze allemaal mijn gezicht afspeurden naar verdriet en zich dat wilden toe-eigenen.

Terwijl we achter John aan liepen, die een wapperende Canadese vlag droeg, drongen we steeds dieper door in de menigte rouwende families. We kwamen tot op vijftien meter van het podium waar nabestaanden de namen van slachtoffers zouden voorlezen. Vlak daarvoor kreunde een grote tribune onder het gewicht van verslaggevers en fotografen, tv-ploegen en camera's. Over de tribunes en de grond kronkelden kabels naar de lawaaiige aanhangwagens die al die mensen van stroom voorzagen. Ik voelde paniek. Ik wilde niet op de foto komen en hoopte maar dat ik goed verborgen was tussen de mensen, anoniem.

Toen we bij de rand kwamen die uitkeek op Ground Zero, blies de wind stof uit de kuil al warrelend omhoog, waarna het in vlagen over het publiek waaide. Ik kon het gruis tussen mijn tanden voelen: Arrons as vermengd met het gif van cement, pleisterkalk, asbest en dood. Als ik in het zonlicht met mijn ogen knipperde, voelde ik gruis in mijn ogen en wilde ik niets liever dan dat met tranen wegspoelen.

Ik stond schouder aan schouder tussen de mensen, met Selena naast me, allemaal met onze welbekende Rode Kruistas in de hand. Ditmaal droegen niet veel mensen hun gezichtsmasker, ondanks de stoffige wind. Om me heen hadden grote groepen mensen T-shirts aan met fotoportretten van hun dierbaren erop en teksten als WE ZULLEN HET NOOIT VERGETEN, één gezicht dat telkens herhaald werd op grote en kleine rompen. Het was gewoon niet bij me opgekomen een T-shirt te laten maken met Arrons gezicht erop en ik vroeg me af hoe zoveel mensen datzelfde idee konden hebben gehad. Was het een Amerikaanse gewoonte om T-shirts te maken met de foto van een overleden dierbare erop? Ik had het gevoel dat ik tekortschoot zonder zo'n shirt, alsof ik mijn man in de steek liet door niet met zijn portret rond te lopen.

Achter de tribunes liet een moeder haar blonde dochtertje, gekleed in een T-shirt met een foto van haar grijnzende vader erop en met een Stars-and-Stripesbandana om, poseren voor een camera. Ik miste Carter en Olivia, maar was ook blij dat ze hier geen deel van uitmaakten. Mensen omhelsden elkaar huilend en velen droegen dat afschuwelijke masker waaruit de krachteloosheid sprak die ik zo goed kende. Het was een enorme drukte en een paar keer zwol de menigte aan en stuwde ons een andere kant op. Tussen het rondwarrelende stof en de golvende massa's voelde ik me ongemakkelijk en kreeg ik amper lucht.

Om 8.46 uur, het moment waarop het eerste vliegtuig toren 1 had geraakt, klonk er een brandweeralarm en volgde er een moment stilte. De wind leek aan kracht te winnen en wervelde dramatisch tussen ons door, als een cliché uit de film. Weldra stonden er een paar hoogwaardigheidsbekleders op die in alfabetische volgorde namen begonnen voor te lezen, onder wie Rudy Giuliani en Michael Bloomberg. Vervolgens waren de familieleden die zich als vrijwilligers hadden opgegeven aan de beurt; een voor een stapten ze naar voren om vijf namen op te lezen van de lange lijst van doden. Ik had ervoor gekozen niet voor te lezen. Ik wilde privé kunnen rouwen. Het was akelig om toe te kijken bij het voorlezen. Wanneer mensen die in de menigte stonden te luisteren de naam van hun dierbare hoorden, liepen ze naar de helling, haalden een bloem op en baanden zich vervolgens een weg naar de gapende kuil. Geduldig wachtten we tot alle A's en B's aan de beurt waren geweest. De wind bleef op ons inbeuken. De mensenmassa golfde heen en weer.

Inmiddels zat ik onder het gruis. Het zat in mijn ogen, in mijn mond, mijn haar, mijn oren. Mijn voeten deden pijn en ik wilde dolgraag gaan zitten. Het voorlezen duurde een eeuwigheid. Met wapperende haren en terwijl het gruis als schuurpapier onze huid schuurde doorstonden we alle namen met een C, wachtend op de naam DACK. Er verstreek een uur, misschien meer. Mijn hart begon te hameren toen de C's ten einde liepen en de D's begonnen. Nog een kwartier. En uiteindelijk stond er een bleke, slanke jongeman op, gekleed in een somber zwart pak. Ik wist dat hij degene zou zijn die Arrons naam zou voorlezen. Hij las elke naam zorgvuldig op en toen zei hij het: CALEB ARRON... BLACK. Ik keek de man scherp aan om te zien of hij zelf besefte dat hij een fout maakte, maar zonder te verblikken of verblozen ging hij door met andere D-namen. Toen draaide hij zich om en liep het podium af. Selena en ik keken elkaar met open mond aan.

'Hij hoorde bij de D's!' zei ik verbijsterd.

'Wat een stommeling!' reageerde Selena.

Was DACK soms geen simpele naam? Als iemand zich versproken had bij Caleb, had ik daar nog in kunnen komen, maar Dack? Als je D-namen staat voor te lezen? Ik slaakte alleen maar een zucht. Alweer iets wat niet klopte aan een gedenkdienst.

We baanden ons een weg door het publiek en haalden de anjers op die werden uitgedeeld door mensen met manden. Even later stonden we in een lange verkeersopstopping van mensen, bumper aan bumper op de helling naar de kuil. We kregen ruimschoots de tijd om anderen hun anjers op een kniehoge ring te zien leggen die op de bodem van de kuil stond opgesteld. De bloemstelen raakten met elkaar verstrengeld als bij een reusachtig mikadospel. Er stonden huilende of biddende mensen om de ring heen. Sommigen lieten hun familieleden poseren en namen foto's. Ik voelde me net een lam dat naar de slachtbank wordt geleid. Maar ik speelde mijn rol van martelares-weduwe – en vond het verschrikkelijk. Ik maakte een blatend geluidje, zoals Arron zou hebben gedaan. Ik wilde kunnen lachen.

Het leek uren te duren voordat we uiteindelijk de kuil in konden. Terwijl ik daarin afdaalde, begon ik Arron te vervloeken omdat hij hier die dag was geweest en ervoor had gezorgd dat ik nu hier aanwezig moest zijn. In de kuil wilde ik mijn bloem in de ring steken en wegrennen. In plaats daarvan moest ik me met mijn ellebogen een weg banen door nog meer kinderen die poseerden met rood-wit-blauwe bandana's, nog meer ooms en tantes en vrienden met T-shirts, nog meer geüniformeerde brandweermannen en politieagenten. Bij de rand van de cirkel liet ik mijn anjer op de berg andere vallen. Hij zag er klein uit in het massagraf van bloemen. Ik probeerde mezelf te kalmeren door de enorme stalen steunbalken te bestuderen die uit de betonnen muur die ons omringde staken; ooit hadden die de verdiepingen van de parkeergarage ondersteund. We bevonden ons in een gigantische tombe. Hoe meer ik daarover nadacht, hoe verbijsterender het werd. *As tot as, stof tot stof*, hoorde ik maar steeds in gedachten. Ik wilde het liefst in een hoekje kruipen en mezelf heen en weer wiegen als een verward kind.

Ik moest gaan. Ik maakte oogcontact met Selena, die in haar eigen gedachten verdiept was, en langzaam klommen we de kuil uit. Mijn benen voelden zwaar aan en het deed pijn om de helling op te klimmen. Maar toen waren we weer boven, eruit. We verlieten de plek door een hoog gaashek, dat met een klap achter ons dichtviel. En dat was het dan. Het was voorbij.

Selena en ik liepen de weg af, met onze ID-kaarten nog steeds om onze hals, langs politie en brandweer, en toeschouwers die ons gadesloegen met wat naar ik aannam een medelijdende blik was. We stuitten op een groep Canadese bereden politieagenten, die er heel komisch uitzagen in hun grote rijbroeken en met hun Bullwinkle-hoeden, en ik kon ze wel zoenen. Ze leken hier volkomen misplaatst, maar voor mij vertegenwoordigden ze iets normaals, iets wat hout sneed. Ik kreeg heimwee naar een Canadese gevoeligheid, een Canadese manier om de doden te gedenken, hoewel ik geen idee had hoe die eruitzag. Canadezen rouwden vast meer in stilte, op een mooiere manier.

Uitgeput kwamen we bij de bus en ik ging helemaal op in mijn verdriet. Ik voelde me leeg. Vlak. Met de moed in mijn schoenen. De herdenking op Ground Zero had me teleurgesteld, had Arron teleurgesteld. Ik wilde dat ik de kinderen kon bellen. Ik wilde ze heel graag zien en verlangde ernaar hen in mijn armen te nemen. Ik vroeg me af hoe Olivia de herdenking in de stad had gevonden, hoe haar dag op school was geweest. Om deze tijd zou ze zitten te lunchen. Zou ze mij ook missen? Was deze dag belangrijk voor haar? Misschien kon ze nu eindelijk begrijpen waar die dag voor stond. Was het een belangrijke dag voor Carter?

We wachtten tot er nog meer mensen terugkwamen naar de bus en reden algauw door het verkeer en rijen bussen terug naar het Canadese consulaat. Toen we daar aankwamen, ging ik me even opknappen; mijn gezicht zat onder de vegen stof. Heel even wilde ik dat niet afwassen – zou er in dit gruis nog een ietsepietsje van Arron over zijn? Eén piepklein deeltje van hem dat vastgeplakt zat aan mijn oorlel? Mijn wimper? Ik keek naar mijn spiegelbeeld, maar degene die naar me terugkeek herkende ik niet. Wat een verdrietige vrouw! Wat oud! Wie was ze? Ik bracht lippenstift aan en probeerde toen te glimlachen. Op naar de ontmoeting met een premier.

Na een snelle lunch kwam iedereen in beweging om langs de wanden van het vertrek te gaan staan terwijl Jean Chrétien zijn ronde maakte. Toen hij bij Selena en mij was aanbeland, kwam hij naar me toe en pakte mijn hand. 'Leuk om u weer te zien.' Ik voelde me gevleid dat hij zich mij nog herinnerde van een jaar geleden. Nog steeds met mijn hand in de zijne zei hij tegen ons: 'Jullie zijn allebei heel lange vrouwen!'

'En daar zijn we trots op!' zei Selena.

Ik glimlachte hem alleen maar toe en hij ging verder.

Toen hij klaar was, sprak hij de menigte toe. 'Voor ons allemaal is 11 september een verschrikkelijke ervaring geweest, maar het wordt tijd dat we allemaal ons leven weer oppakken. Het is tijd om verder te gaan.'

Verdergaan? Waarnaartoe dan? Ik had niet beseft dat het feit dat er één jaar was verstreken betekende dat alles plotseling beter was. De verwachting dat alle families nu verder zouden gaan stuitte me tegen de borst. Dat hield in dat meneer Chrétien zijn handen van deze onverkwikkelijke affaire af kon trekken. Geen onhandige receptierijen meer. Geen nationaal gedenkteken in Canada. Afgelopen. Over en uit. Zaak gesloten. Naast me ziedde Selena: 'We moeten hier weg!' Daar bracht ik niets tegen in.

Sommige families gingen terug naar Ground Zero voor een ontmoeting met George W. Bush. Ik kon me niets ergers voorstellen. Ik wilde niets liever dan naar huis om de kinderen te zien, dus na van een paar mensen afscheid te hebben genomen maakten we ons uit de voeten. Onder aan de roltrap zagen we een van de meer uitgesproken nabestaanden een 'onewomanshow' houden. Ze was omringd door verslaggevers in een zee van lampen. Terwijl wij naar boven gingen, konden we haar horen lachen, en ik vroeg me af waar ze in vredesnaam met die verslaggevers zo'n plezier om kon hebben. Ikzelf wilde alleen maar huilen.

We kwamen net op tijd in New Jersey terug om Olivia's bus aan te zien komen. Het kind dat uitstapte was niet hetzelfde kind van wie ik de vorige dag afscheid had genomen. Opgetogen rende ze in mijn armen en riep uit: 'Mama, ik heb papa's naam vandaag op de steen gezien en in de klas hebben we over papa gepraat!' Ze had een brede glimlach op haar gezicht. Met een stortvloed aan woorden beschreef ze de herdenking in de stad, waar een brandalarm was afgegaan en een brandweerman de plaquette had onthuld, zodat ze de naam van haar papa had kunnen zien. 'Ik wist niet dat hij ook Caleb heette!' zei ze tegen me. Ik raakte in de war. Kon het zijn dat ze dat echt niet had geweten? Of was ze het alleen maar vergeten? Had ik het haar echt nooit gezegd? Het kon allemaal. Toen vertelde ze me dat haar lerares haar hele klas had verteld dat haar vader een van de mensen was die die dag in het gebouw waren geweest. Ik weet niet zeker of dat Olivia vervulde met trots of met opluchting, maar voor het eerst in een jaar was op school de naam van haar vader genoemd. Het werd voor Olivia voor het eerst echt. Ik probeerde mijn tranen te verbergen. Het was een jaar geleden sinds ik haar zo blij had gezien en ik wilde het niet voor haar bederven.

Die avond hield de stad Montclair een 'culturele' 9/11-herdenking waarbij dansers, zangers en dichters optraden ter ere van de 9/11-families uit de stad. Hoewel we uitgeput waren, vond ik toch dat we erheen moesten gaan, maar algauw kreeg ik zo mijn bedenkingen. De kinderen hadden geen zin om stil te zitten, en omdat niemand anders in de stad behalve de andere weduwes wist wie ik was, werd mij vanwege hun gedrag gevraagd of we aan de zijkant wilden gaan zitten. Het was vernederend. Ik was al kwaad over hoe het stadsbestuur van Montclair met het gedenkteken van de stad was omgegaan. Hoewel ik ideeën had ingediend voor het ontwerp, was het stadsbestuur erin geslaagd een wanstaltig monument te laten ontwerpen: een kleine rots met een goedkope plastic plaquette, met daarop in reliëf de Twin Towers en de namen van de slachtoffers, waaroverheen kleine blaadjes in reliëf dwarrelden. Rondom de rots was een bonte verzameling bloemen geplant door de Junior League, die hadden toegezegd voor het onderhoud te zorgen. Ik had naast de vrouw gestaan die was ingehuurd om het gedenkteken te ontwerpen en had geopperd 'de plaquette simpel te houden, met alleen de namen' en 'misschien iets in koper'. Het bleek dat zij niet door het stadsbestuur was ingeschakeld, maar door de plaquetteleverancier, en dit was een kans voor haar bedrijf om zijn opzichtige creaties onder de aandacht te brengen.

Mijn pogingen om een parkbankje in onze buurt te financieren ter ere van Arron waren geëindigd met diverse onbeantwoorde telefoontjes. Ik had het opgegeven. Andere weduwes beschreven ingewikkelde gedenktekens, straatnaamveranderingen en tuinen die in opdracht van hun stad waren aangelegd. Het voelde niet goed om iets van Montclair te verwachten, en toch voelde ik me in de steek gelaten. Het begon me langzaam te dagen dat geen enkele openbare gedenkdienst of ceremonie me ooit tevreden zou stellen. Wat er elke keer ontbrak, en wat ik me niet eerder had gerealiseerd, was dat ze geen van alle iets met Arron te maken hadden. Of met mij. Of met de kinderen. Of met onze families. Openbare diensten waren voor de massa – een oplossing in de trant van *one size fits all*. Als Arrons lichaam gevonden zou zijn, zou de 'echtheid' van zijn dood tijdens zijn begrafenis worden erkend. Dan zouden we geen gedenkdiensten meer hoeven bij te wonen. We zouden een grafsteen of een urn voor hem hebben kunnen plaatsen, een plek hebben om contact met hem te zoeken. De jaarherdenking van zijn dood zou dan een privé-kwestie zijn geweest: een boeket bloemen op een graf, een samenkomst rond een boom. In plaats daarvan leken de gedenkdiensten te voorzien in de behoefte van het publiek om de dood van ieder slachtoffer te bevestigen, zeker van diegenen wier lichaam niet was teruggevonden. Ze leken voor goede kijkcijfers te zorgen. Ik begon in te zien dat we zonder een privémonument voor Arron geen fysieke plek hadden om met hem samen te zijn. Het enige waar ik ooit blij mee zou kunnen zijn en wat Arron naar behoren zou eren, was een monument, dat ik zelf zou moeten creëren.

Die avond werd ik verteerd door rauwe, bittere teleurstelling. Ik kreeg een lange, uitputtende huilbui. Het voelde goed om de emoties van de afgelopen twee dagen de vrije loop te laten. Ik treurde om het feit dat er een heel jaar zonder Arron voorbij was gegaan. Voor mij was hij nog steeds even echt als op de dag dat hij vertrokken was, en toen ik aan alle dingen dacht die hij in het afgelopen jaar niet had meegemaakt, werd ik overspoeld door verdriet en leek het wel of ik nooit meer zou kunnen stoppen met snikken. Maar ik verwelkomde de tranen. Ik wílde huilen, zodat hij zou weten hoeveel ik van hem hield en hoezeer ik hem miste. Ik wilde dat hij mijn pijn en verdriet zou zien, en wist dat ik om hem rouwde zoals het hoorde. Mijn gezwollen ogen waren mijn eigen persoonlijke monument, bewijs dat ik nog steeds van hem hield.

Er was nog een herdenking waar de kinderen en ik heen moesten. Die zou op 14 september plaatsvinden in Ottawa en werd georganiseerd door een particuliere begraafplaats, uit respect voor de Canadezen die op 11 september waren omgekomen. Hopelijk zou dit de Canadese herdenking zijn waar ik zo naar had uitgekeken, met minder pracht en praal. Er was ons gevraagd voorwerpen mee te nemen die een speciale betekenis voor onze dierbaren hadden, zodat we ze in een kist konden leggen die onder het monument zou worden begraven. De kinderen en ik deden in een kleine plastic zak met sluitstrip spulletjes voor in de kist. We kozen een Engels bierviltje, uit de viltjes die Arron had verzameld met het idee ze ooit in te lijsten en her en der in huis op te hangen; ik was er (ternauwernood) in geslaagd hem ervan te overtuigen dat dat niet zou staan bij ons interieur. We stopten er een gipsplaatschroef in, een hommage aan zijn liefde voor huizen en bouwen, een tekening die Olivia had gemaakt en een speelgoedje dat Carter had uitgezocht. Ik overwoog even er Arrons oude gebitsprothese in te doen, die de afgelopen tien jaar in een Tupperwarebakje had gezeten, maar dat leek me toch te macaber. Ik moest lachen om de vrolijke noot die de prothese zou zijn geweest, maar ik was er niet echt klaar voor om er afscheid van te nemen. Hij had lange tijd deel van hem uitgemaakt, nadat hij bij een fietsongeluk op zijn negentiende een paar tanden was kwijtgeraakt. Zijn meest recente prothese was met hemzelf verloren gegaan.

De avond voor de herdenking gingen de kinderen en ik met mijn moeder en opa, die naar Ottawa waren gereden om bij ons te zijn, uit eten in een prachtig gerestaureerd treinstation. Mijn relatie met mijn moeder raakte van lieverlee weer op bekender terrein. Ze voelde zich inmiddels zekerder in haar rol als mijn moeder en als iemand die mij hielp mijn verdriet te verwerken. Ze had zich met Larry over de echtscheidingsregeling gebogen en dat had haar geholpen in te zien dat haar verdriet om Arron oude wonden van haar scheiding weer had opengehaald. Ze kwam nu zelfverzekerder over en ik durfde me weer aan haar over te geven, in de wetenschap dat ze de kracht bezat om me zo nodig te steunen. Mijn opa was eveneens een kalm toonbeeld van kracht. Hij mocht dan bijna negentig zijn, maar hij sloeg zich met de geestkracht van een veel jongere man door het leven. Zijn lijfspreuk was simpelweg 'in beweging blijven'. Sinds mijn oma nog maar drie jaar geleden was overleden, bracht hij de winters in Florida door en de zomers al golfspelend in Montréal, en op beide plekken leidde hij een sociaal zeer actief leven. Hij was bijzonder op Arron gesteld geweest en in vele opzichten leken ze op elkaar. Ze bezaten allebei de ietwat nerveus makende eigenschap om onmogelijk stil te kunnen blijven zitten. Ze praatten samen altijd uitgebreid over aandelen of beleggingsmaatschappijen. Mijn opa was een man van weinig woorden, en door zelf het goede voorbeeld te geven wilde hij me laten zien hoe je ondanks het verlies van je levenspartner toch kwiek en vitaal kon blijven. Hij was als het ware een rolmodel voor hoe het leven geleefd diende te worden: ik moest niet blijven stilstaan.

Op het kerkhof was, een stukje bij het monument vandaan, een tent opgezet. Het monument bleek een rots te zijn, misschien zo'n een meter twintig hoog, met daarop een koperen plaquette met de namen van de vierentwintig Canadese slachtoffers, een afbeelding van de torens en het logo van de Canadese regering. Onder de plaquette, op de grond, stond een lege kist van donker gebeitst kersenhout, bekleed met groen vilt. Met een man of tachtig, grotendeels nabestaanden, namen we in de tent plaats. Het was het uur waarop Carter altijd een dutje deed, en hij was moe. We zaten naast een paar heel sympathieke oudere mensen, maar het duurde niet lang of ik rende achter Carter aan of ik probeerde hem rustig te houden tijdens de speeches. Zijn rugzak vol speelgoed interesseerde hem niet en lag vergeten onder zijn stoel.

Na een paar korte toespraken vormden de families een rij voor het monument om hun spullen in de kist te leggen. Ik keek in mijn tas en onder mijn stoel naar de plastic zak. Paniek overspoelde me toen ik me realiseerde dat ik die in de taxi moest hebben laten liggen. Mijn moeder stond op en sprak Maureen en Clara aan, onze contactpersonen van het Canadese consulaat. Snel en kalm pleegden ze een telefoontje naar het taxibedrijf, en even later verzekerden ze me dat de taxi het zakje zou komen brengen. Ze stelden voor dat we alvast in de rij gingen staan, want tegen de tijd dat we aan de beurt waren, zou het zakje beslist al zijn afgeleverd. Ik werd wat rustiger, maar voelde me ook erg zenuwachtig en schaapachtig.

De kinderen en ik liepen naar de steen. Olivia vroeg me of ik haar Arrons naam wilde laten zien, dus boog ik me over de open kist en samen raakten we zijn naam op de plaquette aan. Carter was te klein en kon er niet goed bij; hij keek alleen van benedenaf toe. We zeiden niets. Mijn moeder en opa bleven achter ons staan. Na een paar minuten pakte ik de kinderen bij de hand en liep weg. Er kwam een fotograaf naar ons toe, een journalist van een van de kranten; hij had een foto van de kinderen en mij gemaakt toen we de plaquette aanraakten. Hij vroeg hoe we heetten, en de volgende dag stond de foto in een heleboel kranten in heel Canada. Daarop zag ik er moe maar vastbesloten uit. Ik was kwaad op mezelf dat ik de aandenkens was kwijtgeraakt. En toch leken ze uiteindelijk zo belangrijk niet. Het betekenisvolste moment was simpelweg het aanraken van Arrons naam geweest, alsof we hem eindelijk dan toch konden voelen – samen. Voor dát moment was ik naar Ottawa gekomen. Misschien was dat wel wat ik op Ground Zero had gemist: tijd met de kinderen, een manier om Arron aan te raken.

Een poosje daarna kwamen Maureen en Clara van het consulaat naar ons toe, de plastic zak triomfantelijk in de hand. Inmiddels was de kist gesloten, maar Maureen liep er met ons naartoe en maakte hem weer open. Ik probeerde een plechtig gezicht te zetten toen ik het zakje er zorgvuldig in legde, maar de aandenkens hadden hun betekenis verloren. Dit waren alleen maar voorwerpen. De kinderen werden ongeduldig omdat ze nog een moment van geforceerde herdenking moesten meemaken. Zelfs ik was ongeduldig, en snel raakte ik nogmaals Arrons naam aan bij wijze van afscheid. Het moment was voorbij en al weggeborgen, diep in ons binnenste begraven.

Toen we weer thuis waren, raakte ik geleidelijk aan op een vreemdsoortige manier in de ban van de herdenkingen. Onverwacht voelde ik me licht – de druk van de spanning was weg. Ik voelde me als nieuw, verfrist. Met dat gevoel stond ik niet alleen. In de media proefde ik opluchting dat de jaarherdenking achter de rug was, dat we het allemaal hadden overleefd. Ik bespeurde hetzelfde bij mijn vrienden, andere weduwes en mijn familie. Het werd inderdaad tijd voor mij om verder te gaan, precies zoals meneer Chrétien ons dringend had verzocht. Hoe kwaad ik ook was geweest om die woorden, nu was ik hem dankbaar omdat hij me de toestemming had gegeven die ik nodig had om 'verder te gaan', of om, zoals mijn opa zei, 'in beweging te blijven'. Mijn vrienden kwamen minder vaak op bezoek en belden me minder vaak op, en in onze gesprekken werden geleidelijk aan meer opmerkingen gemaakt over uitgaan met een andere man of verhuizen. Doordat ik verderging, leek het wel alsof alle anderen diezelfde vrijheid ook werd toegestaan. De mensen die me hadden geholpen hadden hun plicht gedaan, en nu werd het tijd dat we allemaal de draad van ons leven weer oppakten. Dat wilde ik voor mezelf net zo goed als voor degenen die me hadden gesteund.

Maar soms wist ik niet goed of mensen echt wilden dat ik verderging, zodat ze zich geen zorgen meer over me hoefden te maken, of dat ze graag wilden dat ik 'de treurende weduwe' zou blijven, zodat ze me konden blijven troosten. Een van mijn buren werd kwaad toen ik haar vertelde dat ik haar veelvuldige bezoekjes miste, omdat ze dacht dat ik haar opdringerig had gevonden. Ik zwaaide heen en weer als de slinger van een klok en wilde zowel verdergaan als vertroeteld worden.

Na de herdenkingen begon ik steeds meer te voelen voor het idee van een nieuw begin. Het werd tijd om duidelijk te krijgen wat ik onder 'verdergaan' verstond. Ik had minder vaak huilbuien, maar kon daar nog steeds helemaal in opgaan. Ze vormden immers mijn verzekering dat ik Arron niet vergeten was. Ik wist nu dat verdergaan niet per se betekende dat ik hem zou vergeten, maar toch maakte die gedachte me nog steeds bang. Mijn behoefte aan een passende, betekenisvolle herdenking kwam voort uit deze angst om te vergeten. Arrons kast werd een soort geïmproviseerd gedenkteken. Als ik me goed voelde, deed ik de kast open, waar zijn kleren nog steeds netjes lagen opgestapeld, precies zoals op de dag dat hij was gestorven. Dan pakte ik een van zijn overhemden, of stelde me hem voor in zijn lievelingsshirt (waar verder iedereen een hekel aan had), of snikte in zijn donkerblauwe badjas, die nog steeds zijn geur droeg. Algauw werd dat een bijna masochistische vertoning. Als ik niet huilde, ging ik weer naar de kast voor een regendans om tranen. Een vleugje geur van zijn badjas was een betrouwbare sjamaan. De tranen wasten mijn lichaam schoon, overspoelden me met de opluchting dat ik nog steeds respectvol en op passende wijze rouwde om mijn echtgenoot, compleet met tranen en snikken. Ik wist dat ik altijd zou moeten huilen als ik zijn kast opendeed. Die liet ik zoals hij was, niet bereid om iets te verplaatsen of weg te geven.

Ik begon een klein sprankje opwinding te voelen als ik dacht aan alle mogelijkheden die nu voor me openlagen. Ik zou naar een chique stad kunnen verhuizen, een nieuwe passie kunnen ontdekken in plaats van bij mijn oude werkgever te blijven, mijn slaapkamer roze schilderen, en al die beslissingen zouden van mij zijn en van mij alleen. Ik zou een nieuw leven voor de kinderen en mezelf kunnen beginnen, vol nieuwe kansen. Maar met al die opwinding gingen angst en eenzaamheid gepaard. Stel nou dat ik een verkeerde beslissing nam? Welke richting moest ik op? Stel nou dat ik me zo meteen nog veel ellendiger zou voelen? Bij elke beslissing werd ik weer met de neus op het feit gedrukt dat ik alleen was. Eerst had ik mezelf getroost door Arron in mijn besluitvorming te betrekken: zou Arron dit hebben gedaan? Wat zou Arron hiervan vinden? Maar hoe vaker ik dat deed, hoe meer ik zijn 'meningen' verwierp. Binnen de kortste keren zei ik dingen als: 'Arron zou dit vreselijk hebben gevonden!' of: 'Ik weet heus wel wat je denkt, maar dit is míjn beslissing!' Ik voelde me net een klein vogeltje op de rand van een klif dat uitkijkt over een weids landschap. Ik wist wel dat mijn vleugels steeds sterker werden, maar toch bleef ik op het klif zitten, onzeker of ze me wel zouden kunnen dragen. Ik vroeg me af in welke richting ik zou vliegen als mijn vleugels inderdaad sterk genoeg zouden blijken. Uiteindelijk besloot ik dat richting niet belangrijk was; het ging erom dat ik in beweging bleef.

Deel drie

Het rood

... en het moment brak aan waarop het risico om
in een strak gesloten knop te blijven zitten
oneindig veel pijnlijker werd
dan het risico om in bloei te komen.
Anaïs Nin

17

Hunkeren naar liefde

'Verdergaan' bleek moeilijker dan ik had gedacht. Om mijn verjaardag te vieren kwamen mijn zus en mijn nichtje Caelin met het vliegtuig vanuit Vancouver, en mijn moeder pakte vanuit Toronto de auto. Ik was blij om hen te zien, maar liep op mijn tandvlees. Was september maar voorbij. Was het maar weer rustig in huis en kon ik mijn dagelijkse routine maar weer oppakken. Ik wilde elke ochtend aan de keukentafel een kopje thee drinken en de krant lezen. In plaats daarvan dekte mijn moeder de avond tevoren de eettafel voor het ontbijt, wat ze altijd deed als er gasten waren: kleine glazen voor sinaasappelsap, stoffen servetten. Als ik 's ochtends met mijn kom muesli naar de kamer kwam, zag ik dat er op tafel bij mijn plek al een kom stond.

Jill was in mijn ogen in één jaar volwassen geworden. Haar vrijwel dagelijkse telefoontjes hadden me gesteund op een manier die ik niet had verwacht. Zij kende me beter dan wie ook, beter dan Arron, en ik kende haar even goed. Ze moest lachen om mijn galgenhumor. Ze huilde met me mee. Ze rouwde net zo om Arron als ik. Meer dan op welke vriend of vriendin, meer dan op welk familielid ook, was ik me gaan verlaten op Jill, en ik stond versteld van haar wijsheid, iets wat ik nooit eerder bij haar had gezien, ook al kende ik haar al haar hele leven van zeer nabij.

'Ik weet dat je dit jaar niet echt zin hebt om je verjaardag te vieren,' zei ze plompverloren toen ze voor Caelins wipstoeltje stond en bukte om haar voetjes vast te pakken, waardoor Caelin moest giechelen. Op de een of andere manier had mijn moeder een feestje weten te organiseren en me overgehaald om goede vrienden en buren te eten te vragen. Eerst had die afleiding me wel aangesproken, maar nu de bewuste dag was aangebroken, zag ik die met angst en beven tegemoet. Mijn verjaardag was alweer iets wat herinnerde aan het verstrijken van de tijd: wéér een sushidiner gemist, wéér geen rode roos. Ik wilde dat mijn verjaardag vergeten zou worden, alsof ik door de mijlpalen te vergeten kon vergeten dat Arron er niet bij was.

'Is dat zo duidelijk? Ik had gehoopt dat niemand het in de gaten zou hebben, maar blijkbaar kan ik mijn gevoelens niet goed verbergen.'

Jill lachte. 'Nee, dat kun je zeker niet!'

'Begrijp me niet verkeerd, ik ben echt blij dat jullie hier zijn, maar ik wil gewoon geen soesa met mijn verjaardag, en opeens is het dat toch geworden.'

'Weet ik. Volgens mij wil mam iets speciaals voor je doen. Dat willen we allemaal.'

'Dat weet ik wel, maar het is niet nodig. Het maakt de zaken er toch niet beter op.'

'Dat beseffen we allemaal heus wel, Ab. We kunnen het nog afblazen...' stelde ze voor.

'Nee, nee. Ik sla me er wel doorheen. Maar het wordt gewoon niet zo makkelijk als ik had gedacht.' Ik was dankbaar dat ik niet dat vreemde waas van verdoofdheid voelde dat ik een jaar geleden op mijn verjaardag had gevoeld. Dit jaar zou ik tenminste kunnen glimlachen en lachen zonder het gevoel te hebben dat ik elk moment kon bezwijken. Maar toch leek het of er overal waar ik ging een zwarte wolk boven mijn hoofd hing. Ik begon me zorgen te maken dat de frons op mijn voorhoofd daar voorgoed zou blijven zitten, zoals scheelheid bij kinderen als je daar niets aan doet.

Later maakten mijn moeder en ik een Indiaas feestmaal klaar: kip met kerrie, linzen, aardappelen, spinazie, basmatirijst. Het felgele gerecht zag er in mijn witte trouwservies feestelijk en hoopvol uit.

Ik ging naar boven om een dutje te doen en viel in een zware slaap. Ik werd wakker van een aarzelende klop op mijn deur.

'Abby, het is zes uur. Zo meteen komen de gasten.' Mijn moeders stem ergerde me. Ik had geen zin om mijn bed uit te komen en wilde het liefst de rest van de avond blijven liggen. Ik wilde dat mijn verjaardag weg zou gaan en nooit meer terug zou komen. In plaats van vier jaar jonger te zijn dan Arron, was ik nu nog maar twee jaar jonger. Over een poosje was ik ouder dan hij was geweest toen hij stierf. Dat proces wilde ik een halt toeroepen, zodat ik niet ouder zou worden, terwijl Arron voorgoed negenendertig zou blijven.

Pas toen ik hoorde dat er op de voordeur werd geklopt, stond ik op. Ik kneep in mijn wangen, wetend dat als ik dat niet deed, mijn moeder het wel zou doen. 'Wat zie je bleek,' zou ze zeggen, en ze zou me pijnlijk in mijn wangen knijpen zoals ze had gedaan toen ik nog een kind was.

Beneden deed ik alsof ik vrolijk was. Ik glimlachte en lachte zelfs. Ik at van de kleurige schotels, ook al proefde ik er niets van. Schuldbewust maakte ik cadeautjes open. Elke vriendelijkheid leek een daad van mededogen. Ik wist dat mijn vrienden geen medelijden met me hadden, niet echt, en toch voelde ik ergens dat dat wel zo was. Ze leefden met me mee, stelden zich voor hoe het zou zijn om hun eigen partner te verliezen, om hun eigen kinderen in hun eentje groot te brengen. Ik snapte wel dat ze er voor me wilden zijn, dat ze me door het zoveelste pijnlijke evenement heen wilden helpen. Dat vond ik aardig van ze, maar ik had er zo genoeg van om dankbaar te zijn. Ik was het beu om iedereen te bedanken. Meer cadeaus hoefden niet. Op nog meer medeleven zat ik niet te wachten. Ik wilde uit de spotlights stappen en mijn plek in het dagelijks leven weer opeisen, zonder een speciaal geval te zijn.

Het deed me goed om, nadat iedereen was vertrokken, de keuken op te ruimen. Tegenwoordig hunkerde ik naar doodgewone klussen; die herinnerden me aan mijn oude, normale leven. Toen ik later op de avond in bed lag, huilde ik om het verlies van mijn oude zelf, degene die tegelijk met Arron was gestorven. Ik voelde me nog steeds onzeker over de nieuwe persoon die haar plaats had ingenomen, niet in staat diepe emoties te voelen, niet in staat voedsel te proeven, terwijl ze toch leerde en groeide, en soms zelf hoopvol gestemd was over wat de toekomst haar brengen zou.

De volgende halte op de emotionele achtbaan die september was, was onze trouwdag, een week na mijn verjaardag. Mijn familie was weer naar huis gegaan en de kinderen en ik vierden de dag met een tochtje naar de speeltuin, een ijsje en zaterdagse boodschappen doen. Carter had zijn middagdutje overgeslagen en viel terwijl ik met het avondeten bezig was op de bank in slaap. Olivia en ik zaten op de te hoge vensterbank die Arron had getimmerd in stilte het eenvoudige maal te eten dat ik had klaargemaakt. Alweer een jaar alleen, ging het door me heen, en die gedachte maakte me zowel wanhopig als trots. Ik had een heleboel voor elkaar gekregen zonder Arron. Ik had nooit gedacht dat het mogelijk was om een kind van twee en een kind van zes door het afschuwelijke jaar heen te loodsen dat we achter de rug hadden. Ik keek naar Olivia, die haar rug net zo kaasrecht hield als haar vader altijd had gedaan, en verbaasde me over haar. Ze was zo intelligent, zo dwaas, zo mooi. Het was bijna onmogelijk je haar voor te stellen als de grootmoedige vrouw die ze later vast en zeker zou worden. Carter was nog klein, maar ik probeerde me in te beelden hoe hij over een paar jaar zou zijn, als hij niet meer zo aan me klitte en het zelfvertrouwen had teruggekregen dat hij dit jaar was kwijtgeraakt, hoe hij zou uitgroeien tot die trouwe, getalenteerde en imponerende persoon die ik wist dat hij zou worden. Ik wilde dat Arron hen kon zien, dat hij even vijf minuutjes zou binnenkomen om hen vast te houden.

Opeens klonk er muziek: Macy Gray, ons aller favoriet. De tekst van het lied leek betekenisvol, alsof Arron van gene zijde iets tegen ons wilde zeggen. Vaak hadden we met z'n allen meegezongen met haar nummer 'I Try'. Zelfs toen ze nog maar vijf was had Olivia de ingewikkelde snelle melodiewisselingen van het lied al aangekund. Nu zong Macy Gray de woorden *I thought I'd see you again*.

Olivia en ik bleven even stil zitten luisteren, verrast dat de muziek plotseling aan was gegaan zonder dat wij daar de hand in hadden gehad. Ze keek me aan en wees naar het plafond. Ik knikte. Allebei wisten we tot onze vreugde dat onze eigen speciale geest bij ons op bezoek was. We luisterden en aten verder, en ik probeerde er een logische verklaring voor te bedenken, maar had geen idee hoe de cd-speler uit zichzelf aan had kunnen gaan. Ik glimlachte, dacht aan Arron en onze trouwdag, en er biggelde een traan over mijn wang. Eindelijk dan toch heb je je niet vergist in de datum van onze trouwdag!

My world crumbles when you are not near...

Het lied had een nieuwe betekenis gekregen.

De rest van de week begon zodra ik thuiskwam uit mijn werk de cd-speler weer te spelen en bracht Macy Gray ten gehore. Martha schudde alleen maar haar hoofd. 'Vast en zeker een engel,' zei ze verbaasd, waarna ze verderging met eten klaarmaken. Ik liet de cd-speler aan tijdens de drukte aan tafel, zodat Arron daar deel van kon uitmaken.

Mijn verlangen naar Arron begon diep in mijn buik en stak en gaapte als een woekerende wond. Vooral 's avonds voelde ik de eenzaamheid, als ik naar bed ging om te slapen. Ik verlangde naar zijn gewicht dat me aan de grond zou houden, dat zou voorkomen dat ik wegdreef een afgrond in; ik verlangde naar de druk zijn kus, de kromming van zijn elleboog die mijn nestje was. Ik verlangde naar de lichamelijkheid van zijn lichaam, die mij aan mijn eigen lichamelijkheid zou herinneren. Ik verlangde ernaar de liefde te bedrijven.

De waarheid was dat ik vaak aan seks dacht. Dat verbaasde me. Toen ik getrouwd was had ik ook aan seks gedacht, maar toen viel het niet zo op. En van tijd tot tijd was Arron er om me te verwennen, als hij er niet te moe voor was. Hij bood vaak ook kusjes en knuffels, die soms mijn verlangen vervulden. Nu had ik een sterkere drang, aangestuurd door mijn hormonen. Ik ontdekte een patroon in mijn libido, dat te maken had met mijn menstruatiecyclus. Had het huwelijk me zo volledig afgeschermd van mijn eigen seksualiteit dat ik die patronen nooit eerder had opgemerkt?

Ik begon me af te vragen hoe fantasieën er in het echte leven uit zouden zien. Wat hadden echte mannen uit Manhattan of New Jersey een eenzame weduwe van in de dertig te bieden?

'Online daten is leuk,' zei een collega op een dag tegen me terwijl ze door een webpagina met pasfoototjes scrolde. 'Je stelt een profiel op, met je foto, en dan krijg je mail van mannen die geïnteresseerd zijn.'

'Wauw,' wist ik uit te brengen, terwijl ik probeerde niet al te verbaasd te klinken omdat mijn altijd zo preutse collega zich met dergelijke dingen bezighield.

'Je zou het ook eens moeten proberen,' zei ze monter. 'Ik denk dat een heleboel mannen jou wel zouden willen schrijven.'

Op een avond in november vroeg ik na mijn yogales aan Jen en Corny, mijn buren en vriendinnen, wat zij ervan vonden. 'Denken jullie dat het te snel is?'

'Nee, nee. Fantastisch! Je moet het gewoon doen.'

Tijdens een van onze dagelijkse telefoontjes leek Jill het ook een goed plan te vinden dat ik overwoog weer te gaan daten. 'Prima idee, Ab. Het zal je echt goeddoen om er af en toe even uit te zijn en nieuwe mensen te leren kennen.'

Maar ik wist het zo net nog niet. Het was nog maar veertien maanden geleden. Ik was nieuwsgierig en wilde het natuurlijke rouwproces graag zo snel mogelijk achter de rug hebben, maar het voelde niet alsof ik Arrons dood al helemaal had geaccepteerd. Ik verwachtte nog steeds dat hij elk moment binnen kon komen na een uitgelopen zakenreis. Zijn kast hing nog steeds vol met zijn kleren. Zijn stoffige slippers stonden nog steeds bij de achterdeur op de plek waar ik ze had laten staan, omdat ik er niet toe kwam ze weg te gooien.

Op een dag snuffelde ik wat rond op Match.com om te kijken of ik me tot andere mannen aangetrokken zou voelen. Ik vond een weduwnaar uit Manhatten, een architect die dol was op tuinieren. Mijn fantasie ging met me op de loop. Hij zou mijn verlies wel begrijpen. We zouden in de stad naar morsige restaurantjes gaan en van een Merlot nippen. Hij zou me meenemen naar zijn smaakvolle appartement en... Daar stopte mijn fantasie. Wat zou er dan gebeuren? Zou ik naar huis gaan en Arrons denkbeeldige hand vasthouden? Ik stelde me mezelf voor in een aflevering van *Sex and the City*, zorgeloos, zonder kinderen, en seksueel geëmancipeerd.

Na een paar weken anoniem rondneuzen op de mannensite besloot ik, gesterkt door de bemoediging van mijn vrienden en zus, een profiel van mezelf op te stellen. Alles wat ik opschreef klonk belachelijk: *Lange, aantrekkelijke (?), sexy (?) 9/11-weduwe, moeder van twee kinderen, heeft in geen achttien jaar een afspraakje gehad en zoek knappe, rijke prins die van kinderen houdt en niet opziet tegen het lijk van haar echtgenoot in de kast...*

Qua foto's was mijn keus beperkt, omdat ik in ons gezin degene was geweest die de meeste foto's nam. Ik vond een zedig portret waarop ik samen met Olivia, die toen nog klein was, en mijn inmiddels overleden grootmoeder stond – twee personen die ik allebei voorzichtig van de foto zou moeten verwijderen. En er was een serieuze foto waarop ik in een coltrui nuffig poseerde voor een nieuwsbrief van een bedrijf.

Waar, vroeg ik me af, waren alle foto's gebleven waar ik sexy op stond? Ik wierp een paar blikken op de profielen van andere vrouwen om te kijken tegen wie ik het zou moeten opnemen. Vrouwen van vijftig en zestig zagen er stukken sexyer uit dan ik mocht hopen ooit te worden. Ik koos voor het kiekje van de kuise 'jonge vrouw uit de straat met gecoupeerde baby en oma'.

Ik verzond mijn profiel en foto naar de website en wachtte vervolgens op een reactie. Vrijwel meteen kreeg ik een paar 'knipogen' – eentje van een vrij oud uitziende heer die beweerde dat hij nog maar vierenveertig was; een andere van een man die zijn naakte bovenlijf showde, terwijl hij verder hoge brandweermanlaarzen en bretels droeg; en eentje van een oranjegebruinde vent zonder nek. Ik was blij dat ik knipogen kreeg, maar teleurgesteld door degenen die ik had aangesproken. Ik had meer een knipoog van een van de lange, donkere mannen in gedachten die ik al aan mijn lijstje met 'favorieten' had toegevoegd.

Toen ik eenmaal had besloten het heft in eigen hand te nemen, snuffelde ik rond op de site alsof ik me in een reusachtige mannensupermarkt bevond: mooie ogen, maar te gedrongen; grappig profiel, maar te klein; prima in alle opzichten, alleen wel een roker; lang en knap, maar houdt niet van kinderen; geweldig intellectueel, maar een rare knolneus; oprechte vent, maar kan niet spellen. Misschien was het hier toch nog te vroeg voor.

Mijn ogen begonnen al wazig te worden toen de architect-weduwnaar me nogmaals opviel. Ik deed er twee weken over om genoeg moed te verzamelen om hem een mailtje te sturen. Wat moest ik zeggen? *Hallo, mede-weduw. Is dit geen gekke club om lid van te zijn? Ik ben als de dood voor daten en hou nog steeds van mijn overleden man, maar zou je een keertje met me uit willen?*

Uiteindelijk schreef ik hem: *Hoi* [in een poging opgewekt te klinken]. *Je profiel sprak me erg aan* [zijn ego strelen]. *Ik hou van tuinieren* [we hebben iets gemeen]. *Ik kijk ernaar uit iets van je te horen* [positief, maar niet alsof ik erop zit te wachten]. *Groeten, Abby.*

Ik wachtte, maar er kwam geen antwoord. Het was vernederend.

Ik trok me van de site terug om mijn wonden te likken. Mijn angst om iemand te zijn met wie niemand uit wilde, werd bewaarheid. Ik zou nooit iemand leren kennen. Misschien wilde ik dat diep vanbinnen ook wel niet, wilde ik alleen blijven, weduwe, en voor altijd toegewijd aan Arron. Het voelde alsof ik onbewust mijn eigen kansen saboteerde door zo kieskeurig te zijn en zo'n zedige foto te plaatsen. Nu was ík degene die te lang was, te veel een weduwe, te veel kinderen had, er niet sexy genoeg uitzag, te wát dan ook. Als je een overleden man had, lieten ze je links liggen. Misschien was online daten toch niets voor mij.

Ik ging mijn andere mogelijkheden na. Moest ik naar de kroeg, een oppas inhuren, me optutten en op de barkruk een gin-tonic gaan zitten drinken? Zelfs toen ik twintig en single was geweest, had ik al een hekel gehad aan cafés en clubs, en ik kon me niet voorstellen dat daar veel verandering in was gekomen. Als ik al wist waar ik een trendy café zou kunnen vinden, zat het daar vast vol met twintigers.

Of ik moest me aansluiten bij een kerk? ('Sluit' je je 'aan' bij een kerk, of was dat eerder een initiatieproces?) Gingen alleenstaande mannen weleens naar de kerk? Nu greep ik me aan strohalmen vast. Ik zou me nooit bij een kerk aansluiten.

Ik hoorde dat de supermarkt een prima plek was om mannen te ontmoeten, maar ik had er tot nog toe alleen maar andere moeders gezien, en de drogist van de supermarkt (die, nu ik erover nadacht, de laatste tijd wel érg vriendelijk tegen me deed).

De gedachte om het lot op zijn beloop te laten en geduldig af te wachten wat er op mijn pad zou komen, stond me helemaal niet aan. Als Arrons dood me iets had geleerd, dan was het wel dat je de tijd niet had om maar te gaan zitten wachten tot het leven naar je toe kwam. Maar ik vroeg me wel af waarom ik zo ontzettend graag een man in mijn leven wilde. Ik voelde me eenzaam, dat was wel duidelijk, en ik miste het om een volwassene om me heen te hebben met wie ik kon praten en mijn dag door kon nemen. Ik stelde me iemand voor die de kinderen mannendingen zou kunnen leren: hoe je moest vissen en vechten, iemand die nieuwe gezichtspunten kon bieden. Ik fantaseerde erover hoe het zou voelen om weer verliefd te zijn en hoe het was als de kinderen blijer zouden worden doordat ik gelukkiger was, hoe het muffe, grafachtige huis daarvan zou opleven. Nieuw bloed in huis zou ons ook weer in balans brengen, het evenwicht in ons scheefgetrokken gezin herstellen, zodat we allemaal beter toegerust zouden zijn om verder te gaan.

Olivia vroeg me regelmatig wanneer ze 'een nieuwe papa' zou krijgen, in de overtuiging dat een man het enige was wat we nodig hadden om weer gelukkig te zijn. Misschien had ze wel gelijk. Mijn belangrijkste motivatie om te gaan daten was echter mijn vaste voornemen om geen moment van mijn leven te verspillen. Wat de uitkomst ook zou zijn, van een nieuwe vriendschap of een betekenisvolle relatie (zelfs via de dubieuze methodes van de mannensite), ik hoopte dat die mijn leven zou verrijken. Ik besloot de buitenwereld tegemoet te treden, via welke middelen daar ook maar voor nodig waren, en ongeacht hoe pijnlijk het zou worden.

Nadat ik bot had gevangen bij de architect, zocht ik verder op de site, en uiteindelijk stuitte ik op een profiel van een goed uitziende kale man die geestig leek te zijn en geen spelfouten maakte. Uit zijn beschrijving kon ik opmaken dat hij een scherp verstand bezat, humor had en vlak bij me woonde. Bovendien was hij een van de weinigen die me ook terugschreven. Hij was kortgeleden van Florida naar Montclair verhuisd en was er wel voor te porren om met me te gaan koffiedrinken.

De nacht voor ons afspraakje lag ik wakker en probeerde te bedenken wat ik zou aantrekken. In gedachten maakte ik een aantekening dat ik mijn witkatoenen Hanes-ondergoed moest vervangen. Allemachtig! Geen wonder dat Arron en ik maar zo weinig seks hadden gehad: ik droeg onderbroeken van Hanes! Ik droeg nog steeds mijn nachtpon uit de tijd dat ik borstvoeding gaf! Op die gedachte volgde een steek van spijt. Ik was als moeder in de val getrapt van kinderen en werk, en was mijn man helemaal vergeten, en ook voor hem was ik als vrouw uit beeld geraakt. Soms had ik hem verwijten gemaakt dat ons seksleven zo weinig voorstelde, wat me onzeker had gemaakt over mijn lichaam. Ik had gedacht dat Arron me niet aantrekkelijk vond. Nu zag ik in dat die veronderstelling me ertoe had gebracht mijn lichaam te verbergen en mijn seksuele verlangens te verstoppen achter bovenmaats Hanes-ondergoed. Ik wilde dat ik de tijd kon terugdraaien en me in mijn huwelijk de rol van sexy echtgenote kon aanmeten, een vrouw van het soort dat pikante lingerie draagt en over een verleidelijke garderobe beschikt. Nu had ik geen kleren die geschikt waren voor een date, behalve een onflatteuze spijkerbroek, of misschien een rok die ik sinds ik twintiger-af was nooit meer had aangetrokken. Ik kleedde me als een moeke, als iemand die het niet kan schelen wat andere mannen van haar denken. Pas nu realiseerde ik me dat Arron ook tot die mannen moest hebben behoord. Waarom had ik dat niet eerder ingezien? Uiteindelijk koos ik voor een zwarte broek en laarzen: nonchalant, maar toch chic. Ik hoopte maar dat die outfit me enigszins flatteerde en dat hij geschikt was voor een afspraak om elf uur 's ochtends in een plaatselijke Frans café.

Het zweet stond in mijn handen toen ik de dag daarop de auto op een plekje manoeuvreerde in de buurt van het koffietentje. Terwijl ik een paar minuten lang diep in- en uitademde, staarde ik naar mijn handen op het stuur en deed alle mogelijke moeite om niet in paniek te raken. O god! Mijn trouwring! Die was ik vergeten af te doen. Vol bewondering keek ik naar de brede gouden band om mijn linkerringvinger. Die zat daar nog steeds prachtig. Ik schoof hem omhoog, waardoor de bleke huid eronder zichtbaar werd. Aarzelend deed ik de ring helemaal af en hield hem in mijn hand. Ik was vergeten hoe zwaar hij was. Ik deed hem om mijn rechterringvinger, waarbij ik stevig moest duwen om hem over mijn knokkel heen te krijgen, en stak mijn handen naar voren om het effect van de verandering te bekijken. Allebei mijn handen voelden vreemd en onwennig aan, alsof ze mij niet toebehoorden. Ze oogden verdrietig en alleen – als die van een alleenstaande vrouw.

Ik pinkte een traantje weg. 'Het spijt me, Fab.' Met mijn impulsieve actie had ik Arrons liefde verraden, zonder pardon, zittend in een auto met alleen een koude, grauwe decemberlucht als gezelschap. Ik moest terugdenken aan een vergelijkbare ringceremonie.

Arrons trouwring was van zijn vader geweest en in het rozekleurige goud stonden diens initialen gegraveerd. Hoewel het een mooie ring was, was hij als trouwring niet zo geslaagd, want Arron droeg hem aan zijn linkerpink, net als zijn vader had gedaan. 'Ik heb steeds sjans met homo's!' vertelde hij op een dag. Ik moest lachen.

'Nou, meneer Homofoob, waarom schaffen we dan geen normale ring voor je aan, die je aan je ringvinger kunt dragen?' Ik had altijd graag gewild dat hij een gewone ring zou dragen, maar had me toen we trouwden gevoegd naar zijn wensen, omdat ik wel wist dat de ring van zijn vader emotionele waarde voor hem had sinds die op Arrons zeventiende was overleden. Hij vond het meteen een goed plan.

Op een zonnige zaterdag vroeg in de lente, een jaar voor zijn dood, hadden de kinderen en ik in deze zelfde auto zitten wachten terwijl Arron even binnenwipte bij een juwelier. Hij kwam terug met een blauwfluwelen doosje. Toen hij het openklapte, lag daar de helder glanzende ring die we samen hadden uitgezocht, klaar om omgedaan te worden. 'Moeten we niet een kleine plechtigheid houden of zoiets?' zei ik.

'Oké. Hier.' Hij overhandigde mij de ring. Het was een prachtig gouden sieraad, stoer en simpel.

Langzaam liet ik de ring om zijn ringvinger glijden, terwijl ik hem glimlachend aankeek, en toen hij op zijn plek zat gaf ik hem een zachte kus. Hij stak zijn hand omhoog en we vonden het allebei mooi staan. Ik hield van Arrons handen – sterk, creatief, gevoelig, liefdevol. De ring was heel mooi, en ik was er trots op dat die me aan hem bond. Die simpele ceremonie voelde als een onmiddellijke hernieuwing van onze liefde, onuitgesproken, maar door ons allebei gevoeld.

Nu ik naar mijn eigen handen staarde, grauw in het vage licht van de midwinterse ochtend, rouwde ik eens te meer om hem. Het is maar een kop koffie, hield ik mezelf voor. Ik betastte het vreemde voorwerp dat nu aan mijn rechterhand zat en hoopte maar dat de eerste blind date van mijn leven geen oog zou hebben voor de verblindende witheid van mijn verlies, dat hij mijn handen niet zou zien trillen als ik mijn kopje vasthield. Ik hoopte van harte dat mijn stem niet zou haperen als me de onvermijdelijke vraag werd gesteld: 'En, hoe is hij overleden?' Ik raakte mijn ring nog een keer aan om er moed uit te putten en opende de deur van de koffieshop.

Ik ging zitten met een kop thee. Zodra hij de deur door kwam, wist ik dat deze date niet zou overgaan in iets romantisch. Nick ging koffie halen en kwam tegenover me zitten. Ik begon me zorgen te maken dat een van mijn vrienden binnen zou komen en zich zou afvragen waarom ik koffie zat te drinken met een kale man. Ze zouden meteen snappen hoe het zat. Ik voelde dat ik bloosde, alsof ik Arron bedroog. Nick vertelde me dat hij komiek wilde worden, en even later zat ik nerveus te lachen om zijn merkwaardige grapjes. Zijn humor had iets wanhopigs. Het was niet de luchthartige humor van Arron.

'Ik ben bezig nieuw materiaal te schrijven. Ik wil graag grappige dingen schrijven over moeilijke gebeurtenissen. Zoals de nazi's. Volgens mij is daar wel wat van te maken.'

Ik probeerde me iets grappigs voor te stellen wat met de nazi's te maken had, maar kwam niet verder dan een Monty Pythonachtige sketch. Meende deze man dat nou?

We praatten verder, vaardig de voor de hand liggende vragen omzeilend. Een uur later kon Nick er niet langer omheen. Bij elke vraag voelde ik de muren van de doolhof waarin ik me had teruggetrokken zich dichter om me heen sluiten.

'Ben je gescheiden?'

'Nee.'

'O. Uit elkaar dan?'

'Eh... nee. Ik ben weduwe.'

'O! Neem me niet kwalijk. Dat zal wel zwaar geweest zijn. Hoe lang al?'

'Ongeveer anderhalf jaar.' Ik voelde de vraag aankomen en hield mijn hart vast.

'Enne, mag ik vragen... hoe het gebeurd is?'

Daar had je het al. Was ik klaar voor de geschokte blik? Het medelijden? Het einde van ons gesprek?

'Hij is overleden op 11 september. In de Twin Towers.'

Zijn mond viel open en hij fronste zijn wenkbrauwen. 'Wat verschrikkelijk. Ik had al zo'n vermoeden toen je zei dat het anderhalf jaar geleden was. Die dag heeft me heel veel gedaan. Dat was ook de reden waarom ik vanuit Florida hiernaartoe ben verhuisd. Ik wilde naar New York en daar leraar worden. Ik was voor mijn gevoel vastgelopen in mijn baan bij een softwarebedrijf in Florida.'

'Lesgeven is geen slecht idee,' zei ik, in de hoop het gesprek een andere kant op te sturen.

'Wauw zeg, dat is geen kattenpis. Hoe zijn je kinderen eronder?'

Ik voelde dat ik me diep in mezelf terugtrok, als een schildpad, en probeerde Nicks vragen uit de weg te gaan, mijn emoties uit de weg te gaan. Ik was niet boos en het was ook niet zo dat hij me ergerde. Hij was ook maar een mens en dus nieuwsgierig. Had ik nog iets van Arron gehoord? In welke toren had hij zich bevonden? Werkte hij daar misschien?

'Mag ik dat soort vragen wel stellen?'

'Jawel, hoor,' antwoordde ik. En ik realiseerde me dat ik het ook wel goed vond zo. Mijn geest was verdoofd en de automatische piloot had het overgenomen. Ik kon élke vraag beantwoorden, al was het dan zonder emotie.

Toen, zoals zo vaak gebeurt wanneer ik iemand over mijn tragedie heb verteld, vertelde hij me over de zijne. Toen Nick tien was, was zijn oudere broer overleden. 'Bij ons thuis werd er nooit over gesproken. Het was een taboe.'

'Dat zal wel erg moeilijk voor je zijn geweest...' En ik begon Nicks onder de oppervlakte liggende verdriet te begrijpen. Hij was de jongste broer, die niet in de schaduw kon staan van zijn overleden oudere broer. Zijn gebrek aan zelfvertrouwen leek als roest door zijn huid heen te schemeren. Ik had met hem te doen. We werden vrienden verenigd in verdriet.

In de loop van de daaropvolgende weken gingen Nick en ik uit eten en uit lunchen, en we namen zelfs Carter en Olivia mee naar het Museum voor Natuurlijke Historie. 'Als vrienden,' zei ik snel, om hem, de kinderen en mezelf gerust te stellen. Toch vroeg Olivia wel: 'Wordt Nick onze nieuwe papa?' In het museum hadden we een leuke dag, maar ik realiseerde me dat ik voorzichtig moest zijn met het voorstellen van dates aan mijn kinderen. Ik moest ook oppassen met wat ik tegen Selena zou zeggen. Aan de telefoon had ik een keer laten vallen dat ik overwoog me aan te melden bij Match.com. Instinctief vertelde ik haar niet dat ik al een date achter de rug had. Ik wist dat het met Nick niks zou worden en was niet klaar voor hoe ze zou reageren. Tot dan toe had ik haar steeds alles verteld wat zich in mijn leven afspeelde, maar voor het eerst hield ik iets voor haar achter. Ze vertelde me hoe moeilijk ze het ermee zou hebben als ik zou gaan daten.

'Het zal wel normaal zijn dat je weer met mannen uit wilt,' zei ze, 'maar ik moet je zeggen dat mijn hart zou breken als je iets met iemand anders zou krijgen.'

'Maar waarom in vredesnaam?' vroeg ik, me afvragend of ze op de een of andere manier iets wist over mijn date.

'Nou, in de eerste plaats vind ik het moeilijk jou samen te zien met iemand die niet Arron is, maar ook omdat ik bang ben dat ik geen deel meer zal uitmaken van jullie leven als je een nieuwe man leert kennen.' Ze zei het voortvarend en deed haar best nuchter te klinken, maar tussen de regels door kon ik haar wanhoop en angst voelen.

'O, Selena, doe niet zo gek. Jij bent de oma van mijn kinderen en je zult altíjd deel van ons leven blijven uitmaken. Zelfs als ik zou hertrouwen, verandert daar niets aan.'

'Ik mag het hopen,' zei ze, maar ze leek niet overtuigd. Ik vroeg me af of onze relatie echt zou veranderen als er een nieuwe man in mijn leven zou komen.

Op een middag, een paar weken later, overhandigde Nick me tijdens een lunch een brief. Hij had zijn hart erin uitgestort. 'Ik respecteer alles aan je... Ik geloof dat ik verliefd op je geworden ben...'

'O, Nick,' stamelde ik toen ik de brief las waar hij bij zat. 'Het spijt me ontzettend. Ik heb domweg niet dezelfde gevoelens.' Ik voelde zijn teleurstelling tot in mijn botten, alsof het mijn eigen teleurstelling was.

Verdrietig vroeg ik me af of ik Nick wel iets anders had teruggegeven dan hartzeer. We probeerden vrienden te blijven. Ik regelde een baan voor hem bij de klantenservice van Audible. Maar op een dag nam hij zomaar ontslag en vertrok.

Janet had alles te horen gekregen over mijn strooptochten in de datingwereld.

'Ik weet zeker dat Nick niet de man voor je was,' redeneerde ze, 'maar hij heeft je wel geleerd dat je aantrekkelijk voor mannen bent en de moeite waard om van te houden.'

Daar had ze gelijk in. Door mezelf door de ogen van een andere man te zien, gingen mijzelf de ogen open. Door uit te gaan met Nick was ik leuke kleren gaan kopen, had ik vaker make-up opgedaan, het gevoel gekregen dat ik inderdaad aantrekkelijk was – allemaal zaken waarop ik in elf jaar huwelijk het zicht volkomen had verloren. Ik had mezelf toegestaan me te wentelen in de windstilte van het moederschap, had de kinderen op de eerste plaats gezet en mijn man en mezelf onderaan. Ik had er spijt van dat ik voor Arron niet op mijn best was geweest, dat ik geen moeite had gedaan om hem de kleine genoegens te schenken die hij vast zou hebben gewaardeerd.

18

Uitbarstingen

Jill smeekte me om samen met haar naar mijn vader in Port Hope te gaan om met z'n allen kerst te vieren. 'Ik wil jou en de kinderen graag zien, en dit is een van de weinige kansen die we krijgen. We moeten nu allemaal bij onze familie zijn,' pleitte ze. Ik wist dat Jill zich geïsoleerd voelde in haar huis in Pemberton. Dan maakte lange dagen en zij zat de hele dag thuis met alleen Caelin als gezelschap. Zij was degene die behoefte had aan familie om zich heen. Ik wist nog zo net niet of ik wel zin had in nog een mislukte kerst, maar besloot dat het wel leuk móést worden als ik bij haar en mijn vader was.

Selena vloog weer naar New Jersey om samen met mij het hele eind naar Port Hope te rijden, maar toen we daar aankwamen, zetten we haar af. 'Ik bel je morgen,' zei ik, met het gevoel dat ik een verrader was. Ze was nog steeds verbitterd over mijn vader en Sheilagh, en was opnieuw gekwetst dat we niet bij haar wilden logeren. De avond daarop brachten mijn ouders, Jill, Dan, ik en alle kinderen een idyllische kerstavond door met het optuigen van de boom, terwijl er op de achtergrond kerstliedjes speelden. We aten tourtière en dronken wijn. Toen we later aan de keukentafel zaten, moest ik denken aan Arron en mijn vader in het jaar dat Arron zijn Fender Stratocaster had gekregen, en ze op een avond na het eten hadden zitten spelen. Arron speelde op zijn gitaar en mijn vader op zijn banjo, en allebei hadden ze zich over een songbook van de Stones gebogen en deden ze hun best aan hun instrumenten de klanken van 'Brown Sugar' te ontlokken. Mijn vader zong te hard en vals, en Arron zat de hele tijd te lachen terwijl hij hun spel in goede banen probeerde te leiden. Ik hield van de herinneringen aan Arron die ik had, ook al deden ze soms heel erg pijn.

Toen de kinderen de volgende ochtend wakker werden, begon de drukte van het openmaken van de cadeautjes, net als vorig jaar. Veel te veel cadeaus, kinderen die pakjes naar degenen voor wie ze bestemd waren toe gooiden, onmogelijk ingepakt speelgoed. Later op de dag zette ik de kinderen in de auto en slipte in een sneeuwstorm bijna de weg af om bij Selena op bezoek te gaan.

'Verdomme,' zei ik hardop. Het beviel me helemaal niks dat we met al die gevaren op de weg de deur uit moesten.

'Mamaaa!' riep Olivia vanaf de achterbank, kwaad dat ik vloekte.

'Sorry. Maar ik vind het maar niks dat we nu naar oma's huis moeten rijden. Kwam ze maar gewoon naar opa toe.'

'Waarom doet ze dat dan niet?' vroeg Olivia.

'Dat weet ik niet. Ik denk omdat opa en Sheilagh kwaad op haar zijn.'

'Waarom? Heeft ze soms iets verkeerds gedaan?'

'Dat weet ik niet precies.' Aan een kind van zeven kon ik het niet uitleggen.

Ik vond het vreselijk dat de kinderen en ik tussen twee vuren in zaten. Selena had me verteld dat ze mijn vader en Sheilagh het afgelopen jaar bij een aantal openbare gelegenheden had gezien, maar dat ze haar straal hadden genegeerd en niet hadden gereageerd toen ze hun gedag zei. Ik geneerde me voor het kinderachtige gedrag van mijn ouders. Ik zou graag zien dat ze gewoon met haar praatten en haar vertelden waarom ze kwaad op haar waren. Het had iets te maken met hoe Selena zich ogenschijnlijk mijn leven had toegeëigend. Ik was nog steeds met haar verbonden, maar ik was ook bezig om de relatie met mijn moeder weer op te bouwen, die duidelijk het meest te lijden had gehad onder Selena's wilskracht. Het had me lang gekost om te beseffen dat mijn vader en Sheilagh zich misschien óók buitengesloten voelden. De verschuiving in onze diverse relaties was subtiel en niemand van ons wist raad met zijn gekwetste gevoelens, dus bleven ze onuitgesproken etteren.

Tijdens het kerstdiner bij mijn vader thuis zaten we met z'n allen rond de lange mahoniehouten tafel met vrolijke papieren feestmutsen op, in afwachting van de kalkoen. Mijn vader stond aan het hoofd van de tafel te snijden. Toen ieders bord vol was geschept, kwam Jill overeind en hief haar glas witte wijn. 'Ik wil een heildronk uitbrengen op iedereen, ook op degenen die niet meer bij ons zijn. Ik wil Arron gedenken...'

'Hé! Wie wil er nog kalkoen?' zei mijn vader ineens, waarmee hij Jills speech afkapte.

'Ik!' Sheilaghs stem leek onverwacht hard.

Ik keek naar Jill, die verslagen ging zitten. Er viel een onhandige stilte toen we elkaar allemaal aankeken; mijn vader en Sheilagh hadden zo te zien niks in de gaten en gaven nog steeds borden met kalkoen door. Ontzet keek Jill me aan. 'Geloof jij dat nou?' zei haar blik. We waren eraan gewend dat mijn vader en Sheilagh slechthorend waren. We waren gewend ons daaraan aan te passen en vrij hard te praten en hen aan te kijken als we iets zeiden. Hadden ze Jill echt niet gehoord? Hadden ze niet gezien dat ze was gaan staan? Ik kon me met geen mogelijkheid voorstellen dat ze doelbewust de toost op Arron de kop in hadden willen drukken. Die hele voorgaande week leek het wel of mijn gesprekken met mijn vader en Sheilagh doorspekt waren geweest met het woord 'verdergaan', of opmerkingen over Arron zorgvuldig werden omzeild. Die avond at ik mijn kalkoen, maar proefde er niets van. Warrige emoties werden in dit huis niet getolereerd. In plaats daarvan werden ze netjes gebotteld en weggelegd als goede wijn – gereserveerd voor een datum in de toekomst, wanneer hun smaak van de scherpe kantjes was ontdaan.

Later barstte Jill in de woonkamer uit terwijl mijn vader en Sheilagh in de keuken een sigaret rookten. 'Ik geloof het gewoon niet! Waarom deden ze dat nou? Ik probeerde alleen maar een simpele, luchthartige toost op Arron uit te brengen! Wat was daar nou mis mee?'

Mijn woede kwam een stuk langzamer naar de oppervlakte. De rest van de week was ik emotioneel vervlakt, niet in staat een traan te laten. Ik voelde mijn kaak verstrakken en mijn nek begon pijn te doen.

In de auto terug naar New Jersey deed Selena bitter haar beklag over mijn vader en Sheilagh, terwijl ik met witte knokkels achter het stuur zat. 'Ik dacht dat je vader me misschien toch wel één keer zou uitnodigen in de tijd dat jij hier was...'; 'Waren jullie maar bij mij komen logeren...'; 'Vorig jaar logeerde je ook al bij je vader...'

'Ik weet het. Het spijt me.' Ik kon de slangachtige spier in mijn nek voelen kronkelen, tot het een marteling werd om me op de passagiersstoel naar Selena toe te keren. Na acht uur in de auto begon Carter moe en chagrijnig te worden. 'Wanneer zijn we er nou?' jengelde hij. De laatste flarden schemering gingen over in de nacht toen ik de snelweg op draaide die ons naar New Jersey zou voeren. Ik zag een bord dat er een rijbaan was afgesloten over het hoofd en moest voluit op de rem om te voorkomen dat ik op een aanhanger zou knallen. Het laatste halfuur van de rit zei niemand nog iets.

Eenmaal weer thuis had ik dringend behoefte aan alleen-zijn, om na te denken en mijn gevoelens een plaatsje te geven – mijn verdriet, mijn woede. Ik voelde me de ouder die een oplossing moest zien te vinden voor alle bange, boze en treurende kinderen in mijn leven. Mijn emoties schoten als torpedo's door me heen en wekten woede op. Ondoorzichtige, ongecontroleerde, blinde woede. Ik was kwaad op mijn vader en Sheilagh vanwege hun gedrag: hun kille stiltes tegenover Selena, hun onwil om over Arron of alles wat maar pijnlijk was te praten, dat ze Jills toost hadden afgekapt. Ik was ook kwaad op Selena: omdat ze zich zo in zelfmedelijden wentelde, om haar kleinerende opmerkingen over mijn ouders, om haar woede.

Ik probeerde mijn kwaadheid te vermommen als verdriet, maar verdriet kon die niet geheel en al afdekken. Een deel van mijn woede was oud, iets wat ik al tientallen jaren als een dekentje met me had meegedragen. De frustraties uit mijn jeugd en mijn onvermogen om mijn emoties te tonen, vooral woede, kwamen voort uit mijn angst om iemand te kwetsen. Ik werd heen en weer geslingerd tussen mijn gescheiden ouders en deed voortdurend mijn best hen allebei tevreden te houden, waarbij ik mijn eigen gevoelens moest ontkennen. Over míjn emoties werd ofwel niet gepraat (als ik bij mijn vader was), ofwel ze berokkenden overmatig leed (aan mijn moeder). Ik had me het schuldgevoel aangemeten van een kind van gescheiden ouders dat beide ouders probeert te behagen en niet begrijpt dat hun woede op elkaar gericht is en niet op mij.

Op mijn werk zat ik een paar dagen te broeden op een boze brief aan mijn vader en Sheilagh waarin ik mijn angstgevoelens uiteenzette. Ik stortte mijn woede uit in de brief, waarin ik hun in wezen mijn verdriet om het verlies van Arron verweet. Het was hún schuld dat hun huis me aan Arron deed denken, terwijl zij hem leken te willen vergeten. De brief was een tirade die nergens op sloeg, maar ik had niemand anders op wie ik kwaad kon zijn. Zij waren veilig, omdat ik wist dat ze toch wel van me zouden blijven houden, ondanks mijn emotionele uitbarstingen. Ik had die brief nooit moeten versturen, maar deed het wel.

Mijn woede verbreidde zich als een virus door mijn familie.

Op de avond van een dag waarop Carter erg lastig was geweest, verlangde ik sterk naar een uurtje zonder zijn warme handjes om mijn hals, zijn gejengel, zijn weigering om me ook maar even uit het oog te verliezen. Hij wilde niet gaan slapen. Elke keer dat ik hem in zijn bedje legde begon hij te jammeren en stond weer op om achter me aan te gaan. Ik legde hem terug, hij stond op. Ik ging naar beneden om tv te kijken en hoorde hem boven in mijn werkkamer rondscharrelen. Toen ik naar boven ging, lag hij op de grond, vlak voor de deur naar mijn kamer. Ik bracht hem weer naar bed, maar hij bleef drenzen. Olivia kwam met een slaperig gezicht naar mijn deur.

'Het spijt me dat Carter je wakker heeft gemaakt, schat. Ga maar weer naar bed.' Ze gehoorzaamde.

Ruim twee uur ging het zo door. Uiteindelijk ging ik zelf naar bed en deed de deur dicht om mijn driejarige onderdrukker buiten te sluiten. Huilend bleef hij voor mijn kamerdeur liggen. Ik legde hem weer in bed en verbood hem ook maar in de buurt van mijn deur te komen, dus bleef hij op de grond voor de deur van zijn eigen slaapkamer liggen.

Strak van woede stond ik aan het eind van de gang. Het was inmiddels halfdrie en Carter huilde tranen met tuiten. 'Alsjeblieft, mama, ik wil bij jou komen!' smeekte hij. 'Ik wil bij jou in bed slapen!'

Ik kon niet meer normaal nadenken, was helemaal over de rooie. Ik moest bij hem uit de buurt blijven, want als hij dichter naar me toe kwam, stond ik niet voor mezelf in. Voor het eerst van mijn leven was ik bang van mezelf.

'Carter, ga naar bed! Dit kan echt niet! We zijn allebei hartstikke moe!' blafte ik hem toe.

'Maar ik ben baaaang!' jankte hij.

'Je mág niet bij me komen!' gilde ik, terwijl ik niets liever wilde dan van hem wegrennen. 'Ik moet alleen zijn! Snap je dat? Snap je dan niet dat ik alleen MOET zijn?! Ik doe je iets aan als je bij me in de buurt komt! Weg jij!' tierde ik, tot schrik van ons allebei.

Zijn lijfje schokte van het snikken en terwijl ik naar hem stond te kijken, hoorde ik ten slotte mijn eigen stem. Vol afschuw liet ik me op de grond zakken en stak mijn armen naar hem uit, zodat hij uiteindelijk naar me toe kon komen voor de troost waar hij zo'n behoefte aan had. 'Het spijt me, het spijt me, het spijt me zo...' wist ik tussen mijn gehap naar adem uit te brengen.

In mijn armen rolde hij zich op tot een strakke kleine bal en langzaam ging zijn hikkende gesnik over in de zware ademteugen van de slaap. Ik legde hem in mijn bed en stopte hem in. Toen kroop ik naast hem, en algauw lag ik in opperste wanhoop al net zo te jammeren als hij had gedaan. Ik stikte zowat in mijn tranen, knarste met mijn tanden, trok aan mijn haar. Ik wilde wegrennen, aan mijn kinderen ontsnappen, op bed ploffen en nooit meer wakker worden. Ik wilde dat Arron me stevig vasthield en tegen me zei dat alles goed zou komen. Híj zou Carter wel in slaap krijgen.

De tranen bleven branden, totdat ze geleidelijk aan afnamen en ik als een lege huls in slaap viel.

Toen ik wakker werd, rook ik de zoete geur van Carter, die in de kromming van mijn elleboog genesteld lag en me deed denken aan Arrons geknuffel. Ik voelde me helemaal gelouterd. Glimlachend raakte ik zijn zachte wangetje aan, met het gevoel alsof ik een demon had verslagen en mijn vrijheid had herwonnen.

In het stralende licht van de ochtend dacht ik over mijn zwarte nacht na. Ik was in paniek geraakt door mijn woede, bang dat ik mijn zoontje echt iets aan zou doen. Ik dacht dat ik het wel redde, maar doordat mijn aanhankelijke kind me geen moment rust gunde, was ik uitgeput geraakt en had ik niet meer rationeel kunnen denken. Ik was het perspectief uit het oog verloren en had me niet gerealiseerd dat Carter en ik in een vicieuze cirkel van woede waren aanbeland: om mijn zoon troost en aandacht te geven, moest ik alleen kunnen zijn om bij te komen en te helen, en die tijd kreeg ik nooit doordat Carter voortdurend troost en aandacht nodig had. Er was geen respijt. Deze cyclus herhaalde zich al een hele poos en had geresulteerd in andere uitbarstingen van mijn kant, maar deze was wel de ergste geweest. Het gevoel in de val te zitten leek te zijn verergerd door onze emotionele kerst; mijn woede was erdoor gewekt en had me fysiek uitgeput. Het waren twee lange weken geweest, en zonder Martha, die me af en toe van Carter bevrijdde, was ik ingestort.

Ik wist dat alle ouders zich weleens gefrustreerd voelden. Ik wist dat andere gezinnen ook dergelijke driftbuien van hun kinderen moesten doorstaan. Ik wist dat Carters gedrag in zekere zin normaal was. Maar de vraag bleef altijd knagen: was dit gewoon kindergedrag of was het Carters manier om zijn verdriet te uiten? Was deze woede míjn manier om mijn verdriet te uiten?

Over zulke woede-uitbarstingen werd onder mijn vrienden met kinderen niet gesproken. Toegeven dat je woedend was, was net zoiets als toegeven dat je criminele neigingen had. Ik was eraan gewend om sterk te zijn. Ik was eraan gewend dat mensen me zo zagen. Maar nu bewees ik mezelf dat er scheuren in mijn wapenrusting zaten.

Carter en ik zetten onze wilsstrijd voort, die in de weken daarop erger leek te worden. Net als ieder kind van drie tastte hij zijn grenzen en de mijne af. Op een middag, nadat hij Olivia had geslagen en haar in tranen had achtergelaten, moest hij van mij voor straf op de trap gaan zitten, maar hij stond glashard op en liep weg. Ik zette de timer van de magnetron om ervoor te zorgen dat hij de drie minuten volmaakte, maar hij begon gefrustreerd te kronkelen en bonkte met zijn hoofd op een tree. Ik probeerde zijn wriemelende lijfje naar boven te brengen, zodat hij in zijn kamer tot bedaren kon komen, en smeet de deur zo hard dicht dat hij tegen de muur knalde, waardoor er een gat in het pleisterwerk achterbleef. Trillend kwam ik naar beneden.

Gespannen als een veer stond ik in de keuken, mijn kaken op elkaar geklemd. Uit alle macht probeerde ik mezelf ertoe te dwingen me niet om te draaien en tegen Carter tekeer te gaan, die me alweer had verslagen door naar beneden te komen. Ik wist heel zeker dat als zijn vader nog zou leven, de zaken er heel anders voor hadden gestaan. Ik zou nooit zo kwaad zijn geworden. Carter zou volgzamer zijn geweest. Arron zou met ijzeren vuist hebben geregeerd of met gegiechel zijn kwaaie buien hebben verdreven. Carter zou zeker zijn geweest van zijn plekje in ons gezin. Hij zou precies weten waar zijn grenzen lagen en dat hij iedereen met respect moest behandelen.

Maar Arron was er niet, en op dat moment haatte ik hem omdat hij ons alleen had gelaten. Ik haatte hem omdat hij het ons onmogelijk maakte om net zo te zijn als andere gezinnen: heel, compleet. Ik haatte hem omdat hij zijn kinderen had opgezadeld met de constante angst dat hun enige nog in leven zijnde ouder niet zou terugkomen om hen bij zich te nemen. Ik haatte hem omdat hij de kinderen onzeker maakte, hun een onveilig gevoel gaf doordat ze anders waren dan hun leeftijdgenoten. Ik haatte hem omdat hij ons had opgescheept met al onze verraderlijke woede, die zelfs anderhalf jaar na zijn dood nog ziedde. Ik haatte het dat ik kwaad op hem was en hem zijn eigen dood verweet.

Een paar dagen later, na de zoveelste strijd om Carter 's avonds in bed te krijgen, zei mijn hart me dat dit geen oorlog was die gewonnen of verloren kon worden. Mijn woede was net een vulkaan die magmaverdriet uitbraakte die nergens anders heen kon dan omhoog en naar buiten, alles op zijn pad vernietigend. De volgende dag had ik een spoedgesprek met Janet.

'Woede is een typerende reactie op moeilijke, emotionele gebeurtenissen.' Ik dronk haar verklaring in.

'Maar ik ben bang van mezelf geworden,' merkte ik op.

'Dat snap ik. Je zit in een moeilijke situatie. Jij bent ook maar een mens. Je bent heus geen boos monster alleen maar omdat je bent uitgevallen tegen je zoon.' Ik vouwde mijn zevende Kleenex op, en vouwde hem nog eens, om de tranen op te deppen die van mijn kin drupten. De andere tissues lagen, allemaal doorweekt, op een keurig bergje op mijn schoot.

'Hoe kan ik zorgen dat het beter gaat tussen Carter en mij?'

'Je zult hem opnieuw discipline moeten bijbrengen.'

'Hoe dan?'

'Om te beginnen moet je consequent grenzen trekken. Als je "nee"' zegt, zeg dan niet nadat hij eindeloos heeft lopen smeken toch "ja". Praat niet met stemverheffing. Zeg "nee" met een kalme stem. Zodra je je stem verheft, heb je de strijd verloren.'

'Oké. Dat moet wel lukken.' Ik voelde me gesterkt door het praktische advies. De tranen stopten.

'Als je hem een time-out moet geven, doe dat dan consequent en kalm. Wanneer je hem op de trap zet en hij opstaat en wegloopt, zet hem dan zonder iets te zeggen terug. Daar ga je mee door tot hij blijft zitten. Met bedtijd precies hetzelfde: je legt hem steeds weer in zijn bed tot hij daar blijft liggen. Ga niet met hem in gesprek; leg alleen rustig uit dat het bedtijd voor hem is.'

'Dat klinkt als een goede raad.'

'Consequent zijn en volhouden. Wees consequent met de straffen die je uitdeelt en hou vol wat je zegt. Als je tegen hem zegt dat hij even op zichzelf moet gaan zitten wanneer hij Olivia heeft geslagen en je houd hem daar vervolgens niet aan, leert hij alleen maar dat je toch niet meent wat je zegt.'

Janets instructies waren duidelijk. Ik voelde me herboren, alsof ik eindelijk de instrumenten in handen had gekregen om mijn driejarig zoontje in het gareel te houden. Nadat ik die avond Carter naar bed had gebracht, begon hij te huilen en kwam hij naar mijn kamer. Zonder iets te zeggen pakte ik zijn hand en bracht hem terug naar zijn bedje. Hij huilde nog harder en kwam er weer uit. Deze keer stond ik hem in de gang al op te wachten.

'Het is tijd om te gaan slapen,' zei ik vriendelijk terwijl ik hem weer instopte. Ik weet niet hoe vaak hij die avond, of die avond daarop, zijn kamer uit kwam, maar algauw begreep hij het systeem en riep vanuit bed alleen nog maar: 'Mááámááá!' Ik negeerde hem. Het ging niet elke avond even goed en hij had er nog steeds moeite mee in slaap te komen, maar het ging wel makkelijker. We kalmeerden allebei en boze nachten kwamen minder voor. Ik werd er beter in 'nee' te zeggen wanneer hij me om dingen smeekte, en hield me daaraan, ook als dat betekende dat hij in de supermarkt een driftbui kreeg.

Met gebruik van dezelfde instrumenten leerde ik ook beter met mijn eigen woede en frustratie om te gaan. Ik leerde mezelf een time-out te geven wanneer de stoom uit mijn oren dreigde te komen, en trok me dan in mijn slaapkamer terug om in mijn kussen te bijten.

'De beer komt in me los!' waarschuwde ik de kinderen als ik op het punt van ontploffen stond. De kinderen wisten wat dat betekende en staakten tot mijn verbazing dan het gedrag dat mijn kwaadheid had opgeroepen. Ik gromde van frustratie en voelde me beter.

Maar oude gewoonten leer je niet zo een-twee-drie af. Ik probeerde mijn onvolmaakte, meer brommige manier van moeder-zijn te accepteren.

Ik hoopte maar dat mijn kinderen me mijn woede-uitbarstingen, die nog steeds niet voorbij waren, zouden vergeven. Ik probeerde de kinderen de hunne te vergeven. De vraag bleef echter of ik mezelf wel kon vergeven.

Comfort Zone Camp bood een tweedaags kamp aan op een kampeerterrein van de YMCA in New Jersey, en die zomer was Olivia oud genoeg om ernaartoe te gaan. Ze had de twee andere eendaagse kampen waar we sinds dat eerste in Montclair naartoe waren gegaan heel leuk gevonden. Maar Carter wilde niets weten van de opvang voor de kleintjes en ik begon genoeg te krijgen van de bijeenkomsten die bedoeld waren om de volwassenen steun te bieden. We zaten dan toch alleen maar in een kring onder de fluorescerende verlichting van voorstedelijke schoollokalen dozen met tissues door te geven. Hoewel de bijeenkomsten door iemand werden geleid, leek er altijd één persoon te zijn die meer aandacht nodig had dan de rest. Elke keer dat iemand een probleem verwoordde, bijvoorbeeld toen een weduwe zei dat ze niet alleen in haar huis kon slapen, bracht zo'n aandachttrekker de discussie op zichzelf: 'Ik weet precies wat je bedoelt! Daar heb ik ook moeite mee!'

Hoewel de huilerige 'slotceremonie'-liedjes voor mij niet hoefden, was het nog steeds een schitterend gezicht om honderden ballonnen te zien opstijgen in de lucht, en een louterende gedachte om me voor te stellen dat Arron daarmee boodschappen van zijn kinderen kreeg: 'Ik mis je, papa.'

Maar op het laatst begon ik het gevoel te krijgen dat mijn tranen tijdens die bijeenkomsten tegen mijn wil uit me tevoorschijn werden getrokken met al die zielige verhalen van vrouwen die leken te zijn blijven steken in de beginfase van hun verdriet. Ik hoorde dat sommigen nog altijd hun bed niet uit konden komen, dat ze bang waren om het huis uit te gaan, of dat hun kinderen moeilijkheden hadden op school. Het deed me goed te beseffen dat ik die stadia achter me had. Ondanks mijn strubbelingen met Carter merkte ik duidelijk dat ik vooruitging, een nieuwe weg was ingeslagen. Een van de regels bij de bijeenkomsten was dat adviezen niet welkom waren, dus moest ik soms op mijn tong bijten. 'Kom je bed uit!' kon ik soms wel roepen. 'Ga naar buiten en kijk hoe de zon opkomt!' Maar ik wist ook dat iedereen in haar eigen tempo haar leven weer zou oppakken.

Olivia was telkens heel opgewekt na zo'n kamp; ze besloot de dag met een glimlach op haar gezicht nadat ze zich eindelijk had ontlast van al haar opgekropte verdriet. Ze had een plek waar ze over haar vader en haar gevoelens kon praten. Ze had een plek gevonden waar ze haar vertelden dat er niets mis was aan huilen. Ze leerde dat ze kon huilen en verdrietig zijn en toch een blij kind kon blijven. Ondanks haar aanvankelijke monterheid, moest ik me toch na elk kamp schrap zetten voor een moeilijke week vol gekibbel en gejammer, driftbuien in verband met huiswerk en tegendraadsheid bij het slapengaan, waarbij Olivia flink tekeerging; ik bemerkte dat dit patroon steevast volgde op het uitspreken van de emoties van onze verlies, niet alleen voor Olivia, maar voor ons allemaal.

Ik was dolblij toen ze oud genoeg was om deel te mogen nemen aan meerdaagse kampen. Dat betekende dat Carter en ik niet langer mee hoefden te doen. Ieder kind werd aan een vrijwilliger gekoppeld, vaak iemand die ook een naast familielid had verloren. Het hele weekend trokken ze samen op, aten en slapen samen, en hielpen elkaar door 'helende kringgesprekken' heen, waarbij ze over hun dierbaren en hun verdriet praatten, openlijk huilden en hun emoties onder de loep namen. Voor Olivia was dit haar veilige plek, een plek waar ze met andere kinderen kon praten die begrepen waar ze het over had en die dezelfde emoties ervoeren als zij.

Op een heldere zondag in april arriveerden Carter en ik om Olivia na haar weekend op te halen. Ze zat op een schommel en werd geduwd door haar buddy Kim, die Olivia's steun en toeverlaat was geweest tijdens de voorgaande eendaagse sessie. Kim verwelkomde ons met een brede glimlach, waarbij ze haar rozeblonde haar naar achteren gooide. Ze was even lang als ik en ongeveer van mijn leeftijd, en straalde een aanstekelijke levendigheid uit die haar geschiedenis logenstrafte. Ze had meer meegemaakt dan ik in één leven voor mogelijk had gehouden. Toen ze een jaar of negen was, waren haar ouders door een ziekte overleden, waarna haar oudere broer haar en haar kleine broertje grootbracht. In 1998 kwamen haar jongere broer en haar neef om bij een auto-ongeluk. Het leek wel of er een vloek op de familie rustte. Maar ondanks de verliezen die ze had geleden, was ze nog steeds een blij mens; ze liep voortdurend te giechelen, wat ik inspirerend vond. Als ik naar Kim keek, zag ik Olivia zoals ze in de toekomst zou kunnen worden. Kim en ik mochten elkaar meteen en ik had wel in de gaten dat dit voor Olivia een belangrijke vriendschap zou worden, en misschien ook wel voor Kim en mij.

Olivia kraaide van plezier omdat de schommel zo hoog ging en deed alsof ze mij niet zag, want ze was er nog niet klaar voor om Kims exclusieve aandacht op te geven. Carter rende naar een vrije schommel en ging erop liggen met zijn hoofd naar beneden, waarbij zijn handen en voeten de grond raakten.

Kim kwam naar me toe. 'Hallo!' zei ze, en ze omhelsde me. 'Hai

Carter!' Ze zwaaide naar Carter, die nu met zijn handen over de grond onder de schommel veegde. 'We hebben een heerlijk weekend gehad. Olivia is heel open geweest. Ze heeft veel over haar vader gepraat. Bij één helende kring, waar we met onze groep onze verhalen zaten te vertellen, moesten we allebei ontzettend huilen.'

'O ja? Bij mij huilt ze nooit.' Ik was opgelucht dat Olivia zich bij Kim had opengesteld, hoewel ik moest toegeven dat dat me wel een beetje jaloers maakte. Kon Olivia maar op dezelfde manier open zijn tegen mij.

'Ze denkt dat je van slag raakt als ze dat doet.' Dat wist ik wel, maar het was hard om het van Kim te moeten horen. Olivia sprong uiteindelijk van de schommel af en rende naar me toe om me een dikke knuffel te geven. Er was iets aan haar veranderd. Ze leek lichter en straalde een opvallend zelfvertrouwen uit.

'Ik heb je gemist,' zei ik.

'Ik jou ook, mama.'

Ik glimlachte terwijl ik haar nakeek toen ze met Kim naar de eetzaal liep, blij dat Olivia zo'n goede vriendin had gevonden. Kim snapte het. Olivia was het hele weekend gehoord en begrepen.

Elk kind-buddyduo dat dat wilde, kon tijdens de slotceremonie een korte bijdrage leveren. Sommigen draaiden alleen de favoriete song van hun dierbare op een cd-speler, anderen droegen gedichten voor en weer anderen zongen een liedje. Het ene was nog hartbrekender dan het andere, en diverse keren moest ik mijn tranen wegslikken. In het publiek van ouders, vrijwilligers en kinderen werden dozen tissues doorgegeven. Olivia durfde niet goed in de schijnwerpers te staan, dus wilde ze niet meedoen, maar Kim en zij stonden wel op als deel van hun helende kring. Ieder kind hield een zelfgetekende brief omhoog, de initiaal van hun dierbare. Een voor een noemden ze iets op dat ze zich over die persoon herinnerden. Olivia wierp een zenuwachtige blik op mij en keek toen naar Kim, die haar handen op Olivia's schouders legde en zich bukte om iets in haar oor te fluisteren. Toen Olivia aan de beurt was, wendde ze zich weer naar Kim, die glimlachte, en Olivia stapte naar voren.

'De A staat voor Arron, die dol is op olijven. Daar heeft hij mij naar vernoemd. Mijn naam betekent "olijfstruik". Olivia stapte weer naar achteren en Kim sloeg haar armen om haar heen. Ditmaal kon ik niet voorkomen dat er een traan over mijn wang biggelde.

Toen iedereen klaar was, klapte ik verwoed in mijn handen. Olivia ging zitten en keek me schaapachtig aan. Ik stak mijn duim naar haar op.

Nadat ze met z'n allen nog een ontroerend lied hadden gezongen en de ballonnen de lucht in hadden gelaten, was het tijd om naar huis te gaan. Kim hielp ons Olivia's spullen naar de auto te brengen.

'Wil je ook mijn buddy worden?' vroeg ik haar met een glimlach.

Kim giechelde. 'Natuurlijk. We houden zeker contact.'

'Misschien kun je een keer bij ons komen eten.'

'Dat zou ik leuk vinden,' zei Kim terwijl ze me tegen zich aan drukte.

'Ik weet niet hoe ik je moet bedanken. Olivia heeft zo te merken een heerlijk weekend gehad. Op de een of andere manier komt ze lichter over – gelukkiger, zou ik zeggen.'

'Nou, voor mij is het ook een fantastisch weekend geweest. Ze is echt een verbazingwekkend kind, Abby.'

'Dat weet ik,' zei ik met een glimlach naar haar. Terwijl ik Carter in de auto installeerde, namen Olivia en Kim afscheid. Inmiddels huilden ze allebei en ik deed mijn uiterste best niet naar hen te kijken, terwijl ik mijn eigen tranen probeerde te bedwingen. We stapten in en zwaaiden naar Kim, allemaal in tranen op het moment dat we wegreden.

'Wanneer kan ik Kim weer zien?' vroeg Olivia.

'Dat weet ik niet, liefje. We zullen haar binnenkort opbellen.'

'Kunnen we haar bellen als we thuis zijn?'

Ik keek in de achteruitkijkspiegel en zag de tranen over haar wangen rollen. 'O, muisje toch. Ik weet dat je haar zult missen.' Ik probeerde mijn eigen tranen in te houden. Olivia zat de hele rit van twee uur te snikken. Nog nooit had ik haar zo zien huilen. Ze jankte gewoon, het hield maar niet op. Het was haar eerste echte emotionele uitbarsting sinds de dood van haar vader. Toen we thuiskwamen, hield ik haar alleen maar in mijn armen, hoewel het angstaanjagend en pijnlijk was om haar zo te zien, maar ik wist dat het goed voor haar was om het er allemaal uit te gooien. Mijn tranen vermengden zich met de hare. Eerst leek ze bezorgd. 'Waarom huil jíj?' vroeg ze.

'Omdat ik weet hoe verdrietig je bent en hoe erg je Kim zult missen.' Toen moesten we allebei nog harder huilen. Uiteindelijk belden we later op de avond Kim. Mijn stem was onvast toen ik haar vertelde hoe onze middag was geweest. 'Olivia heeft vier uur lang aan één stuk zitten brullen. Ik heb haar nog nooit eerder zoiets zien doen. Jullie hebben wel een band samen, hè?'

'Ja.' Ik kon Kims stem horen haperen terwijl ze haar best deed om niet te gaan huilen, en ik ging zelf ook weer bijna over het randje.

'Ik heb ook de hele terugweg moeten huilen,' bekende ze. 'Ik had geen idee dat dit zo'n emotionele ervaring zou worden.'

'Nee, ik ook niet. Maar voor Olivia is het wel een enorm keerpunt.' Olivia nam de telefoon over en ik liet haar alleen om met Kim mee te snikken.

In de daaropvolgende weken leek Olivia meer zelfvertrouwen te hebben. Ze deed beter haar best op school en boekte een paar successen met reken- en leestoetsen. Ze besloot zich met haar vriendinnen aan te sluiten bij een voetbalteam. Ze giechelde vaker en maakte vaker grapjes.

Kim werd als een tante voor de kinderen en als een zus voor mij. Af en toe dronken we samen een avondje rode wijn, terwijl de kinderen haar bij de hand naar hun slaapkamers trokken om haar hun laatste schatten te tonen. Ik luisterde naar haar terwijl ze huilend vertelde dat haar relatie uit was, en deed vervolgens mijn best om er voor haar te zijn toen haar oudste broer behandeld moest worden voor kanker, en nogmaals toen hij uiteindelijk aan kanker overleed, zodat zijn dochtertje van twaalf als wees achterbleef. Aan Kims tragedies leek geen einde te komen. Ik stond versteld van haar kracht. Hoewel het leven haar niet had gespaard, wist ze heel zeker dat ze, welke verliezen het leven ook voor haar in petto had, die zou kunnen verdragen en er sterker uit zou komen. Ze gaf haar kracht aan ons allemaal door.

19

Oude huid afwerpen

Op een ochtend op het werk opende ik, met mijn thee in de hand, mijn e-mail en trof een bericht aan van mijn baas, Rob, dat begon met: 'Abby, ik ben erg teleurgesteld in je functioneren...' Ik was vergeten een specificatie door hem te laten goedkeuren, waardoor er een vertraging was ontstaan toen er een probleem in een programma was ontdekt. Zijn woorden staken me. Rob was een inconsistente baas, een die heen en weer jojode tussen het micro- en het macromanagement van zijn personeel, maar ik had hem altijd gerespecteerd. Hij was slim en ik had veel van hem geleerd. In het verleden had ik erg mijn best voor hem gedaan, maar de laatste tijd leek ik hem alleen maar te ergeren.

Een jaar nadat ik was teruggekeerd bij Audible had hij me gevraagd mijn oude functie als webprojectmanager weer op te nemen. Dat betekende dat ik niet drie, maar vier dagen moest gaan werken, maar ook meer salaris kreeg. Ik had het kleine project afgerond waarvoor ik oorspronkelijk was aangenomen en was aan de slag gegaan met kleine onderdelen van de website. Ik voelde me klaar voor nog een verantwoordelijkheid op het werk en wilde graag weer de oude, betrouwbare figuur worden die ik vroeger was geweest. Ik wilde een baan terugwinnen waar ik ooit verzot op was geweest en de roes van succes voelen die ik ooit had gevoeld. Ik maakte me weliswaar enige zorgen dat een vierdaagse werkweek de kinderen en mij zou gaan opbreken, maar ik genoot van mijn volwassen dagen op het werk en de onderbreking die het me gaf van de niet-aflatende verzoeken van mijn kinderen.

Ik accepteerde de functie en verhuisde terug naar de andere kant van het kantoorpand, de kant van de levenden. Onmiddellijk begon ik een functionele specificatie op te stellen voor een nieuwe zoekmachine voor de site. Dat was een hele uitdaging en mijn concentratie liet het geregeld afweten. Terwijl ik zat te schrijven, herinnerde ik me e-mails die ik vergeten was te versturen, of ik kreeg een telefoontje of dringende boodschap en vergat dan wat ik aan het doen was. De rente was gedaald en ik nam een andere hypotheek, terwijl ik de zoekmachine vergat door alle hypotheekaanvraagformulieren die zich opstapelden op mijn bureau. Ik leek niet langer in staat prioriteiten te stellen, was het vermogen om me te concentreren kwijtgeraakt. Als ik naar een programmeur liep voor een gesprek, wist ik zodra de ontwerper me onderweg staande hield om een vraag te stellen niet meer wat ik had willen zeggen. Mijn lijst van taken leek korter dan in het verleden en dat baarde me zorgen, omdat ik wist dat dat betekende dat ik dingen vergat. Naar mijn lijstje starend probeerde ik me te herinneren wat ik geacht werd te doen.

Het duurde niet lang of de taak om de site compleet nieuw vorm te geven werd op mijn bordje gelegd. Ik ging op zoek naar freelance ontwerpers en voerde gesprekken, waarna ik koos voor een vrouw die ik uiteindelijk aannam voor een fulltime baan. Ik werkte aan een nieuwe opzet van honderden pagina's. Ontwikkelaars en programmeurs kwamen veelvuldig mijn kantoor in om vragen te stellen over dingen die ik in mijn instructies over het hoofd had gezien, die vroeger compleet en ter zake zouden zijn geweest. Ik maakte me zorgen of ik mijn baan wel aankon, en toen ik er nog maar drie maanden mee bezig was en werkte aan het nieuwe ontwerp, werden mijn angsten bewaarheid.

Rob was ertoe overgegaan me tijdens vergaderingen tegenover iedereen voor schut te zetten. 'Abby, dat zou je moeten weten... Jij bent de projectmanager...'

Toen ik de e-mail kreeg, herlas ik hem twee keer voordat ik in hete, gênante snikken uitbarstte. Ik belde Janet, die erin toestemde me een uur later te ontvangen, en sloop het kantoor uit zonder tegen wie dan ook een woord te zeggen; ik voelde me gebroken. Ik schaamde me dat zoiets kleins een emotioneel wrak van me kon maken. Robs e-mail bevestigde mijn eigen teleurstelling in mezelf. Ik wilde weer van mijn werk houden, me net zo onoverwinnelijk voelen als vroeger. Ik wilde die trots weer ervaren.

In plaats daarvan trok ik me terug in Janets in een souterrain gelegen praktijkruimte, midden op een werkdag en in tranen.

'Hoe hard heb je je werk nodig...?' Janet liet de vraag in de lucht hangen.

'Ik kan geen ontslag nemen...' Terwijl ik dat zei, was ik me ervan bewust hoe hol die woorden klonken. 'Hoe zou het dan moeten met de ziektekostenverzekering?'

'Ik weet zeker dat je wel een oplossing vindt als je echt wilt, Abby.'

In mijn wanhoop was er hoop. De rest van de dag spijbelde ik en ging naar de film *Chicago*. Ik liep te mokken, voelde me onrechtvaardig behandeld, wilde dat Rob zich gestraft voelde doordat ik niet kwam opdagen.

Een paar weken lang overwoog ik ontslag te nemen, totdat ik uiteindelijk op de deur klopte van Don's kamer, de energieke, bebaarde oprichter van Audible.

'Ik dien mijn ontslag in,' zei ik kalm, in elkaar gedoken in een stoel voor zijn bureau. Ik zag de verrassing op zijn gezicht overgaan in acceptatie.

'Mag ik vragen waarom?'

'Om eerlijk te zijn heb ik niet het gevoel dat ik goed werk verricht. Ik was vroeger dol op deze baan en was er goed in, maar nu kan ik me niet meer concentreren. Ik ben verstrooid en ik stel iedereen teleur, mezelf incluis.'

'Dat begrijp ik, Abby. Ik weet dat je moet doen wat je moet doen, maar we zouden het allemaal jammer vinden als je opstapte. Wat wil je gaan doen?'

'Dat weet ik nog niet goed, maar ik denk erover een boek te gaan schrijven over wat ik heb meegemaakt.' Don was zijn carrière begonnen in de journalistiek en had voordat hij Audible oprichtte een paar boeken geschreven. Ik wist dat hij mijn carrièrekeus wel zou weten te waarderen.

'Dat klinkt goed, Abby. Veel succes.'

In de daaropvolgende maand bleef ik werken om de vernieuwde site te kunnen lanceren. Ik was opgetogen over het project en blij met de nieuwe ontwerpen. Ik was drie jaar geleden bij Audible begonnen en had me vast voorgenomen het project tot een goed einde te brengen en met een positieve aantekening bij Audible weg te gaan. Maar ik was nerveus over mijn ontslag, over wat dat zowel mentaal als financieel zou betekenen. Straks zou ik het volle pond moeten betalen voor een ziektekostenverzekering, en dat zonder maandelijks salaris. Mijn financiën zouden zich daaraan moeten aanpassen. Ik was ook bang dat ik me zou gaan vervelen als ik fulltime thuis was, maar ik suste mezelf met fantasieën over schrijven. Ik had geen idee óf ik wel zou kunnen schrijven en of dát me niet snel zou gaan vervelen, maar het voelde alsof mijn verhaal heel graag geschreven wilde worden, en af en toe had ik als ik wakker werd in mijn hoofd al hele alinea's klaar.

Ik wist dat dit het juiste moment was om afscheid van Audible te nemen, en ik voelde me goed omdat ik een vernieuwde site kon achterlaten. Een week na de geslaagde lancering stond ik van groeneappelmartini's te nippen op een borrel zowel ter gelegenheid van de lancering als van mijn afscheid. Een andere werknemer die al lang bij het bedrijf werkte, een ontwikkelaar met wie ik drie jaar had samengewerkt, stapte eveneens op. Het voelde als een mooi besluit van een periode. Toen ik in de deuropening van mijn lege kantoor stond, nam ik definitief afscheid van degene die ik ooit was geweest, waarna ik mijn doos vol kantoorspulletjes voor de laatste keer naar de auto bracht.

Die avond, de avond van Canada Day, had ik mijn tweede blind date. Nick was al een halfjaar niet meer in beeld. 'Brian' en ik hadden elkaar twee weken tevoren online leren kennen en ik had hem tijdens mijn laatste werkdagen joviale e-mails zitten schrijven, vol dwaze, flirterige grapjes. Hij was een jongensachtig uitziende man van tweeendertig met twee kleine zoontjes en was kortgeleden gescheiden. Ik voelde me aangetrokken tot zijn uitgebreide academische woordenschat, zijn gevoel voor humor en zijn bruine puppy-ogen.

Ik was aan de late kant voor onze date in een restaurant en zat vervolgens veel te veel te giechelen, dankzij de twee afscheidsmartini's. We lachten, praatten, dronken wijn en aten verrukkelijke Franse gerechten. Tussen ons bestond duidelijk wat in zoveel Match.com-profielen 'een klik' werd genoemd. Ik voelde een mij onbekend verlangen om zijn hand aan te raken, om de vonk tussen ons te voelen overspringen. Later stonden we als onhandige tieners bij mijn auto, zonder te kunnen bepalen of we elkaar nou welterusten moesten kussen, want we beseften allebei dat als we dat deden, dat misschien onvoorziene gevolgen zou krijgen.

Vanwege de zomervakantie konden we elkaar daarna twee weken niet zien, en in die tijd was er iets in me tot leven gekomen, ging ik ernaar gaan hunkeren door deze man aangeraakt te worden. Als een meisje van zestien droomde ik van onze eerste zoen, waar het na een intiem Indiaas dineetje uiteindelijk ook van kwam. Het was een zinderende zoen vol beloftes. De onvermijdelijke vraag of daar seks op zou volgen lag voor de hand.

Maar daar kwam een tweejaarlijks meidenweekend in Montréal tussen, waar ik zat te giechelen bij een glas wijn terwijl ik Jocelyn en Jacquie over Brian vertelde, en ik wilde weten wat ze vonden van een roze pakje bij Les Ailes de la Mode voor een aanstaand tripje naar Londen. Selena en ik waren namelijk uitgenodigd om bij de prins van Wales zijn tuinen in Highgrove House, Gloucestershire, te komen bekijken. Ik had zin om me te buiten te gaan. Met Brian ervoer ik de eerste roes van wellust. Ik was het hele weekend zonder mijn kinderen en kon zomaar op zaterdagmiddag wijn drinken met twee geweldige vriendinnen. Ik stond op het punt om naar Londen te gaan op uitnodiging van prins Charles. Selena en ik waren samen met de nabestaanden van de slachtoffers van het bombardement op Bali uitgenodigd – een van de privileges waartoe tragische gebeurtenissen kunnen leiden. Het was een kans, besloten we, die we niet voorbij mochten laten gaan, hoewel het een dwaas plan leek, omdat we ook al hadden besloten de tweede gedenkdag van 9/11 in Londen door te brengen. Dat betekende twee keer binnen zes weken een reisje naar Londen.

Een week nadat ik was teruggekomen hadden Brian en ik een keurige date, waarna we ons terughaastten naar zijn appartement, waar hij zijn vingers teder naar mijn wang bracht en met zijn handen door mijn haar woelde. Mijn lichaam trilde en mijn spieren voelden rubberachtig – een lang vergeten sensatie. Zijn lippen op de mijne proefden zoet, scherp. Maar ik hield me in; het was nog maar onze derde date. Ik had regels, op een onbekende plek, van onbekende autoriteiten. Er waren nog geen twee jaar verstreken sinds Arrons overlijden, riep ik mezelf tot de orde; het was te snel.

Ik maakte me los uit zijn strakke omhelzing en gaf hem een lange, dankbare afscheidszoen. Ik ging naar huis en sloeg mijn armen om mezelf heen, dromend van meer. Arron was ver weg.

Slechts een paar avonden later gaf ik mezelf geheel en al aan Brian over nadat we op een nummer van Stevie Wonder hadden geslowd in mijn woonkamer terwijl Carter en Olivia boven lagen te slapen. We schuifelden samen heen en weer en kusten elkaar zachtjes, tot ik op het laatst ongeduldig zijn hand vastgreep en hem mee naar boven trok. Ik hield zijn warme lichaam tegen het mijne en ademde hem in, een dorst lessend, een honger stillend. De tranen die ik had verwacht kwamen ook, maar niet om de redenen die ik had voorzien. Dit waren tranen van vreugde – van opluchting, vervulling. Het verlies in mijn binnenste werd heel even een beetje goedgemaakt en tijdelijk geheeld.

Ik had gedacht dat ik de eerste keer dat ik na Arrons dood met iemand zou vrijen, zou moeten huilen van spijt, schuldgevoel en verdriet – áls ik tenminste ooit nog met iemand zou vrijen. In plaats daarvan werd ik omvergeblazen door mijn eigen verlangen, mijn gretigheid en lust; de aanhoudende pijn van mijn eenzaamheid leek vergeten, of was misschien gesust. Mijn nieuwe partner, die er al net zo hard aan toe was als ik, had twee jaar lang de onbeantwoorde liefde van de vrouw, die weldra zijn ex zou zijn, moeten verduren.

In de daaropvolgende weken schreven we nog meer flirterige e-mails vol verlangen. Hij schreef een gedicht voor me: *Beleven wij samen een fenixliefde, die oprijst uit de as van andere levens en andere liefdes om ons vast te grijpen aan het leven dat verstrijkt?* Zielsgelukkig zaten we elkaar aan te kijken tijdens nog meer vegetarische Indiase maaltijden, en ineens zat ik tot over mijn oren in een relatie vol wellust die niet gebaseerd was op de werkelijkheid, maar op een lome, diffuse droomwereld.

Ik ontmoette zijn zoontjes van zes en drie voor de eerste keer in het park en keek toe hoe ze op hun fietsjes rondreden; mijn eigen kinderen waren een ijsje gaan eten met Martha in plaats van met mij. Ik voelde me een verrader. In het openbaar hielden Brian en ik elkaar niet bij de hand en hielden we onze relatie verborgen voor zijn kinderen en eventuele bekenden, maar hij zat wel dicht bij me op het parkbankje. Het ergerde me toen zijn zoontje van zes hem telkens van me wegtrok. 'Kom nou, pap, je moet me duwen op de schommel.' Brian draaide zich naar me toe en keek me verontschuldigend aan.

Een week later hadden de kinderen een speelafspraak bij ons thuis. 'Dit zijn onze "nieuwe vrienden", zei ik tegen Carter en Olivia. Ze waren blij om voor die middag speelkameraadjes te hebben. Op een andere dag laadden we onze kinderen in onze auto's en reden als een Brady Bunchfamilie naar het strand. Als Brians kinderen bij zijn vrouw waren, kwam hij op zijn ligfiets naar mijn huis en leerde me hoe ik gerechten met mungbonen moest klaarmaken, omdat hij vegetariër was. Hij leerde Carter en Olivia hoe ze het vruchtvlees uit een kiwi moesten lepelen en een granaatappel moesten snijden, en waarschuwde voor de gevaren van McDonald's, een waarschuwing die beklijfde. Af en toe kwamen Brians kinderen ook, die mijn hotdogs en koekjes verslonden. In míjn huis geen macrobiotische koeken of vegetarische worstjes. Brian was van oorsprong een leraar en ik hield mijn hart vast toen ik zag dat mijn kinderen om zijn schouders hingen en graag op zijn schoot zaten. Ik was alleen nog maar aan het daten met Brian en wist niet goed waar het op uit zou draaien, maar ik kon wel merken dat de kinderen eraan gewend raakten dat hij er vaak was.

'Word jij onze nieuwe papa?' vroeg Olivia hem op een avond. Ik ademde diep in, want op dat moment besefte ik dat ik nog wat langer had moeten wachten met hen aan Brian voor te stellen.

'Neuh, jullie moeder en ik zijn gewoon goede vrienden,' zei Brian met een twinkeling in zijn ogen toen hij mij een knipoog gaf. Ik was blij dat ze zo leuk omgingen met een man, een degelijke vaderfiguur. Ze hunkerden naar mannelijk gezelschap, iets wat in ons leven zo jammerlijk ontbrak, maar opeens was ik bang dat ze er schade van zouden ondervinden als Brian en ik uit elkaar zouden gaan. Nóg een man weg. Maar je kunt beter een geweldige man kennen, troostte ik mezelf, dan van hem afgeschermd worden uit angst dat je hem zult moeten verliezen.

Blijven slapen was ook een hele puzzel. In principe was het voor mijn kinderen heel gewoon dat er 's ochtends een man in mijn bed lag, omdat ze gewend waren dat Arron daar lag; maar ik begon me te realiseren dat het iets heel anders was om hun papa in zijn bed te zien liggen dan Brian. Carter kwam naast het bed staan en zei op dwingende toon: 'Ik wil chocolademelk!' in plaats van naast me te kruipen. Kon het zijn dat wellust me blind maakte voor de emotionele behoeften van mijn kinderen? Ik had hen ongetwijfeld voor de rest van hun leven bang gemaakt, zodat ze als ze in de twintig waren in therapie zouden moeten. Maar dat Brian in het holst van de nacht zou moeten wegsluipen, kwam me heel verkeerd voor, oneerlijk. Brians kinderen bleef de verwarring bespaard, want we sliepen nooit bij hem thuis.

Eind juli liet ik Carter en Olivia achter onder de hoede van mijn moeder en nam met tegenzin afscheid van Brian op het vliegveld Newark. De volgende dag reden Selena en ik de oprit van Highgrove House op voor een rondleiding door de prinselijke tuinen. Drie kwartier lang wandelden we rond over het landgoed en zagen een paar van de prachtigste tuinen die ik ooit had gezien. Ik was vooral enthousiast over de 'stronkentuin', een reeks gevelde boomstronken waaromheen een houtlandtuin was aangelegd. In de 'keukentuin', een door een stenen muur omsloten gedeelte ter grootte van een sportveld dat het hele landgoed plus de lokale voedselbank van groenten voorzag, boog Selena zich over een laag hek en plukte een peul van een van de planten.

'Als aandenken,' giechelde ze terwijl ze hem in haar zak stak.

Na de rondleiding nipten Selena en ik van glazen Pimms in de oranjerie, een grote ruimte die door de prins was gebouwd voor de vele rondleidingen en evenementen die hij op het landgoed organiseerde. We wachtten in een informeel groepje, allemaal families van Britse 9/11-slachtoffers en slachtoffers van het bombardement op Bali, tot het onze beurt was om de prins de hand te drukken. Ik haatte de treurige blik op zijn gezicht terwijl hij met andere families in gesprek was; die had hij vast ingestudeerd tijdens zijn bezoekjes aan de arme aidswezen in Afrika of de leprozen in Azië.

Toen het onze beurt was, stak Selena de prins de peul toe die ze uit zijn tuin had gepikt. 'Deze heb ik gestolen. Ik hoop dat u daar geen bezwaar tegen hebt.'

'Ah, ja. Uit deze tuin, hè?' Hij leek het wel leuk te vinden. Prins Charles was kleiner dan ik had gedacht, maar waardiger dan op de foto's. Het was duidelijk dat hij heel intellectueel was en het verraste me dat ik bewondering voor hem voelde. Selena overstelpte hem met vragen over de tuin en zijn zoons. Op foto's van die dag sta ik met een berustende (of misschien geërgerde) blik iets achter Selena terwijl de prins en zij een geanimeerd gesprek voeren. Ik wachtte beleefd tot ik hem vragen kon stellen over zijn tuin, iets waar hij duidelijk een grote passie voor had, maar er was niet tussen te komen.

'Ik vind de stronkentuin schitterend!' wist ik stamelend uit te brengen toen hij wegliep om met een andere familie te gaan praten. Hij draaide zich om en wuifde naar me. Onze tijd was voorbij, en dat allemaal door de peul.

Toen ik naar New Jersey terugkeerde, voelde ik me verkwikt door de reis, en in augustus leek mijn relatie met Brian te bloeien. Mijn auto reed achter de zijne aan als we over de snelweg sjeesden voor het zoveelste uitstapje-met-alle-kinderen, en ik zag zijn hoofd meedeinen op de muziek of zich omdraaien om iets tegen zijn zoontjes te zeggen. We picknickten in het park en zoenden elkaar stiekem als de kinderen waren weggerend om te spelen.

Hij nam ons mee voor een rondleiding door Yale, de universiteit waar hij had gestudeerd, en liet ons zijn kamer zien vlak bij het hoofdplein, en we keken toe hoe de kinderen door het enorme park ertegenover holden. We aten met z'n allen in Brians favoriete vegetarische restaurant, terwijl ik probeerde Carter zover te krijgen dat hij een 'veggieburger' opat en Olivia haar neus optrok voor de geur van de artisjokquiche.

Brian was geduldig en zorgzaam voor ons allemaal. Ik had nog steeds regelmatig melancholieke buien, waar hij rekening mee hield. Ik vertelde uitvoerig over Arron, tot hij er vast niet goed van werd, maar er kwam geen klacht over zijn lippen. Hij drukte me alleen maar dichter tegen zich aan en keek me dorstig en respectvol in de ogen. Soms probeerde ik me voor te stellen hoe ons leven er samen uit zou kunnen zien – één grote auto, vier kinderen – maar het beeld haperde.

We leidden allebei een rommelig leven, wisten dat we elkaar ervan weerhielden orde op zaken te stellen. Omdat hij zo graag bij mij in New Jersey wilde zijn, weigerde hij de voorwaarden van zijn echtscheiding en de voogdij over de kinderen te bespreken met zijn vrouw, die naar Connecticut wilde verhuizen. Ze zaten samen hele weekends bij een bemiddelaar om te proberen eruit te komen. Ik was er nog niet klaar voor om me serieus te binden aan een man die om bij mij te zijn opofferde wat het beste was voor hem en zijn kinderen, dus begon ik afstand te nemen.

Ik kreeg wat ademruimte door weer naar Londen te reizen, met Selena, Olivia en Carter, voor de tweede gedenkdag van 11 september. De ceremonie vond plaats in Grosvenor Square, waar klapstoelen in rijen waren opgesteld voor een groot houten prieel, te midden van een op en top Engelse cottagetuin. In het prieel was een wand van brons met daarop de namen van de 9/11-slachtoffers, zo groot dat we ze vanaf de plek waar we zaten konden lezen. Tijdens de plechtigheid zaten de kinderen in hun nette kleren aan weerszijden van Selena; we luisterden naar een prachtig gedicht dat werd voorgedragen door Judi Dench en naar enkele toespraken door prinses Anne en diverse ambtenaren van het consulaat. Ik haalde diep adem en dronk de sereniteit van het tafereel in. Maar toen viel mijn blik op Selena, die een poging deed de kinderen allebei tegelijk in een vreemdsoortige omarming te nemen – een omhelzing waaruit bleek dat ze een claim op hen wilde leggen, blijkbaar met de bedoeling haar verdriet als verpletterender te laten overkomen dan dat van wie ook. Olivia, die naast me zat, keek me smekend aan. Selena's vreemde, behoeftige omhelzing stoorde me. Haar verdriet leek op deze gedenkdag nog even vers en rauw als een jaar geleden. In feite leek ze nog net zo om Arron te rouwen als in 2001. Terwijl ik mijn best deed mijn eigen verdriet te verwerken, leek het of zij juist meer aan het hare vasthield, als een drenkeling aan een reddingsboei. Het afgelopen jaar waren we minder met elkaar omgegaan, en ik wist dat ik me van haar terugtrok; ik belde minder vaak, alleen nog om haar met angst en beven te vertellen over mijn omgang met Brian. Onderweg naar Londen had ik een artikel moeten verdedigen dat Brian me had gemaild en dat ging over 9/11-weduwes die aan het daten waren geslagen en zelfs trouwden.

'Ik kan gewoon niet geloven dat hij zoiets nu naar je toestuurt, terwijl je hier in Londen bent!' zei ze. Te laat realiseerde ik me dat ik het haar beter niet had kunnen laten zien.

'Brian mist me alleen maar, denk ik.'

'Het getuigt bepaald niet van fijngevoeligheid. Ik zie die man helemaal niet zitten voor jou, Abigail.'

Ik kwam er niet precies achter of ze zich nou bedreigd voelde door mijn omgang met Brian, door Brian zelf of door het artikel.

Ik had Selena voorgesteld op zoek te gaan naar een therapeut voor rouwverwerking, maar zoiets kon ze volgens haar niet betalen. Op mijn aandringen was ze bij het Rode Kruis gaan werken, waar ze een gratis therapeut voor haar konden vinden, maar die vrouw woonde anderhalf uur rijden bij haar vandaan. Ondanks de lange wekelijkse ritten zette Selena door en leek ze sterker te worden, en onze gesprekken leken weer meer op de toekomst te zijn gericht. Maar op deze reis verviel Selena in haar oude verdriet, en ik hoopte maar dat ik daar iets aan zou kunnen doen. Ik hoopte dat het slechts het tijdelijke effect was van de zoveelste gedenkdag.

Na de ceremonie in de tuin kreeg iedere familie een enkele witte roos, die op een ovaal dat in de betonnen vloer bij de ingang van de tuin was aangebracht neergelegd kon worden; op het ovaal was in een spiraal van woorden een gedicht aangebracht. De rozen stapelden zich op op de inscriptie en maakten die onleesbaar. 'Liefde' en 'tijd' waren de enige woorden die ik er nog van zag.

Selena's broer Laurie en zijn gezin waren uit Wakefield in Noord-Engeland voor de dienst overgekomen, evenals Arrons oom Ted van vaderskant en zijn vrouw Shirley. Ik dwaalde door de tuin met Kirsty, mijn nicht die in Windsor woonde, en haar dertienjarige dochter Cleo. Een deel van onze groep stond bij Arrons naam op de handgemaakte bronzen wand. 'Wat mooi,' hoorde ik Arrons oom Ted zeggen. Ik ging op een bankje zitten met Olivia en Carter en kietelde ze om hun verveling te doorbreken. 'Ik wil weg!' smeekte Carter. We hadden allemaal genoeg van herdenkingen.

Later stonden we wijn te nippen bij een kring van mensen die op gedempte toon een gesprek voerden met prinses Anne. Carter en Olivia joegen achter de duiven aan, een vaardigheid die Arron hun op de lange witte zandstranden van de kust van Jersey had geleerd. Opeens week de groep met een kreetje uiteen, en ik draaide me net op tijd om om Carter er op zijn duivenjacht dwars doorheen te zien daveren, waarbij hij de prinses bijna tegen de grond sloeg. Ik wendde me af en liet het aan Kirsty over voor zijn moeder te spelen. 'Carter! Je moet uitkijken voor al die mensen!' Prinses Anne kneep haar lippen stijf op elkaar.

Die avond gingen Kirsty, Cleo, David (Selena's neef), Olivia, Carter en ik naar een chic restaurant waar op de tafels witte tafelkleden lagen en kristallen wijnglazen stonden. Ik had David nog maar één keer eerder gezien, toen hij tien jaar was. Nu ik hem voor het eerst als volwassene zag, kon ik mijn ogen niet van hem afhouden. Hij leek precies op Arron toen die voor in de twintig was. Mijn gedachten gingen terug naar de tijd dat ik net verkering met Arron had en ik schrok van mijn neiging om Davids hand te pakken. Carter wilde niet van zijn schoot af.

Na mijn tripje van vier dagen naar Londen begon er tussen Brian en mij iets te veranderen. Misschien was het een zaadje twijfel dat

Selena had geplant naar aanleiding van het artikel dat Brian had gestuurd, misschien was het het effect dat september altijd op mij leek te hebben, maar ik begon me aan kleine dingen van hem te ergeren. Dat hij zo vegetarisch rook, grassig als hooi. En zijn grote bruine ogen, die ik nog maar een paar maanden geleden zo aantrekkelijk had gevonden, kwamen me nu als koeienogen voor. De blikken die mensen hem toewierpen als hij op zijn ligfiets door de stad reed, met zijn slappe zonnehoed op om zijn bleke huid te beschermen, begon ik gênant te vinden. Ik merkte dat ik kleren voor hem kocht om zijn afgedragen en onflatteuze garderobe van universiteitsdocent uit te breiden en om zijn gespierde lichaam beter te laten uitkomen. Maar strakkere truien konden de verschillen tussen ons niet maskeren. Op de avonden dat ik hem niet zag, at ik steaks. Welgemoed gaf ik zijn kinderen hotdogs wanneer ze bij ons thuis kwamen. 'Als je in Rome bent...' begon hij om hun afvalligheid goed te praten.

Ik had mijn best gedaan om niet in de valkuil te trappen van vergelijkingen trekken, die mij hét grote obstakel leek voor het aangaan van een nieuwe relatie nadat je weduwe was geworden. Ik was blij met elk karakterverschil. Ik hield van Brians fluwelen lippen en verleidelijke kussen, zo anders dan die van Arron. Ik bewonderde zijn geduldige 'gevader', zijn vriendelijke, bescheiden manier van doen. Ik vond het fijn dat hij me stimuleerde om te gaan schrijven. Maar algauw raakte ik geërgerd omdat hij Arron niet was. Ik miste Arrons gegiechel, zijn dwaze gevoel voor humor, zijn vrijpostigheid.

Ik was erin geslaagd mezelf ervan te overtuigen dat ik deze nieuwe persoon in mijn leven makkelijk had geaccepteerd, en daarmee had ik een surrogaatman in het leven geroepen. Maar Arron was degene die ik wilde. Het was een cliché, maar niemand haalde het bij Arron. Ik wist dat ik het in me had om weer van iemand anders te gaan houden, maar ik was bang dat mijn onderbewuste altijd wel een manier zou vinden om een nieuwe relatie te saboteren. Het idee dat ik alleen verder zou moeten maakte me doodsbang.

In de weken na de tweede viering van Arrons overlijden ging het bergafwaarts met mijn huilbuien. Arron drong zich steeds meer tussen Brian en mij.

Aan zijn veelvuldige nachtelijke bezoeken, aan de woorden in zijn mails en aan zijn gedichten kon ik wel merken dat Brian er niet gerust op was:

Ochtend brengt licht, herinnering, smaad.
Om de hoek ligt het verraad.
Honger gestild, dorst gelest,
Niet te bepalen of harten zijn gekwetst.

'Ik denk echt dat je dit huis moet verlaten,' zei Brian op een avond tegen me. 'Volgens mij remt het je af.'

'Misschien heb je gelijk.' Ik frutselde wat aan de thermostaat. Ik had het koud nu oktober was aangebroken. 'Ik weet ook wel dat ik op een gegeven moment beter kan verhuizen.' Dit huis, dat ooit zo vertroostend was geweest vanwege alles wat aan Arron deed denken, voelde inmiddels claustrofobisch aan. Dat gevoel werd nog erger als Brian er was. Ik wist dat hij gelijk had, maar ik wist ook dat hij me wilde overhalen te verhuizen naar waar zijn vrouw hem wilde hebben. 'Ik wil ook echt verder, maar ik geloof dat ik er nog niet klaar voor ben.' Ik besefte dat hij tussen de regels door kon lezen dat ik niet met hem naar Connecticut zou verhuizen.

Een paar weken later, toen de kinderen in bed lagen, zaten Brian en ik wat te knuffelen op de bank terwijl we naar een film keken. Ik streek met mijn vinger loom over zijn handen en speelde vervolgens met zijn oor; ik streelde het afwezig, zoals ik altijd had gedaan, tevreden en gelukkig. Maar opeens draaide hij zich naar me toe en ik verstarde toen ik besefte dat het niet Arrons vingers waren die ik had gestreeld, en ook niet zijn oor. Ik had gerekend op de vertrouwde skihelling van Arrons neus, de joviale, liefdevolle blik in zijn ogen, maar in plaats daarvan vond ik de trekken van een vreemde tegenover me, bang en onzeker, die me dringend verzochten mijn gedachten prijs te geven. Ik deinsde terug.

'Alles goed?' vroeg hij.

Hoe kon ik tegen Brian zeggen dat ik hem had aangezien voor mijn overleden man? Hoe kon ik uitleggen dat ik na vijf maanden intiem met hem te zijn geweest was overvallen door een kinetische herinnering, waardoor ik me tegenover hem gedragen had zoals ik me altijd gedroeg tegenover de man die elf jaar lang mijn echtgenoot was geweest? Ik had verlangd naar kameraadschap en intimiteit, maar nu ik die had gekregen voelde het verkeerd. Ik kon niet langer tegenover Brian volhouden dat ik Arron niet meer miste. De werkelijkheid was dat ik ernaar verlangde Arrons oor te strelen. Hoe moest ik tegen Brian zeggen dat ik op dat moment mijn fout had ingezien? Ik was er nog niet klaar voor om van een ander te houden.

Ik voelde iets wat leek op hartzeer, een doffe pijn van spijt en immens verdriet voor Brian, die niets meer wilde dan mijn liefde.

'Alles goed?" vroeg hij weer.

'Jawel. Alleen een droeve herinnering,' zei ik terwijl ik mijn hand bij zijn oor weghaalde.

Maar voor mij was er plotseling iets veranderd. Brian was Brian geworden.

20

Sleepless in Seattle

In de stilte na de storm van de tweede gedenkdag en de wervelwind-bezoekjes aan Londen was ik eindelijk zover dat ik met mijn nieuwe Mac in Arrons zwarte directiestoel kon gaan zitten om een begin te maken met schrijven. Brian, een schrijver, had me geïnspireerd om gehoor te geven aan een drang die ik al een jaar lang voelde. Ik tikte '11 september 2001' boven aan de pagina en maakte de woorden vet. Ik moest mijn verhalen de vrije loop laten, verhalen waarvan mijn kinderen op de hoogte moesten zijn. Ik hoopte dat ik door de afge-lopen twee jaar te beschrijven die tijd kon loslaten, in de veilige wetenschap dat ze nooit verloren zouden gaan en dat Arron op die manier altijd behouden zou blijven. Ik schreef op wat ik me kon her-inneren, wat in me opkwam, en stond ervan te kijken hoe snel de pagina's zich vulden. Af en toe vielen er grote zilte tranen op het zil-verglanzende oppervlak van de computer en ik veegde ze weg, geër-gerd omdat ze me vertraagden, maar blij vanwege hun louterende werking.

Toen ik met schrijven begon, ontdekte ik een cursus voor 9/11-weduwes die werd aangeboden door Tuesday's Children, een organi-satie die was opgericht door een man wiens broer op 11 september was omgekomen. Zijn doel was om kinderen te helpen die direct door de tragedie getroffen waren, inclusief zijn eigen neefjes en nichtjes. Eerst bood hij families gratis Mets-kaartjes aan en vervol-gens ook kaartjes voor andere evenementen. De kinderen en ik gin-gen naar een Vaderdaghappening aan de kust van Jersey, waar een hele rij verdrietige moeders in het zand stond te kijken hoe onze halve weeskinderen zandkastelen bouwden. 'Rotdag, hè?' Veel verder dan dat ging onze prietpraat niet. Tuesday's Children zorgde voor een lunch van hamburgers en hotdogs, waarbij de mannelijke vrijwilligers die de barbecues bedienden ons herinnerden aan wat we waren kwijtgeraakt. Ik nam de kinderen mee naar een Mets-wedstrijd, terwijl ik mijn best deed de spelregels uit te leggen. Er werd kerst gevierd bij een brandweerkazerne in Manhattan, waar de kinderen koekjes versierden en in een brandweerwagen bij de Kerstman op schoot zaten.

Door een brochure die me door Tuesday's Children werd gemaild ontdekte ik de cursus. Ze boden een cursus 'Creatieve inzichten' aan, die bedoeld was om 9/11-weduwes te stimuleren een manier te zoeken om hun leven weer op te pakken door middel van creativiteit. De eerstvolgende cursus van tien sessies zou worden gegeven in New Jersey: om de week van tien tot halfdrie, te beginnen in oktober 2003. Ik schreef me meteen in.

De eerste lessen werden gegeven in een vergaderruimte van een bedrijf in een kantorenpark vlak bij de Garden State Parkway in New Jersey. Aan de ene kant van de ruimte stonden dertien 9/11-weduwes, die koffie inschonken, in muffins hapten en elkaar schuchter begroetten. Julia en Athena stonden op en stelden zichzelf voor als onze begeleiders. 'Door op zoek te gaan naar je verborgen talenten, je creativiteit, zul je nieuwe kanten van jezelf leren kennen en nieuwe manieren vinden om je leven te leiden!' Julia's uitbundigheid was prikkelend. Haar achtergrond als managementtrainer sloot goed aan bij haar energieke stijl. Ze stuiterde heen en weer in de zaal en stak haar armen in de lucht om haar woorden kracht bij te zetten.

'In het leven gaat het erom je dromen waar te maken, en wij zullen jullie leren hoe dat moet!' Athena's balerina-achtige handen leken toverstof door het vertrek te strooien. Haar wapperende blonde haar en schalkse ogen gaven haar iets etherisch, iets elfachtigs, wat ons allemaal algauw won voor de gedachte dat alles mogelijk was. Ik dronk elk woord in.

Ons huiswerk voor de komende twee weken was 'leven zonder verwachtingen', zodat we open zouden staan voor nieuwe mogelijkheden en vertrouwen zouden krijgen in ons eigen vermogen om ons aan nieuwe situaties aan te passen. Ik realiseerde me dat ik overal waar ik ging, me schuldig maakte aan 'verwachtingen koesteren'. Toen ik naar huis ging voor kerst, had ik verwacht dat we een toost op Arron zouden uitbrengen. Ik had verwacht dat Selena haar verdriet in hetzelfde tempo zou verwerken als ik het mijne. Ik had verwacht dat mijn relatie met Brian zou eindigen met 'en ze leefden nog lang en gelukkig'. Ik had verwacht dat ik in mijn eentje een prima moeder zou zijn. Maar mijn verwachtingen waren niet realistisch. Ik hield geen rekening met de feilbaarheid en onvolmaaktheden van anderen, of die van mezelf. Toen ik na die eerste cursusdag naar huis reed, realiseerde ik me dat ik door die verwachtingen andere mensen tekortdeed. Mijn moeder, mijn vader, Sheilagh, Selena. Ik realiseerde me dat mijn woede op hen voortkwam uit mijn onuitgesproken verwachtingen over hoe ze zich zouden moeten gedragen, hoe ze zouden moeten rouwen, hoe ze voor mij zouden moeten zorgen. Ieder van ons sleepte zich op zijn eigen manier door zijn verdriet heen. Ik moest ermee ophouden aan te nemen dat hun verdriet qua duur of vorm hetzelfde was als het mijne. Ik moest vriendelijker en milder zijn tegenover de mensen in mijn leven, en accepteren dat ik niet kon voorschrijven hoe zij zich moesten gedragen. We waren allemaal even feilbaar.

Toen ik de auto uit stapte, voelde ik me vrijer en kalmer dan in lange tijd. Ik dacht aan hoe ik de regel van 'geen verwachtingen' zou kunnen toepassen op andere situaties: sociale evenementen, toekomstige kerstfeesten, de manier waarop ik zorg droeg voor mijn eigen kinderen. Uiteraard zou het onmogelijk zijn om alle verwachtingen uit te bannen, maar ik begon in te zien hoeveel vrijheid dit in mijn leven zou kunnen brengen.

Ons volgende huiswerk bestond eruit aandacht te besteden aan je voj, je *voice of judgment,* oftewel: je oordelende stem. Deze stem was onze innerlijke criticus, die met een beschuldigende vinger wees, ons beschaamd maakte en ons ontmoedigde om te experimenteren. Mijn eigen voj had me een jaar lang voorgehouden dat ik niet kon schrijven, dat ik niet wist wat ik moest schrijven of hoe ik dat moest doen, waardoor ik er niet eens aan had durven beginnen. Pas toen Janet opperde dat ik gewoon moest gaan schríjven, begon ik erover na te denken, en uiteindelijk begon ik bij het begin, zonder me druk te maken om het vervolg, zonder verwachtingen en zonder oordelen over wat ik schreef.

Kerstmis 2003 bij Jill en Dan thuis was ontzettend leuk. We gingen naar de Franse traiteur in Squamish en kochten onze traditionele tourtière en een roomboterkerststol. Jills kerstcadeau aan Olivia was dat ze gaatjes in haar oren mocht laten prikken, en we zaten allemaal toe te kijken toen Olivia stoïcijns het prikpistool doorstond en met een volwassen uitstraling naar buiten kwam met haar roze glitter-knopjes. Jill leerde Olivia een maffe Ethel Mermanversie van 'Rudolph the Red-Nosed Reindeer', waarbij ze na een pauze na het woord 'Rudolph' achteruit met haar been omhoogtrapte, waardoor we allemaal gierden van de lach. Caelin en Carter sprongen naakt op een matras op de grond.

Na de kerst reden de kinderen en ik naar Seattle om op bezoek te gaan bij Deirdre, Jack en hun dochtertje Rosemary. We werden met gejuich en dikke knuffels ontvangen, allemaal blij om elkaar weer te zien. Arron en ik hadden Deirdre en Jack leren kennen in Brussel, waar Jack en Arron de enige getrouwde studenten waren die het internationale MBA-programma van Boston University volgden. Arron en ik hadden moeten giechelen om dit lange stel toen ze moesten bukken voor een rondrit met de bus door Brussel die voor de studenten was georganiseerd. Ze hadden allebei enorme ogen en een duizelingwekkende, verblindende glimlach, en allebei hadden ze een kleine chihuahua in hun armen. In de bus zaten ze naast ons en brachten ons met hun vlotte humor helemaal in hun ban; toen de rondrit was afgelopen, waren we vrienden.

Op 30 december slopen Deirdre en ik het huis uit, de slapende kinderen achterlatend onder de hoede van Jack, en ontmoetten Deirdres vrienden Michael, Kat en Kats vriend. Deirdre had me over Michael verteld. 'Ik heb hem afgelopen zomer leren kennen bij een bijspijkercursus. Helemaal geweldig! Ik ben dol op hem! Hij is een jaar of twee geleden gescheiden. Volgens mij vind jij hem leuk, want hij is heel spiritueel. Hij studeert pastorale wetenschappen aan de Universiteit van Seattle en wil dominee worden.'

'Hmm. Klinkt interessant. Maar dominee?' Bij het idee alleen al om iemand te ontmoeten die ooit dominee zou zijn sloeg de angst me om het hart.

'Het is een beetje gek, dat weet ik. We proberen allemaal het hem uit het hoofd te praten.'

'Waarom?' vroeg ik.

'Het is niets voor hem. Hij is gewoon geen domineestype.'

Onder het genot van een drankje in een plaatselijk café leerde ik Michael kennen, en ik moest erg lachen om de grapjes die hij maakte. Zijn lach, die diep vanuit zijn buik kwam, was heel opbeurend. Ik bewonderde Michaels peper-en-zoutkleurige krullen, die bijna tot op zijn schouders vielen, en ijsblauwe ogen. Om de een of andere reden vertelde ik hem als vanzelf mijn verhaal.

'Wauw. Je hebt wel het een en ander meegemaakt, zeg. En nu heb je dus iets met een nieuwe man?'

'Ja, maar de laatste tijd loopt het niet zo lekker. Ik weet niet zeker of ik wel klaar ben voor een nieuwe relatie.'

'Denk je dat je ooit weer van iemand anders zult kunnen houden?' vroeg Michael, en hij raakte daarmee de kern van het probleem tussen Brian en mij.

'Jawel. Ik weet zeker van wel. Ik weet dat ik het in me heb,' zei ik, terwijl ik nog een slokje van mijn gin-tonic nam en hem nerveus in de ogen keek. Ik begreep niet goed hoe ons gesprek opeens zo intiem had kunnen worden.

Toen het café om één uur dichtging en we naar buiten stapten, zagen we dikke vlokken sneeuw loom uit de lucht dwarrelen. Overal in Pike Street kwamen mensen cafés uit en ze graaiden de sneeuw bij elkaar om er viezige ballen van te maken waarmee ze elkaar bekogelden, helemaal door het dolle heen omdat het in Seattle zo zelden sneeuwde. We doken weg achter auto's en bogen ons er behoedzaam achter vandaan om elkaar met zorgvuldig gerichte boogballen te raken. We vonden een verlaten parkeerplaats vol met maagdelijke poedersneeuw en gingen op de grond liggen om sneeuwengelen te maken, en Michael en ik keken elkaar van opzij aan toen we scheve sneeuwballen rolden voor het hoofd en het lijf van een minisneeuwpop. Vervolgens togen we op weg naar Neighbors, een plaatselijke homoclub die nog open was, en het laatste uur voor sluitingstijd brachten we door met om elkaar heen draaien op de dansvloer. Michael pakte mijn hand en trok me een podium op, waar we hand in hand samen dansten. Later, toen we naar de auto liepen, bleven Michael en ik, druk in gesprek, wat achter bij de groep. Opeens trok hij me een portiek in en zoenden we elkaar kort; ik voelde de opwinding door mijn lichaam racen.

Deirdre kwam ons algauw zoeken. 'Ahum! Komen jullie mee?'

Ik voelde me opgetogen, opgelaten en schuldig. Dit betekende einde Brian, die in New Jersey op me wachtte en in zijn e-mails zenuwachtig klonk.

Bij Deirdre thuis zaten Michael en ik op een gegeven moment samen alleen op de bank. We zoenden nog wat, maar toen trok ik me los.

'Ik heb een vriend...'

'Wil je stoppen?'

'Niet echt. Maar dat zou ik wel moeten willen. Ik moet ook naar bed. Morgen moet ik vroeg op voor mijn kinderen. Het is bijna vier uur.' Hij ging rechtop zitten, en aan zijn gezicht kon ik niet zien of hij teleurgesteld of opgelucht was. Waar was ik mee bezig?

De dag daarop, in de heldere zon, sloeg hij naast de huurauto zijn armen om me heen. Ik vroeg me af of ik hem zou hebben gezoend als de kinderen er niet bij waren geweest. We zwaaiden elkaar uit en ik wenste dat we hadden kunnen blijven om die avond bij Jack en Deirdre oudjaar te vieren, maar ik had Jill beloofd dat we op tijd terug zouden zijn om oud en nieuw bij haar, Dan en hun vrienden te vieren.

Toen ik weer thuis was in Montclair, zette ik de foto's van mijn reis op internet, zodat vrienden en familie ze konden zien. Brian zag ze ook. 'Wie is die vent met die ketting?'

'Ketting?' Ik stond ervan te kijken hoe snel hij een foto van

Michael en mij eruit had gepikt. Michael droeg de ketting die Deirdre hem die avond had gegeven, een souvenir van een recente tocht naar Ethiopië. Wat had Brian op die foto gezien? Dat ik gelukkig was soms? Kon hij zien dat ik lachte, iets wat ik met hem niet vaak meer deed? Natuurlijk voelde hij wel aan zijn water dat er iets tussen ons was veranderd.

Michael en ik begonnen elkaar te mailen zodra ik terug was in New Jersey. Ik voelde me enigszins schuldig over Brian, maar hield mezelf in het begin nog voor dat Michael en ik alleen maar vrienden waren en dat de afstand tussen ons het onmogelijk maakte dat het meer zou worden. Maar onze e-mails werden flirteriger van toon en ik begon naar ze uit te kijken. Op een avond kwam Brian koekjes bakken met de kinderen en piepte ik ertussenuit om een mail van Michael te lezen. Het werd me steeds duidelijker dat ik snel een beslissing over Brian zou moeten nemen.

Begin januari vierden Brian en ik zijn verjaardag met een etentje in een trendy sushirestaurant; we dronken misosoep en aten sushi met bijzondere sausjes. Brian was in een sombere bui, misschien omdat hij aanvoelde dat ik met mijn gedachten elders zat.

'Waar denk je dat mensen naartoe gaan als ze doodgaan?' vroeg hij me opeens. 'Denk je dat er een hemel bestaat?' Ik schrok van zijn vragen.

'Nou, ik weet niet zeker of er een hemel is in de zin van een soort paradijs, maar ik geloof wel dat Arron ergens heen is gegaan.'

'Hoezo? Omdat hij je "tekenen" geeft?' Brian hield mijn blik vast en daagde me uit.

'Ik weet dat jij niet gelooft dat mijn "tekenen" boodschappen van hem zijn, maar mij helpen ze. Ik moet geloven dat hij niet zomaar in het niets is verdwenen. Ik moet geloven dat hij ergens bestaat, op een ander niveau, dat er nog steeds een verbinding tussen ons is. Wat maakt het nou uit of die echt is of niet?' Ik was van mijn stuk gebracht. Waarom deed Brian zo ruziezoekerig tegen me?

'Volgens mij houdt alles op als je dood bent. En is er helemaal niets meer.' Opeens zag Brian eruit als een nukkig kind van vier. Ik wist zeker dat hij aanvoelde dat ik op het punt stond met hem te breken, en dat hij bewust op een confrontatie aanstuurde. Maar ik vond het niet leuk dat hij bij wijze van wraak zijn ideeën over leven en dood en Arron daarvoor inzette.

'Dat klinkt zo triest, zo fatalistisch. Hoe kun je nou een gelukkig leven leiden als je gelooft dat het einde zo akelig is?'

'Wie heeft gezegd dat ik een gelukkig leven leid?' In stilte aten we verder. Onze relatie leek gedoemd een vergelijkbaar einde tegemoet te gaan.

Een week later, in ons Indiase restaurant, zei ik tegen Brian dat ik ermee wilde kappen.

'Het komt door die vent in Seattle, hè?' zei hij mokkend. Hij sloeg zijn ogen neer in een poging de tranen te verbergen die hem in de ogen waren gesprongen.

'Nee, Brian. Het komt niet door hem. Ik ken hem amper. Jij en ik leiden op dit moment een rommelig leven. Je moet eruit zien te komen met je vrouw. Je moet beslissingen nemen die gebaseerd zijn op wat het beste is voor jou en de kinderen, niet op wat het beste is voor jou en mij.'

'Ja, daar kon je weleens gelijk in hebben. Ik had alleen gehoopt dat ik jou ook in die beslissingen zou kunnen betrekken.'

'Ik weet het, Brian. Het spijt me.' Ik was de afgelopen twee maanden stug doorgegaan, in de hoop dat ik verliefd op Brian zou worden, maar in plaats daarvan was ik gaan beseffen dat het soort relatie dat Brian met mij wilde niet het soort relatie was dat ik wilde. Ik wilde plezier maken en zorgeloos zijn. Ik wilde seks. Ik wilde verliefd worden en dolgelukkig zijn. Ik realiseerde me dat ik met Brian geen Brady Bunchfamilie wilde gaan vormen. Had ik dat maar wel gewild. Ik wist dat hij van me hield. Ik werd bang dat ik nooit meer van een andere man zou kunnen houden, dat Arron altijd in de weg zou staan, en het zag ernaar uit dat Brian een van mijn slachtoffers was. Was Michael de volgende?

Michael en ik begonnen er een gewoonte van te maken elkaar te bellen, en tot mijn verrassing kwam hij begin februari op bezoek. Mijn hart begon sneller te kloppen toen hij op het vliegveld uit de lift kwam, gekleed in zijn bruine suède jasje, met een zwarte tas over zijn schouder.

'Hai!' zei hij toen hij me zag, en hij omhelsde me stevig. Snel en nerveus kusten we elkaar. Achter het stuur op de Garden State pakte ik stilletjes zijn hand. Hij keek naar me, glimlachte en gaf er een kneepje in. Hij sliep in de logeerkamer. Tijdens de vier dagen dat hij bij ons was, maakte hij ons allemaal aan het lachen en de kinderen vergaten helemaal dat ze Brian misten.

Op de zondag van Michaels bezoek gaf Olivia's school een schaatsfeestje. Op de baan botste er een kind tegen Carter en mij aan, zodat we onderuitgingen. Door de klap ging ik door mijn knie, die meteen dik werd. Niet in staat overeind te komen zat ik op het ijs, terwijl de baanmedewerkers, tieners nog, naar me toe kwamen. Michael was met Olivia het ijs af gegaan om warme chocolademelk te gaan drinken. Uiteindelijk hinkte ik weg, met Carter nog steeds huilend naast me; angstig hield hij mijn hand stijf vast.

Die avond had ik het zwaar en hinkte wat rond of zat met een zak diepvrieserwten tegen mijn knie gedrukt. Michael zette kopjes thee voor me en ging iets te eten halen. De dag daarop, toen de kinderen naar school waren, ging Michael met me naar de Eerste Hulp; de tranen biggelden over mijn wangen van het lachen toen hij een improvisatie van een dokter ten beste gaf. 'M'vroj, ik moet even naar uw borst luisteren...' Terwijl hij het gordijn om het bed dichttrok, haalde hij naar me uit om me te kietelen, waarna hij me kuste en ik nog meer giechels moest onderdrukken. Het leek een soort test voor ons, om te kijken of Michael in staat was voor me te zorgen, en om te zien of ik me tegenover hem kwetsbaar kon opstellen. Ik voelde me hulpeloos en dwaas toen ik op krukken door het huis hobbelde, terwijl hij geduldig hielp met koken en Carters chocolademelk precies zo wist te maken als hij hem graag dronk. Misschien dat ik tóch verliefd zou kunnen worden, ging het door me heen.

In maart kwam Selena logeren om voor de kinderen te zorgen en vloog ik naar Seattle om een paar dagen met Michael door te brengen. Selena leek erin te berusten dat ik met mannen omging en drukte me op het hart er iets leuks van te maken.

Nu we eindelijk alleen waren, lagen Michael en ik uren in bed; we stonden alleen op om thee te zetten en eieren te bakken. We keken elkaar diep in de ogen terwijl we over spirituele zaken praatten. Hij vertelde me wat hij allemaal leerde op de theologieopleiding, en ik ging helemaal op in gesprekken over God, tao, de zin van het leven en een leven na dit leven. Hij hoorde mijn door Sylvia Browne geïnspireerde ideeën over een leven na de dood aan, prees me om mijn gedachten en mijn bij elkaar geraapte overtuigingen, en vond me heel wijs. Hij moedigde me aan mijn intuïtie te volgen en leek daar vertrouwen in te hebben, soms meer dan ikzelf. 'Jij weet dingen gewoon,' zei hij dan. Ik wilde hem maar al te graag geloven. We spraken niet over de toekomst en stelden ons ermee tevreden in het hier en nu te leven en te genieten van het moment.

We brachten een dag door op Bainbridge Island, waar we met de ferry heen waren gegaan; met de brace om mijn knie kon ik nog steeds niet goed uit de voeten. We poseerden voor een vreemde, onhandige foto bij een schilderachtige wijnmakerij; Michael hield mijn arm vast alsof ik zijn vrouw op leeftijd was. Een andere dag reden we naar Vancouver om een nachtje in een hotel te logeren met Jill en Caelin. 's Avonds regelde Jill een oppas en gingen we met z'n drieën de stad in, giechelend terwijl we een straatkomediant een dollar gaven zodat hij ons een grap zou vertellen, die we ons aan het eind van de avond geen van allen nog konden herinneren. Jill was een lakmoesproef voor Michael. Ik zag haar lachen om zijn malle humor en wilde dolgraag dat ze hem goedkeurde. 's Avonds laat op onze kamer vroeg ik haar: 'En?'

'Tja, hij is heel leuk. En grappig. En jij bent duidelijk tot over je oren verliefd op hem, en volgens mij is dat geweldig. Het is heerlijk om je gelukkig te zien, Ab.'

'Echt waar?' Ik was onzeker en wist nog steeds niet goed of Michael wel de ware voor me was. Ik was ervan overtuigd dat Jill alleen maar zei wat ik wilde horen.

'Ja. Hij is echt leuk.'

De dag daarop reden we terug naar Seattle, ik met mijn voeten op het dashboard om mijn zere knie te ontzien, terwijl Michael een cd opzette van Maktub, een band uit Seattle waarvan de songs 'onze' nummers zouden worden. Ik vond het prima om alleen maar passagier te zijn en eens een keertje niet zelf te hoeven rijden. Ik was vergeten hoe het was als er voor je werd gezorgd.

Op het vliegveld stonden we allebei met een droevige blik op ons gezicht naast mijn bagage.

'Ik kan niet wachten om je weer te zien in Mexico,' zei ik. Mijn moeder en ik hadden afgesproken naar Puerto Vallarta te gaan in het timeshare-appartement dat ze daar had. Michael had in hetzelfde resort een kamer gevonden en het plan was dat we haar daar zouden treffen.

'Ja, het wordt vast fantastisch.' Voor een laatste keer omhelsden we elkaar.

Krap een maand later zaten we met z'n allen rond een ondiep, hemelsblauw kinderbad om de beurt felgekleurde plastic vissen in het water te gooien, die Carter en Olivia vervolgens opdoken. Carter ging op Michaels rug zitten en liet zich van daaraf giechelend het water in vallen, zijn armen en benen wijd uitgespreid. Michael bodysurfte in de golven met Olivia. Hij kwam naast me zitten om van een pina colada te nippen en mijn hand vast te houden. Ik keek naar mijn moeder, want ook zij was een lakmoesproef voor Michael, en ik zag dat hij het er prima afbracht. Mijn moeder kon wel zien dat ik gelukkig was, en voor haar was dat het enige wat telde. Ze leek bereid hem te accepteren, al moet ik erbij zeggen dat ik voor elke andere reactie blind zou zijn geweest. Nadat de kinderen waren gaan slapen in de kamer die we deelden met mijn moeder, piepten Michael en ik ertussenuit om iets te gaan drinken en wat te praten. Later vrijden we op zijn bed, terwijl de gordijnen zachtjes opbolden in het briesje dat van zee kwam. Op een gegeven moment ging ik de badkamer in en zag in zijn toilettas allerlei medicijnen zitten. Hij had me verteld dat hij ooit te horen had gekregen dat hij een obsessief-compulsieve stoornis had, maar ik had daar nooit veel van gemerkt, behalve dat hij zijn handen wat vaker waste dan de meeste mannen die ik kende.

Ik had me niet gerealiseerd dat er medicijnen aan te pas kwamen. Toen ik in bed naast hem kroop, wist ik niet hoe ik het onderwerp moest aansnijden.

En toen kwam er een einde aan de week. Dikke tranen biggelden over mijn gezicht toen we op het vliegveld van Puerto Vallarta afscheid namen. Ik voelde dat het paradijs dat we in Mexico hadden gevonden nooit meer herhaald zou worden. Onze week samen was volmaakt geweest, maar ik was bang dat het té mooi was geweest. In een onwerkelijke fantasiewereld hadden we gedaan alsof we een familie waren. Ik kwam er maar niet achter of ik nou echt van hem hield, of dat ik mezelf dat alleen maar wijsmaakte in mijn wanhopige verlangen om de liefde die ik had verloren opnieuw te voelen, als bewijs tegenover mezelf dat ik wel degelijk kon houden van iemand anders dan Arron.

Ik begon een boek te lezen van Henry Greyson, getiteld *Mindful Loving: 10 Practices for Creating Deeper Connections*. Het leek erop dat ik richtlijnen zocht met betrekking tot mijn manier van liefhebben. Te snel? Was mijn liefde een van de 'onechte vormen' van liefde die Greyson in zijn boek beschreef? Nummer één op zijn lijst stond 'waanzinnige verliefdheid of het hoteldebotelsyndroom', een vorm van voorgewende liefde 'die meer gebaseerd is op fantasie dan op echte kennis van het zelf of de ander'. Ik was ook bang dat ik probeerde 'het verlies te compenseren', een gedachte die me niet had losgelaten vanaf het moment dat ik het eerste boek over rouwverwerking had opengeslagen. Ik vreesde dat dit voor Brian en mij het probleem was geweest en dat ik op het punt stond met Michael dezelfde fout te begaan. Ik vertelde Michael over het boek in de hoop dat zijn inzicht in onechte liefde zou kunnen voorkomen dat wij onze relatie daarop baseerden.

Mijn reisjes naar Seattle hadden me aan het denken gezet over de mogelijkheid uit Montclair te verhuizen. Sinds ik had gebroken met Brian en een nieuwe romance met Michael was begonnen, was Montclair gaan aanvoelen alsof het me niet langer paste. Het huis met al zijn herinneringen drukte al maanden zwaar op me, en mijn angsten over wonen in het post-9/11-gebied rond New York eisten hun tol. De voortdurende 'codes oranje', die de mate van terroristische activiteit in de wereld en het risico daarvan voor New York aangaven, maakten me nerveus. Tijdens tochtjes naar Manhattan liep ik met de angst in het hart over metroperrons en herkende dezelfde gespannen bange uitdrukking op de gezichten van vreemden. Iedereen werd als verdacht gezien. Ogen schoten rond, zoekend naar de eigenaren van onbewaakte tassen. Er werden plannen opgesteld voor het geval er een ramp zou plaatsvinden op alle plekken waar overdag veel reizigers waren: de metro, de bus, de straat, de gebouwen. Wie moest je bellen? Wie zou er voor de kinderen zorgen? Waar moest je heen?

Elke keer dat ik iets in de stad te doen had, begon Carter te jengelen en klampte hij zich aan mijn been vast omdat hij me niet wilde laten gaan. Olivia belde me om de haverklap op mijn mobieltje. 'Mama, waar ben je?' wilde ze dan weten. Zij hadden dezelfde angsten als ik. Stel nou dat ik, net als papa, op een dag niet meer thuis zou komen?

Ik begon na te denken over waar ik heen zou kunnen gaan. Op internet bekeek ik te koop staande huizen in Toronto, want dat was de meest voor de hand liggende bestemming. Die stad kende ik en ik had er een paar vrienden. Mijn ouders woonden er en zouden kunnen bijspringen met de kinderen. Ik bekeek huizen in alle delen van Toronto waar ik mezelf eventueel wel zag wonen, maar geen enkel huis beviel me. Mijn redenen om daarnaartoe te trekken kregen iets twijfelachtigs. Oppasmogelijkheden en een paar oude vrienden waren niet aanlokkelijk genoeg. Maar ik raakte wél enthousiast over de makelaarssites in Seattle.

'O mijn god. Wat een schitterend huis. O! En dat!' riep ik hardop uit terwijl ik op de virtuele rondleidingen klikte van grote, doosachtige Craftsmanhuizen, geschilderd in Californische pasteltinten met weelderige groene tuinen en bemoste trappen. Uitzicht op Lake Washington, de Cascade Mountains of, naar de andere kant, op de Puget Sound en de Olympics. De foto's van de huizen in Toronto waren in de winter genomen en herinnerden aan de sombere leigrijze luchten en vriestemperaturen. Seattle verlokte me met zijn charmes, zijn belofte van een nieuwe start, terwijl Toronto saai en koud aandeed, vol herinneringen aan een leven dat ik ooit met Arron had geleid.

Op een dag kort na mijn reis met Michael naar Mexico sprak ik mijn vriendin Cornelia. 'Ik moet weg uit deze omgeving, weg van alles wat aan Arron en 9/11 doet denken. Ik ga naar plekken als Seattle, waar niemand zich met 9/11 bezighoudt en waar het fantastisch aanvoelt. Daar zaten de mensen zo ver weg dat ze volgens mij geen idee hebben hoe het was. Ik hou van die onschuld.'

'Dus je denkt erover daarnaartoe te verhuizen?'

'Ik weet niet. Toronto ligt meer voor de hand; daar woont mijn familie.'

'Maar je zou wel dicht bij je zus zitten, hè? Wat dacht je van Vancouver?'

'In Vancouver ken ik geen kip en ik kan er niet zo enthousiast over worden als over Seattle. Daar krijg ik een gelukkig gevoel bij.' Kon ik het maar beter uitleggen. De broeierige luchten, de eindeloze groene texturen van het landschap en het merkwaardige wolkeloze diffuse licht hadden iets. Het deed me denken aan Londen, waar ik als ik over straat liep met mijn hand soms langs de rozemarijnhagen kon strijken die de keurige tuinen van de schitterende witgeschilderde huizen omgaven. Ik verbaasde me altijd over de bloemen, die gek genoeg in december en januari ineens als edelstenen opbloeiden. Ik dacht aan Deirdre en de kring van interessante mensen om haar heen, aan hoeveel Jack en zij van het leven hielden. Ik hield van Seattle met al zijn koffietentjes waar mensen elkaar ontmoetten en prikborden vol hingen met advertenties voor massagetherapeuten en schrijfgroepen. Ik vond het prachtig om mensen over hun computers gebogen te zien zitten en stelde me voor dat ik een van hen was.

'Is het vanwege Michael?'

'Ja. Dat heeft er waarschijnlijk wel mee te maken, moet ik bekennen.' Ik glimlachte bij de gedachte aan wat Michael en ik in Seattle samen zouden kunnen hebben: een normale relatie, waarbij ik hem regelmatig zou zien. Ik zag mezelf nog niet een-twee-drie met hem trouwen of samenwonen, maar het leek me fijn om hem vaker te kunnen zien.

'Misschien zou je in de zomer eens voor een maand een huis moeten huren om te kijken of het leven daar je bevalt,' opperde Cornelia.

Een paar avonden later vertelde ik Michael aan de telefoon over Corny's idee. 'De kinderen en ik zouden kunnen overkomen en zien of we er zouden willen wonen.'

'O. Dat is een goed idee.' Hij klonk aarzelend.

'Wat nou? Krijg je er de bibbers van?'

'Een beetje wel, denk ik.'

'Maak je maar geen zorgen. Het heeft niet alleen maar met jou te maken. Ik vind Seattle écht leuk en wil gewoon graag kijken wat er mogelijk is. Maar ik heb ook overwogen weer in Toronto te gaan wonen.' Ik kon mezelf voelen terugkrabbelen. 'Als ik wat langer in Seattle zou zijn, zou dat ons ook de kans geven om te kijken hoe het tussen ons gaat.'

'Het klinkt als een goed plan.' Dit was niet de enthousiaste reactie waarop ik had gehoopt.

Kort daarop kreeg ik steeds vaker verdrietige en bezorgd klinkende e-mails van Michael. Hij leek te worden geplaagd door een vaag soort angst die hij mij nooit goed wist uit te leggen. Hij leek ervan overtuigd dat er binnenkort een soortgelijke tragedie als op 9/11 zou plaatsvinden. Ik wist nu dat hij medicijnen slikte tegen angsten en vroeg me af of hij daar misschien mee was gestopt. Er was iets aan het veranderen. Telefoontjes die ooit een halfuur of langer hadden geduurd, bleven nu beperkt tot een paar minuten. 'Ik ben net bij het theater aangekomen. Ik bel je later nog,' zei hij dan, terwijl hij wat al te opgewekt klonk, alsof hij wilde doen voorkomen dat hij in opperbeste stemming was. Maar het 'later' van Michael was voor mij dan vier uur midden in de nacht, en het beloofde telefoontje liet een dag of twee op zich wachten.

'Kom je weer even langsracen?' zei ik dan, zoals ik zijn korte telefoontjes was gaan noemen. Ik deed mijn best een klagerige toon uit mijn stem te weren. In mijn e-mails verontschuldigde ik me omdat ik tegen hem zeurde en ik deed mijn best nonchalant te klinken, in een poging hem tijd te geven uit te zoeken wat hij met onze relatie wilde. Deze afkoelperiode gaf me de tijd om na te denken over wat ikzelf wilde, en ik begon in te zien dat Michael nog niet klaar voor mij was, dat hij niet klaar was voor Carter en Olivia, niet klaar voor het instantgezin dat we vormden. Ik besefte dat het tij was gekeerd en voelde wat Brian doorgemaakt moest hebben met mij.

Onverwacht kwam Michael voor Olivia's negende verjaardag begin juni langs. Olivia had acht vriendinnetjes uitgenodigd voor een slaapfeestje, en Michael maakte hen allemaal aan het lachen door hun zijn improvisatietechnieken te leren. We zaten in het souterrain en beoordeelden de hilarische manieren waarop de meisjes de trap afdaalden: 'beste glamourkoningin', 'beste puppy', 'beste baby'. De meisjes waren hier ruim een uur zoet mee. Aan het eind van de avond dromden ze allemaal om hem heen. Ik hoorde een van de meisjes tegen Olivia fluisteren: 'Wat is Michael cool!' Olivia antwoordde: 'Ja, misschien wordt hij wel mijn nieuwe papa.' Hoewel ik me ons in Mexico als gezin had voorgesteld, kreeg ik nu ik probeerde Michael en mezelf als getrouwd stel te zien daar geen beeld bij. Hij was hier weliswaar op Olivia's verjaardag en deed erg zijn best om onze relatie tot een succes te maken, maar ik merkte dat dat niet vanuit zijn hart kwam. Ik wist hoeveel hij van de kinderen en mij hield, maar begon te beseffen dat dat niet genoeg was.

De maandag daarop, nadat we Olivia op de bus hadden gezet, stond Michael bij de keukendeur te kijken hoe Carter en ik ons klaarmaakten om naar de peuterspeelgroep te gaan, terwijl Carter tegen me jammerde: 'Ik wil niet naar school! Ik háát school! Nee, mama, breng me niet!' Ik was voor die vertoning immuun geworden, want het ging bijna elke ochtend zo. Carter wilde niets meer van het leven dan thuisblijven bij mij en tv-kijken. Ik deed kortaf tegen hem. 'Kom op, Carter. Zeg Michael maar gedag.' Michael stond geschrokken en verward in de deuropening. 'Ik weet dat dit er heftig uitziet, maar voor ons is dit vaste prik. Hij doet dit elke ochtend, vooral op maandag.'

'Ik wil bij jou en bij Michael blijven!' Ook al was hij nog maar vier,

Carter wist heel goed hoe hij Michael moest manipuleren.

'Abby, misschien...' Michael begon in paniek te raken.

'Nee, Michael. Maak het nou niet moeilijker dan het al is.' Carter en ik liepen weg en lieten Michael bij de deur achter met een gezicht alsof hij op het punt stond in tranen uit te barsten, terwijl Carter het hele eind naar de auto brulde: 'Ik wil bij jullie blijven!'

Toen ik terugkwam, kwam Michael me bij de deur tegemoet. 'Ging het een beetje toen jullie er waren?'

'Nee. Ik moest doen wat ik meestal doe en was vijf minuten bezig om hem van mijn dij los te wrikken. Maar de juf is eraan gewend, dus die helpt me.'

'God, ik snap niet hoe je dat doet. Ik weet dat het niet zo is, maar het lijkt heel wreed.'

Ik kon er niets aan doen dat de implicatie daarvan me kwetste. 'Ik weet zeker dat het op jou alleen maar wreed overkomt omdat je er niet aan gewend bent.' Ik stond ervan te kijken hoe heftig Michael reageerde. 'Kom op, jochie, zó zwaar is het leven nou ook weer niet!' kon ik hem wel toeschreeuwen.

Die middag ging Michael met me mee naar New York, waar ik een afspraak had met Lenore, om met haar nog wat financiële details door te nemen voordat onze hoorzitting voor het Victims' Fund zou plaatsvinden. Ik had gehoopt dat de afhandeling eerder zou plaatsvinden, misschien binnen een paar maanden na het invullen van de formulieren, nu meer dan een jaar geleden. Maar ik had niets meer van Lenore gehoord. Van tijd tot tijd belde ik haar op, maar dan kreeg ik alleen maar te horen dat ze aan een grote zaak bezig was en zich binnenkort over de mijne zou buigen. Maar aan die grote zaken kwam maar geen eind. Af en toe vroeg Lenore om dingen die bij het dossier gevoegd konden worden: brieven van Arrons collega's waaruit bleek hoezeer hij gewaardeerd werd als leider, kopieën van grafredes, foto's met de kinderen, een video van het CBC-interview dat ik had gegeven. Al die spullen werden toegevoegd aan Lenores grote witte map, een getuigenis van Arron en van wat mijn gezin door zijn dood had verloren. Het doel van die map was om aan te tonen dat hij meer waard was dan de tabellen van het Amerikaanse departement van Justitie aangaven. Zijn gezin verdiende een hogere compensatie. Maar welk geldbedrag zou een leven ook maar in de verste verte kunnen vervangen?

Zoals Lenore maar niet opschoot, zo schoot ik ook niet op. Ik had niet veel zin in een bijeenkomst die aan Arrons leven een prijskaartje zou vastmaken. Ik wist geen weg met mijn schuldgevoel omdat ik zijn leven reduceerde tot een dollarteken. In stilte maakte ik lijstjes van de goede doelen waar ik aan zou kunnen schenken en fantaseerde ik over de oprichting van een netwerk voor weduwes, voor vrouwen en jonge gezinnen die níét het geluk hadden dat hun dierbaren werden afgemeten aan een tabel die was opgesteld door het Amerikaanse departement van Justitie.

En toch had ik gewacht en om de paar maanden Lenore gemaild. 'Het spijt me dat het zo lang duurt,' verontschuldigde ze zich. 'Om eerlijk te zijn heb ik emotioneel moeite met jouw geval. Het lijkt wel of ik het uit de weg ga. Het spijt me echt.'

'Het geeft niet. Eerlijk gezegd probeer ik het ook uit de weg te gaan,' bekende ik.

Lenore wilde wachten totdat ze van collega's die al een hoorzitting met hun cliënten hadden gehad kon horen hoe het was gegaan. Ze moest weten hoe streng of soepel de commissie was, of er nog meer informatie nodig was, of we een econoom moesten inschakelen om Arrons dossier tegen het licht te houden. Ik stuurde kopieën van nog meer papieren en een cheque van driehonderd dollar naar een econoom in Pennsylvania. Weken verstreken. Toen het rapport van de econoom terugkwam, was Lenore er nog steed niet tevreden over en vond ze dat hij een aanbeveling had moeten doen voor een hoger bedrag. Ze stuurde het rapport naar de econoom terug en er ging nog meer tijd voorbij. Uiteindelijk arriveerde er een aangepast rapport dat Lenores goedkeuring kon wegdragen. Toen doemde er weer een grote zaak op. De zomer ging over in de herfst. Uiteindelijk diende ze de formulieren in, en nu, bijna een halfjaar later, kwam de datum van mijn hoorzitting steeds dichterbij.

Terwijl ik met Lenore praatte, slenterde Michael wat rond door de stad. Later lunchten we op het zonnige terras van een kleine bistro. Het was een echt Manhattans tafereeltje. We lachten en genoten van een glas wijn, en ik voelde de warmte van Michael die ik zo had gemist. 'Ik zou het heerlijk vinden om een poosje in New York te wonen,' zei hij, zijn fantasie de vrije loop latend. 'Het lijkt me leuk om met iemand van huis te ruilen; dan zou iemand op mijn boot in Seattle kunnen wonen, terwijl ik in zijn appartement in New York trek.'

'Dat is een goed idee,' zei ik, in een poging de ironie van onze zo verschillende plannen te negeren.

In de metro op weg naar huis had ik nog steeds het koffertje bij me met alle papieren erin die ik altijd meenam naar Lenores kantoor. 'Weet je,' zei Michael, 'als je ooit wilt dat ik eens naar je financiën kijk, moet je het zeggen. Ik weet vrij veel over investeringen, van toen ik nog in de verzekeringswereld werkte.' We waren die dag zo close geweest en ik zocht naar meer manieren om hem naar me toe te trekken, dus liet ik hem het rapport van de econoom zien, waarin een aanbeveling werd gedaan voor de hoogte van mijn uitkering. Michael bleef heel stil toen hij zat te lezen, en ik begon mezelf al te verwijten dat ik mijn eigen regel om nooit met vrienden over geld te praten had overtreden. Michael leidde een spaarzaam leven. Doordat hij in zijn carrière het roer om had gegooid, slonk zijn spaarrekening in rap tempo, en ik wist niet precies wanneer die bron zou opdrogen of wat hij zou gaan doen als het zover was. Terwijl hij zat te lezen hoe ik er financieel voor stond, zocht ik zenuwachtig op zijn gezicht naar tekenen dat hij verrast of onder de indruk was, of ontzet, maar zijn uitdrukking bleef onverstoorbaar, zakelijk. Opeens was ik bang dat Michael kon zien dat het niet alleen onze verhuis-plannen waren die ons gescheiden hielden.

Later die avond leek Michael een nieuwe, beschermende houding tegenover Carter aan te nemen. Toen het bedtijd was, vroeg hij me of hij mocht helpen de kinderen naar bed te brengen, iets wat hij me altijd alleen had laten doen. We trokken Carter zijn pyjamaatje aan en gingen samen op zijn bed zitten, terwijl ik voorlas. De telefoon ging, dus liet ik Michael het verhaaltje voor Carter afmaken. Ik hing nog steeds aan de telefoon met Jocelyn toen Michael en Carter de trap af kwamen. 'Hij wil dat jij hem instopt,' fluisterde Michael me dwars door het telefoongesprek heen toe.

Ik stak twee vingers op ten teken dat ik nog een paar minuutjes nodig had om het gesprek af te ronden. Nadat ik had opgehangen, ging ik met Carter naar boven terwijl Michael zich in de woonkamer terugtrok. Toen ik weer beneden kwam, keek hij kwaad.

'Mag ik iets zeggen?' Hij klonk serieus.

'Natuurlijk. Wat is er?' zei ik, op mijn hoede.

'Nou, ik vind echt dat je tegen je vriendin had moeten zeggen dat je haar wel terug zou bellen. Volgens mij had Carter voorrang moeten krijgen.'

Ik wist niet wat ik hoorde. 'Nou, Michael, ik probeer Jocelyn al ruim een week te bereiken. Ik wist van tevoren dat het toch maar een kort telefoontje zou worden, alleen even om het een en ander door te nemen over ons reisje volgende week. Jij was bij Carter en ik dacht dat jij hem wel zou instoppen als het verhaaltje uit was,' zei ik, terwijl ik mijn best deed kalm te klinken.

'Hij wilde niet dat ik hem instopte. Hij wilde jou.'

'Van een paar minuten wachten gaat hij heus niet dood. Dit is hoe mijn leven eruitziet, Michael. Ik sta er alleen voor en soms moeten mijn kinderen wachten terwijl ik telefoontjes afhandel tijdens bedtijd.' Ik was kwaad. Hoe durfde hij te insinueren dat ik mijn kind in de steek had gelaten voor een telefoontje! Hoe durfde hij kritiek te hebben op mijn manier van moederen!

'Ik snap ook wel dat je aan jezelf moet denken...' Zijn stem bleef in de lucht hangen; hij zag zijn fout te laat in.

'Michael, jíj bent degene die hiermee zit, niet ik, niet Carter.' Ik kreeg een zwaar gevoel in mijn maag en klemde mijn kaken op elkaar. 'Wat dacht je ervan om dit gesprek morgenochtend voort te zetten, wanneer we er misschien allebei wat nuchterder tegenaan kijken? Volgens mij zijn we allebei doodmoe,' opperde ik. In onze eigen gedachten verzonken gingen we de trap op. Ik voelde de knoop van woede vlak onder mijn borstbeen en deed mijn uiterste best die los te laten. Het is zíjn bagage, hield ik mezelf voor. Ik kwam in de verleiding om te zeggen dat hij maar beter in de logeerkamer kon gaan slapen, maar hij kwam al achter me aan naar mijn kamer.

'Zal ik je rug masseren?' Uit zijn toon maakte ik op dat hij probeerde zijn eigen woede in toom te houden. Ik ging op mijn buik op bed liggen en hij ging schrijlings boven op me zitten. Hij begon me te masseren, maar de massage, die meestal zacht en stevig tegelijk was, voelde nu pijnlijk aan. 'Au. Voorzichtig!' riep ik uit. Zijn handen omvatten mijn nek, waardoor mijn halsslagader onaangenaam werd samengedrukt. Die avond vrijden we niet, voor de eerste keer niet tijdens al onze bezoekjes aan elkaar. Over de kloof die tussen ons gaapte werd niet meer gesproken.

De volgende dag, de laatste ochtend dat Michael bij ons was, hielp ik de kinderen naar school. Toen ik terugkwam, trok Michael me bij zich op bed. 'Het spijt me van gisteravond. Ik weet niet wat me bezielde.'

'Ja, het was een rare avond,' beaamde ik. Hij kuste me en het was duidelijk dat we zouden gaan vrijen, maar er was iets veranderd. De lichtheid van onze relatie leek verdwenen te zijn. Ik zat met mijn gedachten elders, mijn libido was weg. Zijn manier van vrijen was heel lichamelijk, een tikkeltje te wild. Toen ik later met een vreemd gevoel rechtop ging zitten, viel ik meteen zijwaarts op het bed.

'O god. Wat ben ik duizelig. Zag je dat? Ik viel gewoon om!' Ik probeerde weer te gaan zitten, maar werd overspoeld door een golf van duizeligheid. Ik moest moeite doen rechtop te blijven. Ik kwam het bed uit en voelde mezelf naar rechts wankelen. Met mijn handen tegen de muren gedrukt strompelde ik de gang door.

'Michael, er is iets mis met me. Ik kan niet rechtop blijven staan!' Er was iets verschoven tussen Michael en mij, en mijn lichaam reageerde daarop. Een paar dagen later zei de dokter dat het duizelingen waren, maar Michael en ik kregen nooit zo'n afdoende diagnose voor wat óns mankeerde.

21

Getuigenissen van liefde en verdriet

In juli kamden Martha en ik het haar van de kinderen en reden naar het New York County Courthouse in New York. Lenore had voorgesteld dat ik Carter en Olivia mee zou nemen naar de hoorzitting. 'Op lange termijn levert hun dat misschien meer geld op,' zei ze, omdat ze over de telefoon mijn schrikreactie wel aanvoelde.

We troffen Lenore voor de rechtbank; ze had een uitpuilend koffertje bij zich met daarin Arrons witte map. Ons kleine gezelschap werd naar de catacomben van het rechtbanksouterrain geleid naar een wachtkamer, waar de kinderen cola en koekjes kregen. Even later bracht iemand ons naar de liften en langs de werkkamertjes op de saaie, door tl-buizen verlichte dertiende verdieping naar een kleine vergaderruimte waarin amper ruimte was voor de grote tafel en stoelen die er stonden. We zochten allemaal een plaatsje en lieten aan het hoofd van de tafel vlak bij de deur plek vrij voor degene die ons geval zou komen beoordelen.

De vrouw kwam binnen, nam plaats en stelde zichzelf en een griffier die naast haar was gaan zitten aan ons voor.

'Aangezien u uw kinderen hebt meegebracht, zal ik met hen beginnen; daarna kunnen ze als ze willen terug naar de wachtkamer tot wij klaar zijn,' begon ze. Ze keek naar de papieren die voor haar lagen, waarschijnlijk onze aanvraagformulieren.

'Jij bent zeker Olivia?' zei ze met een blik op Olivia, die verlegen knikte.

'En dan ben jij Carter?' Carter deed hetzelfde als zijn zusje: terwijl hij op mijn schoot zat, ging zijn hoofd op en neer.

'Begrijpen jullie waarom we hier zijn?' Ze richtte haar vraag tot Olivia.

'Om over papa te praten?' zei Olivia.

'Inderdaad. Wat herinner je je nog het best van hem?'

'Dat hij vaak winden liet,' zei Olivia giechelend. De vrouw moest glimlachen.

'Herinner je je nog dingen die je vroeger met hem samen deed?'

'Ik vond het leuk als we samen gingen trainen. Op de stepper. En hij kon goed pannenkoeken bakken. Minnie Mouse.'

'Dat zijn allemaal leuke dingen. Kun je verder nog iets bedenken?' Olivia schudde haar hoofd.

'Carter, herinner jij je nog iets van je vader?'

Carter schudde zijn hoofd, zijn blik omlaag naar de tafel.

'Het is goed zo, Carter. Ik denk dat dat alles is wat ik van de kinderen hoef te weten. Zou uw kindermeisje weer met hen naar beneden naar de wachtkamer kunnen gaan?' Martha was al opgesprongen en pakte de jassen van de kinderen. Toen ze de kamer uit ging, schonk ze me een zorgzame blik om me succes te wensen.

De bespreking ging verder. Ik had een lijstje met punten voorbereid waar ik het over wilde hebben: Arrons achtergrond en opvoeding, het overlijden van zijn vader toen Arron zeventien was, zijn opleiding, zijn MBA. Ik vertelde over zijn telefoontje op de ochtend van 11 september. Ik had het over zijn persoonlijke trekjes: 'een niets-ontziend, eigenzinnig gevoel voor humor; een stralende, aanstekelijke giechel. Ik vertelde over zijn zakelijke aspiraties: 'Hij was ondernemend, ambitieus, en wilde een eigen zaak beginnen.' Ik vertelde over de muzieklessen die hij de kinderen nu nooit meer zou geven, en over de andere latente verliezen. Ik roerde de noodzaak van een therapeut voor mezelf aan, de scheidingsangst van de kinderen, en de situatie van Arrons moeder en haar mogelijke financiële behoeften. Ons leven werd gereduceerd tot een reeks opsommingsstreepjes. Lenore liet mij het woord doen. De medewerkster van het slachtofferfonds stelde erg weinig vragen. Ik wist niet zo goed wat ik geacht werd met mijn beschrijvingen te bewijzen. Dat Arron echt had bestaan soms? Deze gegevens over ons leven leken niets te veranderen. Stond het feit dat ik naar een therapeut moest of dat Olivia nog steeds bang was in het donker of dat Carter nog steeds vroeg waar Arrons lichaam was gelijk aan meer dollars? Maar ik deed wat me was gezegd. Ik vertrouwde op Lenores expertise. Zij had ruime ervaring met civiele rechtszaken en wist hoe ze een jury ervan moest overtuigen om een eiser meer te doen toekomen dan het absolute minimum. Toen ik was uitgepraat, voelde ik me net een doorgeprikte ballon: leeg en slap.

Een paar weken later, op 1 augustus, arriveerden Carter, Olivia en ik in Seattle, waar we werden beloond met een prachtige zomerdag met helderblauwe luchten en een gouden zon. Ik stuurde de huurauto een supersteile oprit op en rommelde wat met de code op het kastje van het slot. Het huurhuis dat ik voor die maand had gevonden stond te koop en was 'ingericht' met net genoeg meubels om er te kunnen wonen, maar meer ook niet. Er hingen geen gordijnen voor de ramen en toen we de deur opendeden, kwam de warme lucht ons tegemoet. De kinderen renden door het huis heen. Ik had gehoopt dat Michael ons misschien zou komen opzoeken, maar hij had andere plannen. Eind juni, na zijn rampzalige bezoek, had ik hem nog aan de lijn gehad.

'Je zegt wel dat je een relatie met me wilt, maar uit je gedrag blijkt iets anders. Ik ben die telefoontjes tussen neus en lippen door beu, Michael. In een relatie heb ik meer nodig. Ik wil geen onrealistische verwachtingen hebben wanneer ik in augustus kom. Volgens mij moeten we gewoon vrienden blijven, althans tot die tijd.' Hij had daarmee ingestemd, hoewel ik hoopte dat dat met tegenzin was geweest. Onze telefoontjes en e-mails gingen sindsdien voornamelijk over mijn zoektocht naar dit huis en aanbevelingen van zijn kant voor buurten waar we eens moesten gaan kijken. Zijn afwezigheid op deze dag boorde mijn hoop dat we tijdens mijn maand in Seattle onze romance nieuw leven in zouden kunnen blazen de grond in.

'Dit wordt mijn kamer!' hoorde ik Olivia verkondigen toen ik de koffers het huis binnensjouwde. De kindervoeten raceten verder de trap op.

'Mammie! Ze hebben een heleboel dvd's!' Wie me dat precies vanboven toeriep kon ik niet uitmaken. Het huis was kraakhelder, een showpand, compleet met vazen met kunstbloemen, die ik opborg in een kast.

Zowel vanuit mijn slaapkamer als vanuit een raam van een grote speelkamer op de tweede verdieping kon ik Lake Washington zien. Aan de andere kant zag ik de skyline van de stad, compleet met de Space Needle.

Ik had mijn zaakjes goed voor elkaar, vond ik zelf. Ik had voor die maand meer geld uitgegeven dan ik van plan was geweest, maar nu was ik blij dat ik dat had gedaan. Binnen een paar dagen zouden we in deze kamer kunnen kijken naar de Blue Angels die in hun F-16's over de stad vlogen, die hier waren voor de Sea Fair, die een week zou duren; hier zouden we ook Carters vijfde verjaardag vieren.

Die eerste avond kropen de kinderen en ik knus in mijn bed om genoeglijk tv te kijken. De volgende ochtend werd ik om halfzes wakker doordat de bloedrode zon opkwam boven de Cascade Mountains in de verte aan de overkant van het meer. Vol ontzag keek ik toe hoe de oranje bol zijn baan beschreef boven de bergtoppen en de lucht in verschillende tinten roze, paars, geel en oranje kleurde. Ik zou het helemaal niet erg vinden om dit elke ochtend te moeten zien.

Een paar dagen later arriveerden Jill en Dan als wervelwinden. Caelin, die nu drie was, Tulie, Jills hond, en de kinderen klommen allemaal de trap op om hun territorium af te bakenen. Later nam ik iedereen mee naar Pike Place Market en naar de lievelingswinkel van de kinderen, de 'mummiewinkel', die bekendstond om de gemummificeerde lichamen en verschrompelde hoofden die er te zien waren.

De F-16's gonsden tijdens hun oefeningen als reusachtige muskieten om het huis. Ze kwamen zo dichtbij dat je bijna de gezichten van de piloten kon zien terwijl ze voorbijzoefden, en het oorverdovende lawaai van de motoren kwam een paar seconden achter hen aan.

Michael had zich voorgenomen om naar Carters verjaardag te komen en de afgelopen twee dagen waren we erin geslaagd als vrienden respectvol met elkaar om te gaan. Deirdre, Jack en Rosemary kwamen ook en we verorberden cakejes terwijl we keken naar de slotshow van de Blue Angels.

Ik weet niet wanneer ik me niet langer meer verdrietig voelde tijdens de verjaardagen van de kinderen. Misschien was de truc dat je zo'n verjaardag moest vieren in een vreemd huis. Geen herinneringen. Geen beelden van Arron aan de barbecue die hotdogs stond te maken. Het was fijn om nieuwe herinneringen te maken, herinneringen waarin Arrons geest niet rondspookte om me melancholiek te stemmen.

Seattle was voor die hele augustusmaand een ideale plek, met elke dag heldere, koningsblauwe luchten. We gingen afwisselend naar de stranden aan Lake Washington Boulevard en de speeltuin in Madrona of Madison Park. De kinderen luisterden gespannen of ze de inmiddels bekende riedel van 'When the Saints Come Marching In' hoorden, die aangaf dat het ijskarretje eraan kwam. Olivia en Rosemary volgden een poosje een 'toneelkamp' op Mercer Island, terwijl Carter luidkeels protesteerde dat hij naar een sportkamp moest. Toen ik op een ochtend na een van onze moeizame afscheidsrituelen samen met Deirdre bij Tully's zat, drupten mijn tranen in mijn theekopje.

'Ben ik wreed dat ik hem dwing om in een vreemde stad naar een kamp te gaan? Maar ik heb zo'n behoefte aan een paar uurtjes zonder de kinderen,' kreunde ik.

'Nee, Abby. Je bent niet wreed. Eerlijk gezegd snap ik niet hoe je het redt. Echt niet.' Deirdre kreeg ook tranen in haar ogen.

'Zullen we onze teennagels laten doen?' stelde ze voor. 'Daar hebben we nog net genoeg tijd voor voordat we de kinderen moeten ophalen!'

De werkelijkheid was dat ik in Seattle geen kindermeisje had. Geen school. Niets waardoor ik de tijd kreeg om me zonder kinderen op te laden. Een vriendin van Deirdre kwam een paar avonden oppassen, maar afgezien daarvan stond ik er met de kinderen dag en nacht alleen voor. Als we zouden verhuizen, hoe moest ik het dan redden zonder mijn vangnet? Martha was als een moeder voor mij en als een oma voor de kinderen. Ik moest bijna huilen bij de gedachte afscheid van haar te moeten nemen. Haar nuchtere instelling van 'niet zwelgen in zelfmedelijden' had me door menige zware dag heen geholpen. Na het overlijden van haar eerste man, was ze in haar eentje in Montclair achtergebleven om vier kleine zoontjes groot te brengen, nadat ze vanuit Argentinië naar de Verenigde Staten waren verhuisd.

'Ik heb vier jongens, geen man, geen geld. Was heel zwaar! Ik weten!' Ze leefde met me mee, maar slechts tot op zekere hoogte, en dat waardeerde ik. Het had erger gekund. Het had ook kunnen zijn dat ik víér kinderen groot moest brengen, zonder geld, en terwijl ik maar een klein beetje Engels sprak. Ik bewonderde haar kracht. Gedachten aan Martha sterkten me in mijn besluit. Ik kon dit. Zo eng was Seattle nou ook weer niet.

Elke morgen liet ik me verkwikken door de prachtige zonsopkomst.

Op een dag kreeg ik een telefoontje van Lenore.

'De cheques zijn vandaag gekomen. Ik stuur ze nu met een koerier naar je toe.'

Het bedrag dat uiteindelijk was bepaald, kwam vrijwel overeen met het bedrag dat in de tabellen stond vermeld. Latente verliezen en economen hadden daar niets aan veranderd.

Toen het FedEx-pakje in Seattle aankwam, maakte ik het open alsof er iets teers in zat wat ik zou kunnen breken. Onverklaarbaar genoeg zaten er vier cheques in, elk voor een ander bedrag. Met een zucht ging ik zitten, me afvragend of ik zo'n enorme som wel zou kunnen hanteren. Ik streek met mijn duim over de op de cheques vermelde bedragen, alsof ik ze eraf kon wrijven, alsof de getallen net als Arron opeens zouden kunnen verdwijnen.

Arron zou het heerlijk hebben gevonden om deze te zien... Arron. Ik kon wel janken. Deze stukjes papier waren bedoeld om hem te vervangen, maar ze waren teleurstellend immaterieel. Ze voelden bezoedeld aan, en ik hield ze vast alsof ze me zouden kunnen verwonden… of erger nog. Ik kon niet wachten me ervan te ontdoen. Arron had moeten sterven om dit moment mogelijk te maken.

Het was vrijdag en ik kon ze pas maandag inwisselen. Ze lagen in hun envelop op de eetbar in de keuken en ik wist zeker dat ze daar door de envelop heen een gat in zouden branden.

'Zijn we nu rijk?' vroeg Olivia toen ze de cheques bekeek.

'Ja, een beetje. Maar toch ook weer niet. Met dit geld moeten we de rest van ons leven doen. Nu lijkt het veel, maar in de loop van een heel leven is dat niet echt zo. Hoewel het wel kan betekenen dat ik niet meer meteen hoef te gaan werken.'

'Jeetje!' Olivia klapte in haar handen.

Op maandag togen we allemaal lopend naar de stad en liepen de enige vestiging van TD Waterhouse die de stad rijk was binnen om de cheques te overhandigen. Ik stelde me zo voor dat de man die ze aannam, ze fotokopieerde en vervolgens het ontvangstbewijs voor me zou uitschrijven dat ik moest ondertekenen, wel een opmerking zou maken over de hoogte van het bedrag. Of dat hij me zou aankijken met een blik die zei… ja, wat eigenlijk? Dat hij onder de indruk was? Dat hij met me te doen had? Maar hij handelde de kwestie af alsof hij elke dag wel twintig keer zulke bedragen onder ogen kreeg. Alsof het niets bijzonders was. Mijn handen trilden toen hij me de fotokopieën aanreikte, die ik als nepbiljetten in de FedEx-envelop stopte.

'Alstublieft. Zo is het in orde.'

En zo was het ook. Het geld stond op de bank.

Tijdens ons verblijf zagen we Michael maar heel weinig, behalve dan die keren dat hij naar de speeltuin kwam om de kinderen te duwen op de schommel of naar het strand kwam waar de kinderen en ik voor de middag waren neergestreken. Onze gesprekken bleven enigszins oppervlakkig, maar waren steeds vriendelijk. Ik verlangde naar meer. Ik wist niet zeker of ik naar Michael hunkerde of naar intimiteit. Ik voelde me eenzaam. Mijn avances stuitten op verwarring. Of ik werd onhandig afgehouden doordat Michael een excuus vond om te vertrekken, of we probeerden 's avonds laat in stilte weer net als eerst hartstochtelijk te vrijen. Maar er ontbrak iets, en na afloop kleedde Michael zich altijd snel aan om weer op te stappen.

Op een dag belde hij me. 'Ik ga tien dagen naar Madison. Mijn vader moet een operatie ondergaan en ik heb besloten dat ik bij hem wil zijn.'

'O. Tien dagen. Dat is de rest van de tijd dat ik hier ben.' Ik slaagde er niet in de teleurstelling uit mijn stem te weren. 'Nou, dat was het dan. Je boodschap is glashelder.'

Het duurde een paar dagen voordat goed tot me doordrong hoe kwaad ik eigenlijk was. 'Ik ben hier maar vier weken en hij gaat er voor de helft van die tijd vandoor?' klaagde ik tegen Deirdre. 'Het is wel érg duidelijk dat dit voor hem een kans is om te ontsnappen.'

'Michael gaat met dat soort dingen soms raar om. Jij, de kinderen... misschien is het hem wel allemaal te veel.'

'Dat idee begin ik ook te krijgen.'

Halverwege zijn reisje belde Michael me vanuit Madison.

'Mag ik je iets vragen, Abby?'

'Natuurlijk.'

'Hoelang was je nog van plan je trouwring te blijven dragen?'

Ik stapte naar buiten, buiten gehoorsafstand van de kinderen, die in de keuken zaten te tekenen. Ik keek omlaag naar mijn rechterhand, waar mijn trouwring sinds mijn eerste date met Nick was blijven zitten.

'Ik weet het niet, Michael. Waarom vraag je dat?' Ik schrok, maar deed mijn best mijn stem neutraal te laten klinken.

'Nou, het heeft iets oneerlijks dat je steeds maar je ring blijft dragen.' Eerst dacht ik dat hij bedoelde dat ik door het dragen van mijn ring nog te verbonden was met Arron. Ik wilde daar al een meevoelende opmerking over maken, maar toen vervolgde hij: 'Als je partner doodgaat, leeft iedereen met je mee en steunen mensen je, en moet je je trouwring blijven dragen. Maar na een echtscheiding is er, zeker voor de man, geen echte steun, en het wordt raar gevonden als die zijn trouwring om houdt. Maar ik wil de mijne blijven dragen, als getuigenis van wat ik ooit had.'

Ik wist niet wat ik moest zeggen. Ik voelde me heen en weer geslingerd tussen begrip voor Michaels standpunt en kwaadheid omdat hij zo met zichzelf te doen had.

'Ik geef toe dat je bij een scheiding dezelfde symptomen van verlies voelt als wanneer je partner overlijdt. Het klopt waarschijnlijk inderdaad dat je niet zoveel steun krijgt. Volgens mij wordt er bij een scheiding van je verwacht dat je er sneller overheen bent dan bij een sterfgeval, en dat is jammer. De ring is symbool voor het huwelijk. Ik denk dat het verschil tussen ons is dat er aan jouw huwelijk een einde is gekomen en aan het mijne niet. Niet echt.' Misschien was dit ook wel het probleem met onze relatie, bedacht ik. Michael was bitter gestemd over het einde van zijn huwelijk, terwijl ik het gevoel had alsof het mijne nog doorging, ook al was het dan slechts van één kant.

Ik ademde eens diep in en uit. Ik hield van Michael, maar dit soort vreemdsoortige gesprekken leken we steeds vaker te voeren, terwijl hij probeerde te ontdekken wat hij van het leven wilde. Ik vond ze frustrerend, en dit gesprek had me kwaad gemaakt.

Michael keerde twee dagen voordat we naar New Jersey zouden vertrekken terug. Op onze laatste avond in Seattle kwam hij bij ons eten. Toen de kinderen in bed lagen, zaten we ongemakkelijk in de spaarzaam ingerichte woonkamer van een glas wijn te nippen.

'Ik weet dat het tussen ons niet helemaal goed is verlopen, maar op de laatste avond mogen we best wat plezier maken...' Aaiend over zijn bovenbeen schonk ik hem een zijdelingse glimlach. Ik hunkerde naar hem, zelf verrast door de kracht van mijn verlangen. Nu ik afscheid van hem moest nemen, was mijn kwaadheid over. Doordat ik wist dat onze romantische relatie voorbij was, voelde ik me wanhopig en aanhankelijk.

'Nee, dat lijkt me niet zo'n goed idee. Ik geloof dat ik maar beter kan gaan.'

Ik nam nog een slokje wijn, alsof ik het vuur in mezelf wilde blussen. Maar ik slaagde er niet in mijn teleurstelling om wat we hadden verloren te verbergen.

'Morgen kom ik je helpen met de bagage.' Zijn stem klonk zakelijk. We omhelsden elkaar bij de deur en bleven een hele tijd staan zoenen, wetend dat het voor het laatst zou zijn. Ik staarde naar de gesloten deur, wachtend op tranen die niet kwamen.

Ondanks mijn teleurstelling berustte ik al een paar maanden in de realiteit dat Michael niet de romantische partner zou worden op wie ik had gehoopt, hoewel hij altijd een heerlijke aanwezigheid in ons leven zou blijven.

Weer een bladzijde omgeslagen.

22

Van lood naar goud

Ondanks het feit dat er twee gedenkdiensten voor Arron waren gehouden, in New Jersey en Toronto, en twee gedenkdiensten op Ground Zero, ondanks twee 'verjaar'-dagen sinds 9/11, ondanks prachtige tuinen in Londen en Ottawa, ondanks tv-interviews, portretten in kranten, condoleancebrieven van president George W. Bush, premier Jean Chrétien en de prins van Wales, ondanks overvloedige tranen en slapeloze nachten, had ik nog steeds niet het gevoel dat ik Arron recht deed.

In de weken die volgden op 9/11 werd 'We zullen dit nooit vergeten' een nationale leus die je zag op bumperstickers en op gebouwen in de stad. Het sneed nog steeds als een mes door me heen. Alsof ik Arron ooit zou kúnnen vergeten. De wereld had op zoveel innige manieren geprobeerd de slachtoffers van 9/11 te eren. Men wilde, door het te gedenken, te begrijpen, zin vinden in iets waar geen zin was. Er zijn duizenden plaquettes, standbeelden, teddyberen, quilts, tekeningen, schilderijen en geschriften die de slachtoffers in de herinnering houden. Die kom je op de meest ongewone plekken tegen: op het terrein rond een oude vuurtoren op Block Island in Rhode Island, of in een tuin voor een ziekenhuis in New Jersey, of in een gedenktuin in Londen, Engeland, waar een stalen balk van de torens was begraven.

Bij elk monument zocht ik soelaas, maar vond het niet. De eerste keer dat ik in Eagle Rock Reservation een bronzen adelaar boven een groot opengeslagen bronzen boek zag met Arrons naam erin, kon ik wel janken. Ik had het oude geïmproviseerde gedenkteken prachtig gevonden – de gedichten, de bloemen, de vlaggen die tegen de stenen muur waren geplakt, allemaal verdwenen. In plaats daarvan trof ik diverse niet bij elkaar passende bronzen sculpturen aan die in een groepje bijeen waren gezet: de adelaar, een brandweerhelm op een voetstuk, een jong meisje met een teddybeer in haar armen, een gevleugelde engel, de romp en een arm van een Afrikaans-Amerikaanse politieman, een lantaarn in zijn hand, het opengeslagen boek met namen erin. Het allegaartje had voor mij geen enkele betekenis. Ik neem aan dat het iconen waren die stonden voor de dood, of beter gezegd een 9/11-dood, of symbolen van een of andere universele mythologie, maar ze waren niet van toepassing op de man die ik had gekend en liefgehad.

De tuin aan het Londense Grosvenor Square had me aan het denken gezet. Die was mooi en eenvoudig. Ik ontdekte dat het gedicht dat in de betonnen vloer was aangebracht van Henry Van Dyke was:

> *Time is too slow for those who wait,*
> *Too swift for those who fear,*
> *Too long for those who grieve,*
> *Too short for those who rejoice,*
> *But for those who love,*
> *Time is not.*

> (De tijd is te langzaam voor degenen die wachten,
> Te snel voor degenen die bang zijn,
> Te lang voor degenen die treuren,
> Te kort voor degenen die zich verheugen,
> Maar voor diegenen die liefhebben,
> Bestaat geen tijd.)

Daar kreeg ik tranen van in mijn ogen. Als ik ooit een gedenkteken zou oprichten, dacht ik, zou ik dat gedicht gebruiken.

En toen was het daar ineens.

Ik moest mijn eigen gedenkteken oprichten.

Ik moest een plek maken waar de kinderen en ik naartoe konden om met Arron te communiceren, een plek waar we hem op een prettige manier konden gedenken. Normaal gesproken zou dit een kerkhof zijn, of een bijzondere plek als een meer waarover de as van een dierbare is uitgestrooid. Nu er geen stoffelijk overschot was, zou er ook geen grafsteen zijn en was er geen as om te verstrooien. We hadden geen plek die alleen van ons was. Ik moest er niet langer op vertrouwen dat de buitenwereld Arron wel voor ons zou eren en zelf op zoek gaan naar een gedenkteken dat persoonlijk en betekenisvol was.

Toen ik op een ochtend op het achtertrapje van mijn thee zat te nippen, begonnen er in een boom vlakbij vogels oorverdovend hard te zingen. Ik weet nog dat Arron voor de grap vroeger vaak tegen me zei: 'Hé, Bird, waar hebben die beesten het over?' Ik slaagde er nooit in een slagvaardig antwoord bedenken. Op dat moment ontstond het idee voor zijn gedenkteken: een vogelbad.

Arron hield van tegels en van betegelen. Bij de renovatie van onze keuken hadden we zelf de wand achter het aanrecht betegeld met zwart-witte marmertegeltjes, een project waar we samen aan hadden gewerkt. Hij vond betegelen zo leuk dat hij altijd nog eens van plan was om in het souterrain een badkamer aan te leggen, compleet met een Turks bad met mozaïek. Ik plaagde hem geregeld met zijn plan, maar was dol op zijn zotte invallen. In overeenstemming met zijn grillige natuur besloot ik het vogelbad in mozaïek te maken.

Het bleek moeilijk om het juiste soort badje op te sporen. Op een koude en regenachtige dag in november zette ik de kinderen in de auto voor de ultieme New Jersey-ervaring: een tochtje naar Fountains of Wayne. Bij deze winkel is elk mogelijk tuinornament dat je maar kunt bedenken te koop – betonnen engelen, elfen, gnomen, ezels, grote tuinvazen, en vogelbadjes – en de koopwaar staat langs een drukke snelweg rommelig door elkaar heen tentoongesteld. Die dag was er geen kip te zien en tot mijn genoegen zag ik dat de vogelbadjes voor de helft waren afgeprijsd. In een opwelling koos ik er eentje dat was overdekt met rozetten, met een kom die te vlak was. Toen ik me in het onderwerp betegelen verdiepte, kwam ik erachter dat het geen goede basis zou zijn. Pas tijdens een ritje naar een tuincentrum in het voorjaar vond ik het juiste vogelbad. Het was eenvoudig, glad, met een diepe kom. Eindelijk zou ik met mijn project kunnen beginnen.

Ideeën voor de afbeeldingen ontstonden langzaam, in de loop der tijd. Een vlinder in het midden van de kom, die voor Arron en zijn vertrek naar het leven na dit leven stond, leek voor de hand te liggen als ik terugdacht aan alle vlinders die we na zijn dood hadden gezien. Mezelf beeldde ik af als een vogel die boven de vlinder vliegt. Toen Olivia net geboren was, had Arron haar de bijnaam 'Picklepaard' gegeven, afgeleid uit de tekst van een liedje dat hij over haar had gemaakt, dus verscheen Olivia als een groen paard aan de linkerkant van de vlinder (omdat ze net als Arron links is). Arron noemde Carter altijd 'Bottenmaker' vanwege de enorme hoeveelheden melk die hij als baby dronk. Omdat hij zo dol is op chocolademelk maakte ik voor hem een bruine koe rechts van de vlinder. Er kwam een maan bij waar de koe overheen kan springen, die ook fungeert als symbool van onze liefde, en tot slot voegde ik er in miniatuur aan de 'voeten' van de vlinder onze dierbare golden retriever Harley aan toe.

Puzzelend begon ik de vormen op te vullen met stukjes gebroken glas. Dat ging met vallen en opstaan, en was een kwestie van geduld hebben. Ik leerde elke tegel te breken zonder hem helemaal aan stukken te slaan en lijmde elk afzonderlijk scherfje vast, terwijl ik de schikking voortdurend veranderde en aanpaste. Mijn handen zaten onder de tegellijm en waren overdekt met kleine sneetjes. Een voor een, in de loop van negen maanden, kwam elk dier met zijn eigen, unieke karakter tevoorschijn. Soms leek het wel of ik door een god werd geleid wanneer stukjes van precies de goede afmeting hun weg vonden naar mijn hand.

De onderkant van de kom ziet er golvend, waterachtig uit en er staan een paar vissen op afgebeeld. Ik versierde de onderkant van het voetstuk met margrieten, om te herdenken dat Arron op Valentijnsdag margrieten voor 'zijn meisjes' had meegebracht, en vanwege de schitterende foto van Arron en Carter met margrieten achter hun oren. Op het laatst veranderde een bronzen plaquette het vogelbad in een echt monument ter ere van Arron. In de plaquette is het gedicht van Henry Van Dyke gegraveerd, met daaronder een eenvoudige inscriptie namens de kinderen en mij:

Uit liefde gemaakt voor Arron, Fabbo, papa
1961-2001

In oktober 2004, op de derde gedenkdag, droeg ik het vogelbad aan Arron op. Die avond verzamelden zich veertig vrienden en buren in mijn tuin, terwijl ik het vogelbad vulde met champagne en iedereen een maf rietje gaf om eruit te drinken. Met al mijn vrienden om me heen voelde ik me geen moment verdrietig. Ik was heel blij dat ik eindelijk een gedenkteken had dat goed voelde. Ik merkte wel dat Arron er ook blij mee was. Hij zou het prachtig hebben gevonden dat het zo oneerbiedig en grappig was, en ik voelde dat hij trots was op mijn prestatie. Later ontdekte ik dat mijn publiek vol ontzag was geweest over mijn unieke grafmonument. Toen ik het badje aan Arron opdroeg hadden velen gehuild, maar ik had niets dan plezier ervaren. Ik had iets gemaakt dat stond voor de wereld die mijn gezin was, en daarmee had ik dan toch eindelijk het ongrijpbare doel bereikt om Arron te eren op een manier die het voor mij mogelijk maakte hem los te laten, zonder hem ooit te vergeten.

Op een stormachtige novembermiddag zat ik met de kinderen in de auto toen ik over een mogelijke verhuizing begon. 'En, hoe zouden jullie het vinden om naar Seattle te verhuizen?'

'Ja! Ik vind het fijn daar!' zei Olivia meteen.

'Waarom vind je het in Seattle zo leuk?'

'Door alle meren en de bergen. Ik vind het lekker dat je altijd buiten kunt zijn en dat er zoveel te doen is.'

'Ik vind de mummiewinkel leuk!' voegde Carter eraan toe. 'Maar ik wil er niet wonen.'

'Is dat omdat je dan Sam zou missen?' Sam was Carters beste vriendje. Op de peuterspeelzaal waren ze onafscheidelijk geweest. Carter was heel vaak bij Sam en zijn vader, Temple, die zelf net een kind was, om te schaatsen, te basketballen of naar de film te gaan.

Temple was voor Carter een soort surrogaatvader geworden. Ik wist dat hij het moeilijk zou vinden om Sam en zijn familie achter te laten.

'Ja.' Er welden tranen in Carters ogen op en ik moest zelf ook slikken.

'Dat snap ik,' zei ik.

'Mama, als we in Seattle gaan wonen, mag ik dan een hamster?' vroeg Olivia opeens. Dat was een welkome afleiding.

'Ik ook?' Carters tranen en Sam waren even vergeten.

'Oké... dat denk ik wel...' Opeens sloeg de stemming in de auto om.

'Ik ga de mijne Bob noemen!' giechelde Olivia.

'En ik de mijne Alexander!' In Carters stem kon ik de opwinding horen.

Later ving ik op dat de kinderen hun vriendjes over de verhuizing begonnen te vertellen. 'Als we in Seattle gaan wonen, krijgen we hamsters. De mijne heet...'

Sinds we terug waren uit Seattle, was ik naar huizen blijven kijken en had me daarbij geconcentreerd op de wijken Madrona en Leschi, omdat ik dicht bij Deirdre wilde wonen en hoopte dat Carter en Olivia aangenomen zouden worden op de Valley School, een kleine, hechte, particuliere school in dezelfde buurt waar Rosemary ook op zat.

Ik stuitte op een crèmegeel huis in de stijl van een Italiaanse villa, gelegen op een grazige helling met kronkelende tuinen en uitzicht op Lake Washington. Binnen waren de kamers in opzichtige kleuren geverfd: een rode eetkamer, een chocoladebruine ouderslaapkamer, een roze keuken. De kleuren stoorden me niet, maar de prijs wel. Het was dubbel zo duur als het huis dat ik in Montclair te koop zou zetten. Zelfs als ik ons beleggingspand verkocht, zou ik de kloof niet kunnen overbruggen. Dus belde ik Debra, mijn financieel adviseur, en vroeg haar advies. Een paar dagen later zat ik bij haar op kantoor terwijl ze me diverse financiële scenario's schetste, die bewezen dat een huis, ook een duur huis, op de lange termijn een goede investering zou zijn. Toen ik Debra's kantoor uit kwam, bonsde mijn hart bij de gedachte zo'n prachtig huis te bezitten. Ik wenste dat ik Arron bij mijn beslissing kon betrekken, maar hij zou zich ertegen hebben verzet om zoveel geld uit te geven.

'Bird, is het nou echt nodig dat je zo'n duur huis koopt?' Ik stelde me voor wat voor gezicht hij daarbij zou trekken: zijn armen over elkaar geslagen, zijn lippen op elkaar geknepen, een frons op zijn voorhoofd.

'Nee, Arron. Jij bent er nu niet. Dit is mijn beslissing. Dit huis zal een goede investering zijn. Het is een heerlijke plek voor de kinderen en mij. Is dat niet waar het om gaat? Je weet heus wel dat ik gelijk heb...' Ik stelde me voor dat hij toegaf, hoe zijn stille uitademing het korte haar op zijn voorhoofd even in beroering bracht.

Ik ging naar huis en keek weer naar het huis op internet.

Toen ik op een goede dag weer keek, zag ik dat de prijs was gezakt. Ik boekte een vlucht naar Seattle voor de eerste week van december. Selena kwam naar ons toe om op de kinderen te passen, ook al zag ze deze nieuwe ontwikkelingen niet zo zitten en keek ze er niet naar uit dat we zo ver weg zouden gaan.

Ik ontmoette Laura, Deirdres nicht en nu mijn makelaar, op zaterdagochtend om in Seattle huizen te gaan bekijken. We dwaalden door een paar Craftsmanhuizen die ik op internet had gezien. Hoewel ze er enig uitzagen, realiseerde ik me dat ze ondanks al hun charme vanbinnen veel soortgelijke mankementen vertoonden als mijn huis in Montclair: ramen die vastzaten en alleen open konden als je er een rubber hamer bij pakte, krakkemikkige veranda's, veel hout voor kostbaar onderhoud en matige bedrading en leidingen. Aan een paar van de andere huizen moest te veel gebeuren, iets wat ik ooit heel leuk had gevonden, in de wetenschap dat Arron graag kluste. Maar nu had ik behoefte aan ramen die ikzelf open kon doen, aan een huis dat makkelijk te onderhouden zou zijn, met een eenvoudige indeling en met minstens drie slaapkamers dicht bij elkaar.

Elk huis dat we zagen had zo zijn charmes, maar ik werd op geen van alle verliefd. Na een slopende middag waarop we acht huizen hadden bezichtigd, parkeerden we ten slotte voor de steile oprit van het gele huis en klommen langzaam de smalle klinkertrap op, vol bewondering voor de weelderige tuin. Ondanks het koude, grauwe weer stonden de fuchsia's nog in bloei, en er waren hier en daar nog irissen te zien, en varens, een kornoelje, een heleboel rododendrons en een camelia. Toen we door de glas-in-loodvoordeur binnenstapten, wist ik dat dit ons huis zou worden. Het had maanden leeggestaan, maar het rook er schoon en fris, zonder sporen van de vorige bewoners. Ik onderdrukte de neiging om de kamers door te rennen in een verlangen alles zo snel mogelijk te zien. Ik stelde me voor dat ik de lelijke kleuren zou ververven in lichte tinten die het verpletterende uitzicht op het meer weerspiegelden. De witte kastjes en het spiegelgladde kersenhouten aanrecht blonken je tegemoet. De nieuwe hardhouten vloeren zagen er prima uit; er stak geen spijkertje omhoog en er was geen scheurtje te zien. De ramen waren groot en helder, met grepen waarmee je ze open kon zetten en zonwerende rolgordijnen die soepel liepen. Ik zag de ouderslaapkamer, waar ik over had gefantaseerd, waar ik wakker zou worden met uitzicht op het meer en de bergen, bijna hetzelfde uitzicht als vanuit het huis dat we een maand hadden gehuurd, een paar straten verderop. Ik zou mijn eigen badkamer krijgen met een badkuip op klauwpoten, die zo was geplaatst dat je optimaal van het uitzicht kon genieten, en een lange spiegel met twee wasbakken. Misschien wordt de tweede op een goede dag ook wel in gebruik genomen, ging het door me heen.

'Dit is het helemaal,' zei ik in een vlaag van opwinding tegen Laura toen we terugliepen naar de woonkamer. 'Ik wil een bod uitbrengen.' Tegen vijven die avond was ik met de verkoper een prijs overeengekomen.

De dag daarop maakte ik een ronde door het huis met de inspecteur met wie ik de vorige avond een afspraak had gemaakt.

'Dit is echt een heel leuk huis. Stevig gebouwd. Ik vind niet veel punten van kritiek. Misschien op zolder wat isolatie of de kabelschoenen op de kabels buiten verstevigen, maar dat is het wel zo ongeveer.' Terwijl de inspecteur rondscharrelde op zolder en in de kruipruimtes, zat ik in de hoek van een lege, galmende woonkamer op een aluminium vouwstoeltje te wachten, terugdenkend aan de dag dat Arron en ik ons huis in Montclair hadden gevonden. Toen we achter de makelaar aan de trap naar de tweede verdieping op waren gelopen, hadden we elkaar een veelbetekenende blik geschonken die zei: dit wordt ons huis. Een tweede blik van Arron vertelde mij dat ik mijn mond moest houden, zodat hij kon onderhandelen.

Terwijl ik daar zat, rook ik voor het eerst in heel lange tijd een rooklucht. Het kon zijn dat er een buurman vlakbij een vuurtje aanlegde in de haard, maar voor mij betekende die geur dat Arron mij zijn blik schonk.

Ik was thuis.

Zelfs Carters aanvankelijke verzet tegen de verhuizing verdween nadat we in maart naar Seattle waren gegaan om het huis te bekijken en een gesprek te voeren bij de Valley School. Beide kinderen renden door het lege huis en kozen een kamer, en ze vonden een kleine deur die naar een berghok leidde dat hun 'clubhuis' zou worden. Terwijl Olivia een ochtend op de school doorbracht, gingen Carter en ik eropuit en kochten drie zelfopblaasbare luchtbedden.

'Waarvoor zijn die?' vroeg Carter toen hij me hielp het eerste luchtbed uit te pakken in zijn lege kamer.

'Daar gaan we op slapen als we hier net zijn komen wonen en onze meubels er nog niet zijn.' Ik stak de stekker van het motortje in het stopcontact, zodat Carters luchtbed werd opgeblazen.

'Ik dacht dat we onze spullen uit New Jersey niet mee konden nemen,' zei Carter terwijl het luchtbed vol met lucht liep. 'Cool!'

'Natuurlijk nemen we onze spullen mee. We laten een grote verhuiswagen naar ons huis in New Jersey komen en stoppen alles erin. Dan rijdt die auto er dwars mee door Amerika.' Ik zag het kwartje bij hem vallen. Zijn blik klaarde op van opluchting.

'Bedoel je dat ik mijn eigen bed kan meenemen?' Nu pas begreep ik hoeveel zorgen Carter zich over de verhuizing had gemaakt.

Later die dag haalden we Olivia op bij de school. 'Het is leuk daar! Ze hebben me rekenen geleerd op een manier die ik snapte!'

De dag daarna was Carter aan de beurt. Het duurde even voor ik hem van mijn been had losgewrikt. Connie, de lerares, bleef dicht in de buurt; kennelijk had ze wel vaker met dit bijltje gehakt. Ze pakte Carter bij de hand en leidde hem weg. Ik trok me snel terug toen

Connie naar me mimede: 'Het komt wel goed met hem.'

Later, op de speelplaats, kwam Connie naar me toe. 'Volgens mij gaat Carter zich hier wel thuisvoelen.'

'Ja, dat denk ik ook. Ik hoop maar dat er plaats voor hem is.'

Thuis in New Jersey gaf Janet me meer inzicht in Carters verzet tegen de verhuizing. 'Ik denk dat jullie reisje naar Seattle Carter goed heeft gedaan. Hij heeft nu al een paar maanden met de barbiecamper zitten spelen. De camper was veilig vastgezet met tape en er zaten "slechteriken" in, die vaak geen adem kregen of op de een of andere manier doodgingen. Boven op de camper stond een schatkist vol met plastic babypopjes. Die zat ook dicht met tape en was op zijn beurt weer met tape boven op de camper vastgemaakt. De baby's gingen vaak ook dood.

Maar sinds jullie op reis zijn geweest, is alle tape van de camper gehaald. De slechteriken zijn bevrijd. En nu is de camper een verhuiswagen, vol met huisraad en met twee ouders, een moeder én een vader, en twee kinderen.'

Ik begon spullen in te pakken en zocht dingen uit voor het Leger des Heils, zette oude computeronderdelen apart voor de kringloopwinkel en maakte grote stapels voor het grofvuil.

Arrons kast had me bijna vier jaar lang gegijzeld gehouden. Kort na zijn dood deed ik vaak de kastdeuren open om zijn schoenen verwachtingsvol naar me te zien staren, alsof ze verlangden naar de warmte van zijn voeten. Dan ging ik in de kast achter de gesloten louvredeuren staan en huilde in zijn badjas, die nog steeds naar Arrons haargel en tandpasta rook. Ik betastte zijn dierbare maar lelijke gestreepte flanellen shirt. Ik rangschikte opnieuw zijn sokken, die onmogelijk hoog in een draadmandje lagen opgestapeld. Zijn kleren wachtten op hem, net als ik. Vervolgens sloot ik de kastdeuren en stortte me voorover op het bed, dramatisch snikkend.

De kast werd een test om mijn verdriet aan af te meten: deur opendoen, huilen, deur dichtdoen, test gehaald. Nog steeds verdrietig. Herhalen over vier weken.

Tijdens een bezoekje met Thanksgiving zag ik mijn kans schoon om een paar van Arrons lievelingskleren aan mijn broer Matt te geven, en aan Bruce, wat een beter idee leek dan vuilniszakken vol naar het Leger des Heils te slepen.

Mijn broer paste Arrons cowboylaarzen aan, die me zo aan hem deden denken: lang, slank en zwierig. Voor mijn geestesoog werd Matt weer een jongetje van tien dat de laarzen van zijn oude mentor aanpaste: trots, maar niet zeker of hij ze ooit zou kunnen vullen. Aarzelend stapte hij erin rond, terwijl hij zei dat hij zich ermee vereerd voelde. Ik wist dat hij ze nooit zou dragen. Die laarzen waren zo synoniem met Arron dat het ondenkbaar was dat iemand anders erin zou rondlopen. Ik had gehoopt dat mijn broer trekjes van Arron zou krijgen als hij ze droeg, dat het op de een of andere manier toverlaarzen zouden zijn, maar toen hij er alleen zijn tenen in stak, in plaats van zijn voeten er helemaal plat in te zetten, bleek het tegendeel.

Bruce trok Arrons favoriete leren jasje strak om zijn romp en probeerde het dicht te knopen. Het jasje, dat bij Arron tot op zijn heupen was gevallen, reikte tot halverwege Bruce' knieën. Het leek niet langer op iets wat Arron ooit had gedragen.

Ondanks het feit dat het allemaal niet zo goed paste, was ik blij dat deze aandenkens de deur uit waren en de verantwoordelijkheid waren geworden van iemand anders. Ik had zo'n idee dat ze op een goede dag wel bij het Leger des Heils terecht zouden komen, maar ik wilde niet degene zijn die ze daarheen bracht.

Mijn broer en Bruce deden of ze blij waren met hun verworvenheden, maar in werkelijkheid denk ik dat ze blij waren mij door een moeilijk proces heen te hebben geholpen. Ze leken te begrijpen hoe opgelucht ik was om op een liefdevolle manier iets van Arron weg te doen. Toch hoopte ik dat ze desondanks trots op hun aandenkens aan hem zouden zijn.

Terwijl ik truien, shirts en sokken in vuilniszakken deed huilde ik, maar ik voelde me ook gelouterd, vrij. Voorzichtig stofte ik de paardenleren schoenen af, waarop Arron elke keer dat hij ze aantrok even een trippeldansje had gemaakt; met tranen in de ogen nam ik afscheid van ze toen ik ze in de zak stopte. De week daarop hielden

we rommelmarkt. Gespannen als een veer keek ik toe toen er vreemde mannen langskwamen die Arrons colbertjes pasten.
Knarsetandend gaf ik hun wisselgeld terug en keek toe hoe de mannen, blij met hun aankopen, met een stukje van mijn echtgenoot
wegliepen.

Zijn stropdassen – een verzameling van ons beider smaken, de
dassen die hij zelf had gekocht zakelijk en glanzend, mijn kerst- en
Vaderdagcadeaus in gedempte kleuren en artistiekerig – werd liefdevol ingepakt om de reis van 4500 kilometer naar ons nieuwe huis te
maken. Ik bewaarde ook de smoking die als een lijk in zijn zwarte
plastic zak van Brooks Brother's zat geritst. Die zou ik voor Carter
bewaren. Ik stelde me voor dat Arrons blauwe badjas tussen mijn
jurken zou komen te hangen in mijn nieuwe inloopkast in Seattle,
nog steeds stoffig maar zonder tranen. De smoking zou in zijn zak
blijven zitten. Het gestreepte flanellen shirt zou een ereplekje krijgen
op de plank erboven. De stropdassen zouden met elke maand die
verstreek zachter worden. Deze overblijfselen van Arron zouden niet
langer wachten op zijn terugkeer, maar worden bewaard als bewijs
van zijn bestaan: stukjes van hem die we konden aanraken en vasthouden, talismans die liefdevol werden betast.

Ons afscheidsfeestje begon met knetterende donderslagen en een
korte stortbui. Na de storm liep ik door mijn achtertuin, die gereinigd was met een regenverse geur, om mijn gasten drankjes aan te
bieden en nieuwe hapjes aan te voeren. Ik verwelkomde en omhelsde mensen, ik lachte. Ik voelde geen spijt om al mijn vrienden achter te laten. Mijn leven was een reeks momenten in de tijd geworden,
herinneringen die waren gevangen en als vliegen in amber werden
bewaard. Ik wist dat ik opnieuw tijd met deze vrienden zou doorbrengen, ook al zou dat minder frequent zijn. Afwezigheid kreeg een
nieuwe betekenis, was niet langer een permanente staat. Mijn vrienden en Arron zouden altijd bij me zijn, misschien niet fysiek, maar
wel mentaal. Er waren wat ongemakkelijke momenten geweest
omdat sommige vrienden kwaad op me waren vanwege mijn vertrek: uitnodigingen voor etentjes werden afgewezen, alsof ze hun

verdriet konden maskeren door al vooruit te lopen op de tijd dat ik er niet meer zou zijn. Maar de meeste vrienden omhelsden me liefdevol, blij dat ik de moed had om verder te gaan en blij om de opwinding in mijn ogen te zien. Ik voelde me als iemand die net getrouwd is en een leven vol onbegrensde mogelijkheden tegemoet gaat en wordt aangemoedigd door zijn omgeving. Ik probeerde te vergeten dat ik in mijn eentje verder zou moeten.

Maar op mijn spierwitte bruidsjurk zat een vlekje van verdriet. Ik zou moeten leren dat mijn nieuwe leven niet volmaakt zou zijn en mocht niet verwachten dat een verhuizing naar een plek ver weg zou kunnen uitwissen wat was geweest.

De verhuizers kwamen en haalden ons huis doos voor doos leeg, waarna ze ze als puzzelstukjes in een hoekje van de lange verhuiswagen schikten. Mijn hele inboedel nam maar een derde van de laadruimte in beslag. Het leek een onmogelijke verkleining. Ik gaf hun aanwijzingen toen ze het vogelbad inpakten en het zorgvuldig in krantenpapier wikkelden. Ik keek ernaar uit het in mijn tuin in Seattle neer te zetten, waar het uit zou zien op het meer en Arron hopelijk van het uitzicht zou genieten. In mijn eentje liep ik het lege huis door en raakte alles aan wat Arron had gebouwd. Zijn te hoge vensterbank, de keukenkraan die de verkeerde kant op draaide, het bordestrapje aan de achterkant, de stenen muur in de tuin, het terras van de garage, de boomhut van de kinderen.

Maureen had me een samengebonden boeketje gedroogde kruiden gegeven om mee door het huis te gaan, om het te 'zuiveren' van oude geesten. Ik stak het uiteinde van het bosje aan en liep ermee het huis door, terwijl ik me dwaas voelde. Er kwam een scherpe geur vanaf. De geur van brandende lavendel en tijm vulde elke kamer. 'Kom op, Fab, het is tijd om te gaan.' Ik spoorde hem aan zowel om met ons mee te gaan naar Seattle als om naar gene zijde te vertrekken, zodat hij ons zou achterlaten om verder te gaan zonder hem.

De week daarvoor had ik mijn tranen moeten wegslikken toen de kinderen Janet om de hals waren gevlogen. Toen het mijn beurt was, kon ik geen woord uitbrengen en moest ik me wegdraaien – we hadden allebei tranen in de ogen. De vorige avond was Martha haar gebruikelijke taaie zelf geweest. 'Tot gauw! Ik kom op bezoek, misschien in maart.' Ik drukte haar stijf tegen me aan.

'Je hebt geen idee hoe je me hebt geholpen,' fluisterde ik tegen haar.

'Jij gaat redden, Abby. Jij sterk als ik.' Ik glimlachte omdat ze zoveel vertrouwen in me had.

Op de ochtend dat we uit New Jersey vertrokken, kwamen onze beste vrienden afscheid van ons nemen. Olivia had al in de auto zitten huilen toen ik haar de dag tevoren had opgehaald uit het paardenkamp. 'Wat zal ik al mijn paarden missen!' Nu zei ze haar vriendinnetjes giechelend vaarwel, terwijl zij in tranen waren. Ik moest huilen toen ik zag dat William tranen in zijn ogen had. Rachel en hij waren zo lang mijn reddingsboei geweest. Ik omhelsde de rest van mijn vrienden, waarna ik in de auto stapte en verdrietig zwaaide toen we de oprit af reden.

De vliegreis voelde als een niemandsland tussen twee werelden in. Ik probeerde meer te denken aan wat voor ons lag dan aan wat ik achterliet. Mijn oude leven leek tussen de wolken te verdwijnen.

We kwamen in Seattle aan op bijna hetzelfde tijdstip als waarop we in New Jersey waren vertrokken. De huurauto rolde soepeltjes de garage in en opgewonden beklommen we de klinkertrap. Het huis rook nog steeds schoon, precies zoals ik het een halfjaar eerder had aangetroffen. De muren waren nu geschilderd in de lichte pasteltinten die ik voor ogen had gehad. De kinderen begonnen meteen het luchtbed in de woonkamer te installeren, een taak waar ze al maanden naar uit hadden gekeken. Twee uur later stond Matt op de stoep; hij was vijf dagen eerder met Harley in mijn auto uit New Jersey vertrokken en was het hele land door gereden.

'Wat een timing! Wij zijn er ook nog maar net.'

'Wauw. Wat een mooi huis, Ab,' riep hij uit toen we op het achterterras stonden uit te kijken over het water. 'Dat uitzicht!' De schemering begon neer te dalen over het meer en de skyline van Bellevue aan de overkant lichtte op in gedempte tinten geel en oranje. Erachter waren vaag en nevelig de Cascade Mountains te zien. We nipten van de champagne die Laura in februari in de koelkast had gezet, toen ik de sleutels had opgehaald nadat mijn bod was geaccepteerd.

Twee dagen later arriveerde de verhuiswagen en werkte ik het grootste deel van de dag non-stop om de puzzelstukjes van alle spullen weer aaneen te voegen. Ik zette de foto's van Arron op de schoorsteenmantel en besefte dat ik misschien mijn zin gekregen had. Arron was met ons meegekomen naar Seattle, maar dit huis was niet door zijn aanwezigheid getekend, had geen zelfgemaakte vensterbanken en boomhutten. In plaats daarvan zat hij in de geest van het huis. Dat hij een rol had gespeeld bij onze verhuizing hiernaartoe, was voor mij zonneklaar.

Ik keek naar een foto van mezelf die genomen was een paar maanden na 11 september, waarop ik er moe en verdrietig uitzag, met Carter op mijn schoot, terwijl ik naar de camera probeerde te glimlachen. Ik was blij dat ik niet langer die geslagen blik in mijn ogen had en dat mijn glimlach nu voortkwam uit echt gevoeld geluk. Ik had met de vrouw op de foto te doen, zoals anderen in die tijd met me te doen moeten hebben gehad. Die vrouw was nu een onderdeel van wie ik was geworden. Ik had een reis gemaakt – een loutering die mijn ziel reinigde, zodat alleen de essentie van wie ik was, was overgebleven – en die had me voorbereid op wie ik zou worden. Dat proces had me geleerd dat ik mijn lot niet kon sturen, maar dat ik wel kon kiezen hoe ik erop reageerde. In *After the Darkest Hour*, een boek dat ik een paar jaar na Arrons dood las, beschrijft Kathleen Brehony de 'rode fase' van het alchemistische proces: 'Daarin vorderen we onze passie terug, een vitaliteit die we nooit eerder hebben gekend. Onze persoonlijkheid is veranderd. Onze geest is vernieuwd.'

De volgende ochtend, de eerste in mijn eigen bed, werd ik om vijf uur gewekt door een uitbarsting van zonlicht. Toen ik mijn ogen opendeed, zag ik de eerste stralen over de blauwige Cascades heen schijnen. De lucht had een diepe zalmgouden kleur en daardoor leek het wel of er gouden munten over het meer waren uitgestrooid. Ik glimlachte, strekte mijn armen boven mijn hoofd en slaakte een zucht van welbehagen.

Mijn lood was in goud veranderd.

Dankwoord

Hoewel ik dit boek heb opgedragen aan Arron, is het op vele manieren tevens opgedragen aan al die mensen die me hebben geholpen met navigeren op de ijzige wateren van mijn reis, die me hebben geholpen muren te bestormen, draken te verslaan en lood in goud te veranderen. Ik betwijfel of ik er ooit in slaag voldoende duidelijk te maken hoe dankbaar ik degenen ben die in die ellendige begintijd mij zo ongelooflijk veel medeleven, menselijkheid, gulheid, citroenijs en wortelsoep hebben geschonken. Ik hoop dat ik door dit boek te schrijven iets 'vooruit kan betalen' door anderen die verlies moeten doorstaan te helpen, en dat zij dit boek zullen lezen en zich gesterkt zullen voelen door de gedachte dat verdriet telkens van gedaante verandert, en dat ook zij met enorme inspanning en door te leren hulp van familie, vrienden en buren te accepteren, over de vuurbal die het leven hun heeft toegeworpen heen kunnen komen.

Uiteraard kan ik er niet omheen namen te noemen. Ik wil de mensen bedanken die tijdens mijn storm voor kalmte zorgden: Martha DeLeon, mijn rots, moeder en redster. Cornelia en Bobby Carrigan, voor al het ijs en de enorme knuffelschildpadden, voor de schouders om op uit te huilen en hun vaderlijke bijstand. William en Rachel Dunnell, voor hun kalme wijze waarop ze er voor me waren, hun etentjes op vrijdagavond, en natuurlijk de kosmos. Diane, Alan, Molly en Adam Fergurson, voor de verrukkelijke gebraden kip, de thee aan hun keukentafel, de boeken van Sylvia Browne, de readings van Concetta, het grasmaaien en babysitten-op-afstand. Dank aan Jeannine Cox, omdat ze op de een of andere manier een hele strijdmacht bij elkaar wist te krijgen om een compleet kalkoendiner klaar te maken en vervolgens iemand zo gek kreeg om in te breken in mijn huis om het op te dienen. Dank jullie wel, Knoths en de hele Knoth-

Chow-clan, omdat jullie ons altijd zo hartelijk bij jullie thuis hebben verwelkomd. Dank aan al mijn vrienden en buren die hun huis openstelden voor mijn vrienden en familie uit Canada, en aan al degenen die ik hier door ruimtegebrek niet kan noemen, maar die op vele manier veel hebben betekend.

Ik ben dank verschuldigd aan Tuesday's Children, aan Athena Katsaros, Julia Romaine, Julie Buckley en hun Creative Insight-programma omdat ze het zaadje hebben gekoesterd waaruit dit boek is voortgekomen. Zij hebben me geleerd dat alle dromen verwezenlijkt kunnen worden, als je daar maar werk van maakt. En dank aan Maria Housden, die me inspireerde om te schrijven en me hielp om mijn allereerste schrijfsel gepubliceerd te krijgen. Dank ook aan Lynn en Kelly van Comfort Zone Camp, omdat ze daar een plek schiepen waar Olivia kon rouwen. Tevens dank aan Kim Materna, Olivia's *big buddy*, omdat ze voor ons allemaal een buddy is geweest. Aan John Muise en Tracy Clark van het kantoor voor Victims of Crime in Ontario, die Selena en mij opbeurden met hun lach. Aan Maureen Girvan en Clara Hirsh van het Canadese consulaat, omdat ze me hielpen allerlei details te regelen, van DNA-tests, hotels en paspoorten tot het terugkrijgen van die plastic zak met aandenkens aan Arron.

Ik wil mijn erkentelijkheid betuigen aan Sylvène Gilchrist en Debi Goodwin van CBC voor hun vriendelijke, empathische interviews, die er uiteindelijk toe hebben geleid dat dit boek het licht zag. Mijn agent, Denise Bukowski, die me op televisie zag, bespeurde een glimmertje in me waarvan ik niet wist dat ik het in me had en poetste me op tot ik begon te blinken, zoals je doet met een kostbaar metaal. Susan Renouf van McClelland & Stewart, die zo in mijn verhaal geloofde dat ze het wilde uitgeven, en Trena White, die bij de redactie alle registers opentrok en vaardig het boek wist te distilleren uit het epos dat haar in eerste instantie werd overhandigd, waarbij ze en passant mijn ego van pril schrijfster een enorme impuls gaf.

Dank aan Janet Nelson, mijn reddingslijn, vertrouwelinge, surrogaatmoeder en degene die mijn dichtgevouwen tissues in ontvangst nam. Zonder haar serene wijsheid zou dit alles niet mogelijk zijn geweest. Maureen Murray, die met haar magische aanraking de spirituele slang liet ontwaken die diep in me begraven zat. John Welshons, die me via zijn boek hoop gaf.

Deirdre Timmons omdat ze me opnam in haar leven in Seattle en omdat ze dit boek heeft gelezen en me tot aan de finish is blijven aanmoedigen. Theo Pauline Nestor, mijn geheugendocent, mentor en lezer, die me hielp mezelf eens en voor altijd te bewijzen dat ik het echt in me had om een boek te schrijven. Jocelyn McNally, een heel bijzondere zangeres bij begrafenissen en immer geduldige metgezel tijdens rijkelijk met drank overgoten meidenweekends. Kim Nymark, omdat ze al vierentwintig jaar lang de draad weet op te pakken waar we die de vorige keer hadden laten liggen. Jacquie Klan en Bruce Allan dank ik voor hun pragmatische, zekere vriendschap en op kalkoen geïnspireerde feestjes.

Nick, Brian en Michael, omdat ze me leerden dat ik hun liefde waard was en omdat ze me onbedoeld hebben toegestaan hen zo in het openbaar te portretteren.

Mijn zus Jill, omdat ze me elke dag belde, ook al zat ze duizenden kilometers verderop, omdat ze me liet snikken van de lach en deed alsof ze mijn zwarte humor grappig vond. Dank je wel voor je wijsheid, die mijn stoutste verwachtingen overtrof. Dan, bedankt voor de vis- en baseballlessen, de broederlijke bescherming. Dank aan mijn broer Matt, omdat hij zo dapper was om die laarzen aan te trekken. Je hebt nu je eigen laarzen en ik ben heel trots op je. Dank aan mijn moeder, die ondanks het feit dat ze in de begintijd onopzettelijk opzij werd gezet, haar pogingen om me te helpen mijn verlies te verwerken niet opgaf. Zij leerde me de vriendelijke moeder te zijn die zich sterk maakt voor het welzijn van haar kinderen, en Olivia en Carter getuigen daarvan. Ze steunde me ook tijdens het schrijven van dit boek, ook al had ze daar zo haar bedenkingen bij. Dank aan mijn vader en zijn vrouw Sheilagh, omdat ze zichzelf onwankelbaar trouw zijn gebleven en in het oog van een orkaan geen krimp gaven, en daardoor diverse van mijn linkse hoekstoten wisten te doorstaan, en voor hun niet-aflatende positieve steun, ook al lieten ze niet het achterste van hun tong zien. Mijn grootvader, die met zoveel flair 'in beweging blijft'. Dank aan Selena, mijn maatje uit de loopgraven, die door het hele gebeuren heen met me huilde en lachte. Dank je wel dat je mijn reddingslijn naar Arron was, dat je de pragmatische stem was te midden van al het lawaai, dat je je eigen verdriet opzij hebt gezet om mij door het mijne heen te helpen.

Tot slot dank aan Olivia, omdat ze me heel veel heeft geleerd over gracieus en sterk zijn, over hoe je moet vragen om wat je nodig hebt aan de mensen om je heen, en hoe je ook als je verdrietig bent kunt lachen. En aan Carter voor zijn druipend natte knuffels, zijn heerlijke voetmassages, zijn vermogen om altijd alles precies te weten, en omdat hij me als moeder bij de les heeft gehouden en me dubbel en dwars geduld heeft geleerd. Ik hou van jullie allebei, meer dan alle woorden in dit boek kunnen zeggen.